# Trinité

## II. Caroline

Editions J'ai Lu

LEON URIS

# Trinité

## II. Caroline

Traduit de l'américain par Yves MALARTIC

*Ce roman a paru sous le titre original :*

TRINITY

IRLANDE
PROVINCES ET COMTÉS
AVANT 1922

ECOSSE

CANAL DU NORD

OCEAN ATLANTIQUE

DONEGAL · LONDONDERRY (DERRY) · ANTRIM

U L S T E R

TYRONE

FERMANAGH · ARMAGH · DOWN

LEITRIM · MONAGHAN

SLIGO · CAVAN

MAYO

ROSCOMMON · LOUTH · MER D'IRLANDE

CONNAUGHT · LONG-FORD · MEATH

WEST MEATH · DUBLIN

GALWAY · OFFALY · KILDARE

LEINSTER

LEIX · WICKLOW

CLARE · CARLOW

KILKENNY

LIMERICK · TIPPERARY · WEXFORD

M U N S T E R · WATERFORD

CANAL ST. GEORGE

KERRY · CORK

N

0 Miles 50

# LE BOGSIDE

## 1

— Qui est là ? demanda Kevin O'Garvey, penché à la fenêtre de l'étage.

— Conor. Conor Larkin.

Un instant plus tard Kevin ouvrait la porte de sa nouvelle maison, Greggan Road, à Derry, et élevait une lanterne devant lui.

— C'est bien toi ? Il est 3 heures du matin, Conor, et tu as une bobine à épouvanter le bon Dieu.

Une épave, mal rasée, aux yeux larmoyants, suivit Kevin jusqu'au salon, se laissa tomber dans un fauteuil, pencha la tête en avant, posa les bras sur ses genoux et regarda le tapis d'un œil égaré. Teresa O'Garvey rejoignit son mari un instant plus tard, en boutonnant sa robe de chambre. Un regard sur Conor suffit pour qu'elle dise à son mari :

— Amène-le à la cuisine.

La grosse marmite chauffait toujours à feu doux dans la cuisine des O'Garvey car ils ne savaient jamais qui apparaîtrait et à quelle heure. Teresa emplit une assiette de ragoût et tailla un gros quignon de pain.

— Tiens, mange, mon gars, dit-elle.

Les premières bouchées brûlèrent délicieusement la gorge de Conor. Il toussa, tremblant de faim. Puis, réchauffé, il bredouilla qu'il n'avait pas mangé depuis trois jours : peut-être quatre ou cinq. Il avait erré sans but, dormant dans les champs. A la troisième assiettée, revigoré, il raconta son histoire par bribes. Kevin adressa à sa femme un regard lui demandant de les laisser seuls.

— Bonté divine ! dit-elle en s'en allant.

Son mari prépara du thé.

— Ça devait arriver, dit-il. Vous vous malmenez réciproquement, ton père et toi, depuis des années.

— J'espérais qu'il finirait par y voir clair un jour ou l'autre. Je ne cessais de me dire qu'il se déciderait à en discuter avec Liam et moi. En traînant dans la campagne j'ai eu mille fois envie de retourner à la maison et de le supplier. Ça n'aurait servi à rien. Autant parler à un mur. Kevin, veux-tu aller lui parler, toi ?

O'Garvey retira ses lunettes aux verres épais, se frotta les yeux, et mit du sucre dans son thé.

— Il faudrait y aller avant que parte le bateau de Liam, insista Conor.

— Je n'en suis pas sûr, répondit sagement Kevin. Tu n'as jamais pensé que tout irait mieux pour toi si tu quittais Ballyutogue ?

Conor hocha la tête, un peu honteux parce qu'il avait déjà envisagé cette solution depuis longtemps.

— Ça arrangerait les choses pour Liam s'il revenait. Quant à toi, Conor, je ne me suis jamais demandé *si* tu quitterais ta famille mais seulement *quand* tu t'y résoudrais.

8

— C'est ça le pire, dit Conor. Tu as raison. Je ne peux pas y retourner.

— Evidemment. Liam s'en va dans quelques jours. En feras-tu autant ?

— Je ne me laisserai pas chasser de mon pays, répondit Conor.

— Tu n'en peux plus, mon gars. On en reparlera plus tard. Va dormir au-dessus de l'écurie. Tu sais comment y aller ?

— Bien sûr.

— Et puis, ne te presse pas. Je pars pour Londres afin d'assister à une session des Communes. Reste ici, repose-toi jusqu'à mon retour et remets de l'ordre dans ta tête. C'est promis ?

— C'est promis (Conor se leva péniblement et tituba en gagnant le pied de l'échelle. Kevin lui donna la lanterne. En grimpant, Conor murmura :) Merci.

— De rien, répondit Kevin.

— J'ai vexé mon papa. Je lui ai fait du mal.

Teresa surveilla de sa fenêtre le reflet de la lanterne au-dessus de l'écurie et ne se coucha que lorsque Conor l'eut éteinte.

— Pauvre garçon, dit-elle.

Kevin allait et venait dans sa chambre.

— Je devrais être habitué à les voir s'en aller. Oui. Quelle saignée ! Des centaines de gars et de filles comme lui nous quittent chaque année. Ce sont les meilleurs. Il ne reste que les plus faibles. L'Irlande perd son bien le plus précieux. Que nous restera-t-il ?

— Tu radotes, bonhomme, dit Teresa. Tu as toujours pris trop à cœur les affaires des Larkin.

— Je radote peut-être mais c'est la vérité. Parnell... (Le chagrin étouffa sa voix.) Parnell et moi en avons discuté pendant des heures. Ça devient cuisant quand on craint de perdre un homme comme Conor.

— Nous trouverons peut-être un moyen de le garder.

— Il le faudra bien. Nous ne pouvons pas les laisser partir tous. Conor se débrouillera peut-être. Il ne se laisse pas abattre facilement.

— Couche-toi donc.

Kevin obéit, tira les couvertures jusqu'à son menton et garda les yeux ouverts, fixés sur le plafond. Teresa lui retira ses lunettes et les posa sur la table de nuit à dessus de marbre.

— Si Parnell était encore vivant... Avec lui il y avait toujours de l'espoir...


Liam quitta le bureau du port. Conor l'attendait au coin de la rue. Il lui prit sa valise d'osier et ils partirent ensemble.

— Tous tes papiers sont en ordre ? demanda l'aîné.

— Oui.

— Voyons ça. (Liam donna une grosse enveloppe à son frère qui l'ouvrit et feuilleta les documents, estampillés et scellés avec des rubans rouges.) Non, mais c'est incroyable !... Rabat, Tunis, Alexandrie, le canal de Suez, Aden, Bombay, Ceylan, Djakarta, Perth, Melbourne et Wellington !

— Je n'avais jamais entendu tous ces noms, dit Liam. Mais toi, tu les connaissais, n'est-ce pas ?

— Nous les avons trouvés dans des livres, Seamus et moi, et nous en avons parlé ensemble. Des villes exotiques, tellement différentes de tout ce que nous connaissons ! Et dire que tu y vas, Liam, que tu les visiteras, que tu sentiras leur odeur, que tu y marcheras ! Mais mon vieux, tu pars pour une aventure fantastique

10

— Qu'est-ce que tu sais de la Nouvelle-Zélande ? demanda Liam d'une voix tremblante.

— Nous n'avons guère dépassé l'Australie. Pourtant je suis allé à la bibliothèque ici, mais je n'ai pas trouvé grand-chose. D'après le peu que je sais, tu vas dans un pays ravissant. Et puis, surtout... le voyage ! Tu as de la chance, Liam.

Ils suivaient le quai de la Princesse et s'arrêtèrent en voyant un vieux cargo à vapeur rouillé, la *Nova Scotia*. Liam porta les mains à son ventre, ferma les yeux, se mit à suer et se tourna vers le mur.

Son frère lui tapota l'épaule mais il ne s'en rendit même pas compte. A ce moment-là Conor espéra, en dépit de tout espoir, que leur père surgirait tout à coup sur le quai et les appellerait. Je t'en prie, papa, pensa-t-il.

— J'ai peur, souffla Liam.

— Bien sûr, parce que c'est tellement nouveau et différent de tout ce que nous avons connu. Mais quand tu auras passé dix minutes à bord, tu te reprendras. Après deux mois de mer, tu seras prêt à conquérir la Nouvelle-Zélande et tu n'auras plus envie de revenir.

Liam pivota sur lui-même et, pour la première fois de sa vie, se jeta dans les bras de Conor en tremblant de la tête aux pieds et en sanglotant.

— Calme-toi, supplia Conor. Tu n'es pas le premier gars du pays qui gravit cette passerelle.

Il secoua Liam, d'abord doucement, puis plus fort. Liam s'écarta de lui et regarda fixement le cargo. Il se passa la langue sur les lèvres, aspira profondément et partit pour l'exil... en traversant le quai, il lui semblait flotter.

Comme ils l'avaient fait souvent depuis bien des

années, Teresa et Kevin étaient venus au pied du bateau. Liam montra ses papiers en bas de la passerelle. Teresa lui remit un paquet de salaisons pour améliorer les rations du bord.

— Je n'en veux pas à papa et je ne t'en veux pas non plus, dit Liam à son frère.

— Que Dieu te protège, dit Conor.

— Et qu'il te protège aussi, toi. Je te connais assez pour savoir que tu en auras besoin plus que moi, dit Liam.

Lorsque Kevin partit pour Westminster, Conor se mit en quête de travail.

— Votre nom ?

— Conor Larkin.

— Je vous inscris sur ma liste de candidats.

Il alla des chantiers navals au bassin de radoub, des ateliers de charron aux échoppes de forgerons. Il suivit les quais de Buncrana Road à Letterkenny Road, s'adressa aux chantiers des chemins de fer, à Watterside, au-delà du pont. Partout où il voyait rougeoyer une forge, il entrait.

— Votre nom ?

— Larkin.

— La place est prise.

— Je connais assez le métier pour voir qu'il vous manque un homme.

— Il est déjà embauché.

Convaincu que sa maîtrise du métier s'imposerait à l'évidence, n'importe où il trouverait à s'employer, Conor offrit de débuter comme apprenti. On lui répondit que l'apprentissage s'achetait très cher et que, de toute façon, on n'avait pas besoin d'apprenti.

En quinze jours, Conor comprit l'abominable système du travail à Derry. Caw & Train Graving Dock était le principal employeur de forgerons et ferronniers. Cette usine dominait le marché. Toutes les commandes, publiques et privées, lui revenaient sans concurrence. Tel était l'état de choses établi. Les forges de moindre importance ne travaillaient qu'en sous-traitance, tant qu'elles restaient dans le rang. Tous les ateliers, depuis ceux de Caw & Train jusqu'au plus petit satellite, appartenaient à des protestants et leurs cadres étaient protestants aussi. Les rares forgerons catholiques vivotaient péniblement dans les quartiers catholiques et Caw & Train ne sous-traitait jamais avec eux. L'unique employeur catholique, un brasseur, leur confiait ses travaux de charronnerie, ce qui les empêchait de sombrer.

Quiconque portait un nom catholique était automatiquement éliminé des emplois qualifiés. Si le nom laissait un doute, l'employeur se renseignait sur la congrégation religieuse, l'école, la loge orangiste. Ce système assurait sa permanence par la vente des apprentissages. Rares étaient les familles catholiques qui pouvaient en payer le prix. Si l'une y parvenait, les employeurs n'embauchaient plus d'apprentis.

Après avoir épuisé toutes les possibilités dans son propre métier, Conor chercha d'autres tâches. Il y avait à Derry de nombreuses filatures et manufactures de chemises. Mais elles n'employaient guère que des femmes et des enfants.

Conor tâta le système de l'emploi à Derry jusqu'au fond. Le catholique mâle ne trouvait de travail que comme domestique. Quelques-uns parvenaient à se faire embaucher dans le bâtiment, mais les listes de candidats étaient longues chez tous les entrepreneurs et les salaires extrêmement bas ; les familles catholiques ne pouvaient donc vivre que si la femme et les enfants travaillaient dans les filatures ou manufactures.

Restaient les emplois de concierge, balayeurs, éboueurs, égoutiers, larbins, surveillants de maisons de travail, infirmiers d'hospices et d'asiles. Chez les catholiques, quarante pour cent des hommes chômaient. Dès qu'une place était disponible, cinquante candidats surgissaient. Des boulots occasionnels de quelques jours s'offraient au parc à bestiaux des quais et sur les chantiers de chemin de fer. Conor s'abstint de rivaliser avec des pères de famille.

Ce système régnait à Derry depuis longtemps. Il convenait à Roger Hubble. Une bonne réserve de chômeurs, des salaires minimes aux femmes et aux enfants lui permettaient de vendre à bon marché en Angleterre. Tant que l'Ulster restait sous la domination de la Couronne et bénéficiait d'avantages douaniers, son industrie prospérait. Même si la réserve de salariés diminuait du fait de l'émigration, l'évêque Nugent et les prêches des curés veillaient à ce que le taux de naissances fût à Derry le plus élevé des îles Britanniques et même de toute l'Europe. Ce système empestait. Il réduisait les êtres humains à la stagnation du Bogside, à la léthargie, et les plus résolus émigraient.

Chaque journée se terminant comme la précédente, Conor retourna de plus en plus lentement à sa chambre au-dessus de l'écurie. Il chercha un dérivatif à la bibliothèque publique, mais parvint difficilement à concentrer son attention sur ses lectures. Sa présence trop fréquente éveilla des réactions hostiles. La bibliothèque n'était pas un refuge pour les oisifs.

La tempête endommagea deux bateaux qui parvinrent quand même à gagner le port. Ils avaient besoin de réparations urgentes. Pendant une quinzaine Conor travailla seize heures par jour chez Caw & Train. Il fit preuve d'une qualification professionnelle au moins égale et plutôt supérieure à celle des forgerons employés régulièrement dans l'entreprise. On bougonna autour de lui contre la présence d'un papiste dans une forteresse de la Réforme. Mais sa corpulence lui épargna les provocations personnelles. En outre, il ne s'agissait que d'un emploi temporaire.

Sur le chantier Conor constata encore une des infamies de Derry. Il y avait largement du travail pour tout le monde et les employeurs avaient besoin de ferronniers qualifiés. Mais les emplois étaient strictement réservés aux fidèles en récompense de leur fidélité. On licencia Conor du jour au lendemain parce qu'arrivèrent une douzaine de forgerons prêtés par les chantiers Weed de Belfast.

Devant tant d'injustice Conor fut sur le point de capituler deux mois après son arrivée à Derry. Lorsque Josiah Lambe apparut soudain, il fut accueilli avec un mélange de soulagement et d'appréhension.

Homme simplement raisonnable, Lambe avait travaillé toute sa vie pour des catholiques et en avait employé. Dès sa jeunesse il s'était demandé pourquoi l'Ulster devrait être le champ de bataille de la Réforme. Bien que pieux presbytérien, sa véritable religion était la ferronnerie. Il ne portait jamais d'écharpe orange.

Lorsqu'il eut l'âge de moins travailler, le bruit courut que Conor Larkin lui succéderait. Les protestants de Ballyutogue Ville ne soulèveraient pas d'objections car, bien que leurs adversaires, les Larkin jouissaient d'un certain prestige. Quant aux filles à marier, elles s'en réjouissaient.

Josiah espérait donc se retirer en s'assurant un revenu suffisant pour terminer ses jours en paix. La disparition de Conor bouleversait ses projets car il ne pouvait se résoudre à vendre sa forge à un étranger. Il médita longtemps puis se rendit à Derry, retrouva son ancien compagnon et alla droit au vif du sujet en lui offrant son atelier. Conor gagnerait suffisamment pour se libérer en quelques années, tout en vivant largement. L'affaire n'était pas compliquée car le vieux forgeron était un honnête homme.

Les déceptions subies à Derry donnèrent encore plus d'attrait aux souvenirs de la petite forge paisible, au-dessous du carrefour, parmi des amis de toujours. Quoiqu'il se sentît vaincu, une étreinte invisible lui interdit pourtant de retourner à son village.

Le voyant hésiter. Lambe suggéra :

— Demande donc conseil à quelqu'un de confiance.

— Kevin est encore à Londres. Il s'éveille chaque matin et s'endort chaque soir accablé par les soucis de bien d'autres gens. Pourquoi le chargerais-je des miens ?

— Je ne pensais pas à O'Garvey, quelles que soient ses qualités. Sans doute manquerait-il d'objectivité, surtout dans ton cas.

— Vous ne me conseillez tout de même pas de m'adresser à un prêtre ?

— Diable non, mon gars ! Ce serait encore pire. Mais tu as un solide vieil ami à Derry et tu ne lui as pas encore rendu visite. Il en est un peu vexé.

Penaud, Conor détourna la tête.

— Pourquoi craindrais-tu de parler à Andrew Ingram ?

— Cette idée m'a souvent tenté. Chez nous, un Larkin c'est quelqu'un, mais ici, je ne suis qu'un miteux du Bogside, comme les autres, sans travail, anonyme.

— Tu ne seras jamais cela aux yeux d'Andrew Ingram, pas plus qu'aux miens. Il devine pourquoi tu ne vas pas le voir et tu devrais en avoir honte.

— Eh bien oui, j'en ai honte.

— Il m'a dit ceci, mot pour mot : Conor devrait accorder plus de confiance à notre amitié.

— Vous avez raison, Josiah. Hélas ! Il me dira sans doute la vérité et j'en ai peur.


Enid Ingram chassa ses enfants devant elle et referma la porte du studio de son mari en le laissant seul avec Conor.

— Quels beaux lardons ! dit ce dernier. Seamus m'a souvent écrit à leur sujet.

— Il leur avait aussi beaucoup parlé de toi. Tu es un demi-dieu pour eux.

— Mon copain se débrouille bien à Queen's ? demanda Conor.

M. Ingram sourit.

— Nous avons toujours su que Seamus ferait son trou.

Les yeux de Conor reflétèrent son inquiétude lorsqu'il demanda :

— Et moi, qu'est-ce que je deviens ?

Andrew Ingram bourra sa pipe lentement, l'air triste, ce qui souligna ses premières rides et le gris de ses tempes. Puis il considéra le vigoureux jeune homme assis en face de lui et qu'il connaissait si bien.

— Certains d'entre nous sont destinés à certaines choses, dit-il. Je remercie le Seigneur parce que j'ai découvert ce qui me convenait alors que j'étais assez jeune. J'ai donc pu faire la paix avec moi-même dans le cadre étroit qui m'était imparti. Notre destin s'inscrit dans un livre dès l'instant de notre naissance. Nous devrions pouvoir l'ouvrir et le lire pour savoir ce qui nous attend. Malheureusement la plupart des êtres humains mettent toute la vie à comprendre ce qu'ils auraient dû savoir dès le début.

— Et qu'est-ce qui m'attend ? demanda Conor.

— Je suis au moins sûr d'une chose : tu ne retournes pas chez toi, dit catégoriquement Andrew Ingram.

— Ça, je le sais déjà. Mais je ne me laisserai pas chasser de mon pays non plus.

— Hélas ! je m'en rends compte.

— Pourquoi hélas, monsieur Ingram ?... Parce que je ne peux pas supporter l'injustice ?

— Je dis hélas, parce que tu passeras ta vie à lutter contre cette injustice. Je n'y vois pas de mal, loin de là. J'essaie seulement de te faire entendre ce que ton père s'est efforcé de t'expliquer.

— Quoi ?

— Tant que des voix retentiront à tes oreilles, tu ne vivras sans doute pas en paix.

Conor se leva et écarta cet argument :

— Je ne sais pas ce que vous croyez avoir lu à mon sujet, mais vous vous trompez.

— Vraiment ?

— Comment pourriez-vous le savoir ?

— Conor, chaque homme ne vit totalement qu'à certains instants auxquels sa vivacité illumine le ciel lui-même. Evidemment, ça n'arrive jamais à certains et d'autres ne connaissent ces instants que dans l'acte sexuel. Cet instant fugace, cet éclair nous révèle tout

18

entier : corps et âme. Cela m'arrive parfois, quand j'entends un excellent acteur déclamer du Shakespeare. Nous sommes des amis, Conor, je t'ai vu souvent à de tels moments.

Conor blémit.

— Est-ce une sentence que vous prononcez, monsieur Ingram ?

— Non, mais si tu te rends compte de qui tu es et si tu t'acceptes tel que tu es, la vie te sera plus facile.

— Qu'avez-vous lu dans mon livre, monsieur Ingram ? Dites-le-moi.

— J'y ai vu Conor Larkin de Ballyutogue s'unir à un petit groupe de frères parce que rien d'autre ne s'offrait à lui. N'importe quelle botte de paille dans n'importe quel taudis leur suffisait comme foyer. Au début les mots d'ordre de ces frères enflammaient l'esprit de Conor Larkin et il était convaincu de mener un juste combat. Et puis, les coups succédant aux coups, les échecs succédant aux échecs, les désillusions aux désillusions, les mots d'ordre n'eurent plus guère de sens. En fin de compte tous ses efforts ne servirent pas à grand-chose.

— Vous dites des sottises, monsieur l'instituteur ! Rien de tel n'est prévu pour moi.

Andrew Ingram ne répondit pas immédiatement. Ses yeux s'humectèrent, peut-être parce que la fumée de sa pipe revint vers son visage. Il la posa dans le cendrier.

— Le jour où Seamus est parti pour Queen's, Enid et moi avons passé toute la nuit à nous interroger sur ce qu'il adviendrait de nos deux rebelles papistes. Cette nuit-là j'ai mis un signet dans un livre en disant : « Conor viendra peut-être un jour et me demandera pourquoi le monde est tel qu'il est. » Veux-tu le voir, Conor ?

— Le livre de la vérité ?

Ingram prit un volume sur un rayon. Un signet marquait, en effet, une page. Il l'ouvrit et lut d'un ton solennel :

> *En force, d'innombrables esprits armés*
> *Osèrent dédaigner son règne et, me préférant,*
> *Opposèrent à sa toute-puissance, une puissance*
> *contraire,*
> *En un combat douteux sur les plaines du Ciel*
> *Et ébranlèrent son trône. Qu'importe le terrain*
> *perdu ?*
> *Car ne sont perdus : la volonté indomptable,*
> *L'obstination de la vengeance, la haine immor-*
> *telle,*
> *Le courage qui jamais ne se soumettra ni cédera,*
> *Et qui plus est, le refus de la défaite.*

Il tendit l'ouvrage, *Le Paradis Perdu*, à Conor qui l'ouvrit à la page de garde où Ingram avait écrit : « Pour mon cher disciple, Conor Larkin, engagé dans un combat douteux. »

## 2

Liam et Conor étaient à peine partis que Finola se mit martel en tête au sujet du patrimoine. Tomas n'admettait pas que Conor ne reviendrait jamais. Sa femme se rendait mieux compte de la réalité : les deux fils étaient partis pour toujours. Quant au petit Dary, il avait déjà

20

fait de grands progrès vers le sacerdoce, passait une bonne partie de son temps à servir la messe ou à rendre de menus services aux prêtres de Saint-Colomban.

Il fallait donc se résoudre à considérer Brigide comme la seule héritière présomptive. Bonne fille, pieuse, travailleuse, approchant de ses dix-sept ans, elle faisait l'objet de maintes discussions et complots subtils parmi les mères qui l'épiaient comme des faucons tournent autour d'une proie. Bien des jeunes gens en âge de se marier à Ballyutogue et n'espérant pas d'héritage auraient pu faire pire que d'épouser une Larkin qui semblait promettre une belle dot.

Les réflexions de Finola la ramenaient toujours au frère aîné de Seamus : Colm. Le fils O'Neill aurait bientôt trente ans : l'âge qui convient pour un mariage. L'union des deux jeunes gens et des deux fermes aurait couronné des générations de bon voisinage. Ils cultiveraient plus de vingt-quatre hectares, ce qui les classerait parmi les catholiques les plus prospères du district.

Même entre des amies aussi intimes que Finola et Mairead, c'était un sujet épineux. Selon l'usage ancestral, Mairead était prête à arracher les yeux de toutes les jeunesses qui s'approchaient trop de son Colm. Au cas où son mari Fergus serait parti le premier pour l'autre monde, Mairead aurait volontiers condamné son fils au célibat. Et cela aussi faisait partie des traditions. La perspective de partager sa cuisine avec une autre femme lui était intolérable. Finola savait pourtant que Mairead nourrissait des sentiments maternels envers Brigide. En cas de veuvage, il y aurait toujours deux foyers et on pourrait s'arranger pour éviter des frictions entre deux femmes. Finola aborda prudemment la question et constata à sa grande joie que sa chère amie en était venue d'elle-même au même projet.

Fergus et Tomas devinaient ce qui se passait dans les têtes de leurs épouses. Il n'était pas besoin de faire appel pour cela à un génie extraordinaire et tous deux donnèrent tacitement leur bénédiction à ces espoirs. Tomas s'abstint même d'évoquer un retour possible de Conor.

Tout semblait en bonne voie à un petit détail près : innocente et douce enfant, Brigide en ignorait tout. N'ayant jamais été consultée ni même mise au courant, elle avait laissé germer quelques idées dans son esprit.

Depuis près de deux ans, Liam travaillant aux champs, Conor à la forge et Dary confiné à de menues tâches, c'est Brigide qui se chargeait de la traite et portait le lait au carrefour pour le ramassage. Elle y rencontrait sous l'Arbre aux Pendus, Myles McCracken qui apportait également le lait de sa famille. Les McCracken exploitaient la plus petite ferme, la plus pauvre, la plus aride, le plus haut dans les bruyères de tout Ballyutogue. Cela n'empêchait pas Myles d'avoir une prestance qui rappelait à Brigide celle de son frère Conor.

Leurs regards se croisèrent, puis se cherchèrent. Ils arrivèrent de plus en plus tôt au carrefour pour rester plus longtemps ensemble, mais sans se l'avouer, évidemment. Leur conversation se limitait à l'échange occasionnel de banalités. Aucun des deux ne manifestait ses sentiments. Quand les autres habitants du village allaient à la foire, à la fête d'un autre village, à un mariage ou une veillée, les deux jeunes gens passaient des heures ensemble, en étaient de plus en plus heureux, mais ne s'en confiaient rien.

L'esprit toujours en éveil, Finola flaira du louche

lorsqu'elle constata la hâte avec laquelle sa fille portait le lait au carrefour chaque matin. Un jour elle la suivit jusqu'à Saint-Colomban où elle entra, alluma quelques petits cierges pour ses fils absents, puis alla à une fenêtre proche du confessionnal d'où l'on voyait l'Arbre aux Pendus. Brigide et Myles se regardaient comme deux veaux malades. On ne pouvait imaginer pire qu'un McCracken. Cette famille était si pauvre qu'elle devait compter les miettes jetées aux oiseaux. Quatrième de sept fils, Myles n'hériterait même pas d'une épluchure de pomme de terre !

— Il est temps de parler à Brigide, dit Finola à son mari le soir même. Elle a l'âge de se marier.

Tomas grogna, l'air entendu.

— Tu as sans doute déjà choisi son mari ?

— Si tu y voyais plus loin que ta chope, tu aurais déjà constaté que Colm O'Neill est sur les rangs.

— Mairead et toi avez déjà préparé le terrain.

— Crois-tu trouver un meilleur parti à Ballyutogue ?

— Tu penses aussi à la réunion des deux fermes, n'est-ce pas ?

Finola se garda bien d'avouer ce qu'elle en pensait car la fusion des deux exploitations signifiait que Conor ne reviendrait jamais et cela Tomas ne l'admettrait pas.

— Pas du tout ! dit-elle. Ils formeront un beau couple et ils se connaissent depuis le début de leur vie. Qu'en penses-tu ? Es-tu pour ou contre ?

Tomas laissa tomber ses deux bras en un geste d'impuissance.

— J'aurais préféré un gaillard moins nigaud pour ma fille. Est-ce qu'il lui plaît vraiment ?

— Est-ce que ça compte dans le mariage ?

— Il me semble que ça comptait pour nous deux, autrefois, répondit-il.

Cette réflexion éveilla peut-être quelque nostalgie chez Finola, mais elle n'en laissa rien paraître, versa le thé dans les tasses, impassible, et revint à son sujet.

— Eh bien, si tu tiens à savoir qui lui plaît, je vais te le dire. C'est Myles McCracken.

— Le grand costaud ?

— C'est ça. Une vraie malédiction. Il n'y a pas plus de chair sur les os de toute cette famille que sur une paire de pincettes.

Ce parti ne plut pas à Tomas non plus. Depuis le départ de ses fils, il bataillait contre le doute et n'avait pas envie de se charger d'un souci de plus. Or, ce Myles McCracken en introduirait dans sa vie.

Si naïve qu'elle fût, Brigide perçut les préoccupations de son entourage. Colm rendit visite à ses voisins trois soirs de suite, ce qui agaça la jeune fille. Elle le considérait comme un bon ami, certes. Son plus vieil ami même, mais elle n'avait jamais supposé qu'il pût devenir autre chose. Or, il s'y prenait si maladroitement qu'il mettait cette vieille amitié en péril.

Brigide aimait tendrement son frère Conor, mais elle le connaissait suffisamment aussi pour être convaincue qu'il ne reviendrait jamais. Elle commençait donc à se faire des idées personnelles au sujet du patrimoine. Par prudence, elle ne dit rien à ses parents mais décida de ne pas leur céder. L'odeur de conspiration devenant étouffante dans sa famille, elle se jura de tenir tête.

Les jeunes gens de Ballyutogue échappaient à la surveillance de leurs parents et du père Lynch grâce à leurs amis qui accomplissaient leurs corvées pour eux et

24

faisaient le guet à proximité de leurs lieux de rendez-vous. Les ruines du vieux donjon normand offraient un champ d'observation parfait. Un seul veilleur suffisait pour alerter d'un seul chant d'oiseau une douzaine de couples d'amoureux.

Myles attendait sur le pont enjambant le ruisseau près du donjon. Brigide alla vers lui. Leurs mains s'unirent, ils s'embrassèrent sur la joue, ce qui n'était que péché véniel. Puis ils disparurent dans le bosquet de frênes.

— Tu m'as manqué, Brigide.

— Tu m'as manqué à moi aussi.

— Quand j'ai vu ta mère apporter le lait au carrefour ces trois derniers jours j'ai deviné qu'elle nous soupçonnait.

— Ne crois pas ça. Je fais de plus gros travaux parce que ma mère a mal au dos.

— Alors elle ne nous soupçonne pas ? Tant mieux ! dit Myles.

— Embrasse-moi.

— Bien sûr, répondit-il. (Il lui baisa la joue.)

— Non, sur les lèvres.

— Sur les lèvres !

— Oui, serre-moi dans tes bras et baise-moi les lèvres.

Myles rompit d'un pas et leva les deux mains comme pour se protéger.

— As-tu perdu la tête ? C'est très dangereux. Nous pourrions avoir toute sorte d'ennuis.

— J'en ai parlé à Abbey O'Malley. Sa sœur Brendt faisait tout le temps ça avant son mariage. Elle l'a même fait avec Conor et Seamus.

— Mon Dieu, mais... rends-toi compte. Il pourrait nous arriver quelque chose.

25

— Quoi ?

— Tu le sais bien.

— Un baiser ne suffit pas pour être enceinte, dit Brigide.

— Mais ça pourrait nous entraîner à toutes sortes de choses.

— Veux-tu m'embrasser, oui ou non ?

— Tu m'épouvantes, Brigide Larkin !

Elle lui sauta au cou, le serra contre sa poitrine et le baisa furieusement sur la bouche.

— Sainte mère de Dieu.

Il recula en titubant et s'assit, bouche bée, sur un rocher.

— Ça ne t'a pas plu, Myles ?

— Bien sûr... il ne m'est jamais rien arrivé de meilleur.

— Eh bien, embrasssons-nous encore.

Ils ne tardèrent pas à y prendre goût autant l'un que l'autre. L'esprit de Myles s'éveilla. Il caressa les cheveux, les épaules de Brigide et osa, une ou deux fois, lui passer la main sur la poitrine. Ils éprouvèrent des sensations nouvelles, à la gorge, au plexus solaire, gémirent et grognèrent et en eurent tellement chaud qu'ils transpirèrent. C'est Brigide qui prit peur et s'écarta brusquement. Haletants, ils restèrent immobiles, paralysés par la confusion et l'émerveillement.

— Tu m'en veux, Brigide ?

— Oh, non, mon Dieu ! Je n'avais rien ressenti d'aussi bon, même en priant la Sainte Vierge.

Myles se leva, tourna joyeusement sur lui-même et frappa du pied.

— Nous sommes fous.

— Tu crois que nous sommes allés trop loin ?

— Non. Ce n'est pas ça... Mais soyons sérieux : on ne peut pas faire des choses pareilles. Je ne peux rien pour toi en ce monde.

— Ecoute-moi, Myles McCracken. Peut-être ne faudra-t-il plus s'échauffer à ce point-là. Mais je veux quand même continuer à te revoir.

— Pourquoi ? Nous sommes si pauvres que je ne pourrais même pas te donner la crasse de mon cou : nous en avons besoin comme humus.

— Veux-tu me revoir, oui ou non ? demanda-t-elle.

Myles baissa la tête. Pendant un instant Brigide crut qu'elle se mourait. Enfin il releva les yeux et souffla :

— Que oui.

Brigide traversa le poncelet, passa devant le donjon et ne cessa de courir qu'en arrivant chez elle, hors d'haleine.

— Il est tard, lui dit sa mère, aigrement. Le beurre ne se fera pas tout seul.

— Je m'en occupe tout de suite, répondit Brigide en filant aussitôt vers l'étable pour que Finola ne remarque pas combien elle était rouge.

— Brigide ! cria Tomas.

Elle se figea sur place.

— Colm vient te voir ce soir pour t'inviter à une promenade dimanche après la messe. Il a loué une voiture.

C'était trop clair.

— Je ne vais pas trop bien, papa. J'ai mal à la gorge et j'aimerais mieux profiter du dimanche pour me reposer.

— J'estime que tu devrais faire un peu plus cas de M. O'Neill, intervint Finola.

Brigide pivota sur elle-même, revint sur le seuil de la

salle commune et, pour la première fois, se rebella contre sa famille.

— Si Colm vous plaît tant, faites-en cas vous-mêmes. (Le son de sa voix la stupéfia.)

— Ne parle pas à ta mère sur ce ton, dit Tomas.

— Tu devrais comprendre que nous arrangeons un mariage.

— Ça ne m'intéresse pas ! s'écria Brigide qui retourna précipitamment à la grange.

Finola saisit une badine, mais Tomas lui barra le seuil de la porte.

— C'est ce Myles McCracken ! s'exclama-t-elle. Il ne mettra jamais les pieds dans cette maison. Ordonne à Brigide de rompre !

Tomas prit peur à l'idée d'intervenir encore d'une manière désastreuse dans la vie d'un de ses enfants. Il se laissa tomber sur sa chaise devant la table.

— Je ne permettrai pas que cette gamine nous tienne tête ! glapit Finola. J'aimerais mieux l'envoyer au couvent.

— Non, dit tout bas Tomas. Non.

— Je demanderai au père Lynch de lui faire confesser jusqu'où ils sont allés derrière notre dos, ces deux-là !

— Non, tu ne feras pas ça, dit Tomas, toujours à mi-voix. Que sa jeunesse se passe donc avec ce gars, il n'y a pas de mal à ça.

— Es-tu fou ? Tu ne vois donc pas combien de filles vont à l'autel chaque année avec un bébé dans le ventre ? C'est ça que tu veux ?

Tomas releva la tête et la regarda avec ses yeux d'autrefois.

— Je veux qu'elle connaisse la sensation d'aimer, d'être amoureuse, ne serait-ce qu'une fois dans sa vie et même pour quelque temps seulement. Savoir qu'un gars l'adore c'est une chose à laquelle elle a droit, femme.

## 3

Dès sa première élection aux Communes, Kevin O'Garvey loua une chambre à la pension de famille de Midge Murphy, Jamaïca Road, dans un des quartiers irlandais de Londres. L'odeur pénétrante des docks commerciaux du Surrey venait jusque-là, de même que le chant des marteaux sur l'enclume et le grincement des essieux. Un court trajet sous la Tamise le conduisait au parlement.

Son genre de vie ne changea guère pendant ses dix premières années à Westminster, sinon qu'il occupa la plus belle chambre chez Murphy et eut droit à certains privilèges dus à son prestige. Originaire de l'île d'Aran, Midge ne se liait pas facilement, menait une vie terre à terre et se confinait dans sa cuisine. Elle n'y admettait que quelques rares élus, sauf aux heures de repas, et ceux qui avaient le droit d'y séjourner étaient encore plus rares. Seul Kevin jouissait de la « liberté de cuisine ». Après dîner, il en utilisait un recoin comme bureau près du garde-manger.

Presque chaque soir il tenait une permanence dans l'arrière-salle d'un pub, chez Clancy, à une centaine de mètres de chez Midge Murphy. La joie bruyante des dockers irlandais s'y donnait libre cours et bon nombre d'entre eux lui demandaient aide ou conseils. Depuis la mort de Parnell, le parti irlandais avait perdu de son mordant. O'Garvey comptait parmi les quelques leaders qui subsistaient.

La révolution industrielle suscitait des abus tellement scandaleux que les Communes constituèrent une commission extraordinaire. Une nouvelle législation s'imposait. La commission fut chargée d'enquêter sur les conditions d'emploi dans les régions industrielles. Dès le début, O'Garvey y joua un rôle prépondérant et orienta l'enquête sur l'Ulster.

Néanmoins les premières audiences publiques portèrent sur les Midlands et la zone Bradford-Leeds. O'Garvey fut nommé rapporteur et le bruit courut qu'il rédigerait un compte rendu explosif. L'angoisse s'accrut dans les milieux industriels de l'Ulster à l'approche de l'enquête dans cette région. Puis la rumeur se précisa : O'Garvey aurait choisi, comme principal objectif, la manufacture de chemises Witherspoon and McNab de Londonderry.

Comme il travaillait tard la nuit pour achever son rapport, Kevin cessa de paraître chez Clancy. Il arrivait au bout de sa tâche quand un garçon du bistrot apparut un soir dans la cuisine de Midge Murphy.

— Il y a un drôle de rupin qui vous demande, dit-il en tendant une petite enveloppe au député.

Elle contenait la carte de visite du général de brigade Maxwell Swan. O'Garvey avait prévu que les industriels de l'Ulster chercheraient à prendre contact avec lui. Vraisemblablement ce général Swan se présentait en leur nom et chercherait surtout à écarter la commission de Witherspoon and McNab. O'Garvey savait, en effet, que Swan partageait désormais son temps entre Belfast et Derry pour organiser dans les entreprises Hubble un système d'espionnage du personnel calqué sur celui qu'il avait mis en pratique chez Sir Frederick Weed.

Kevin rassembla les feuillets de son rapport, les porta dans sa chambre, fit une brève toilette devant sa cuvette, enfila son veston usagé et se rendit chez Clancy. Le coupé du général était rangé au bord du trottoir.

Dès son entrée dans la salle du café, O'Garvey fut frappé par le silence qui y régnait. Les clients habituels ne se parlaient qu'à voix basse et jetaient des coups d'œil intrigués vers l'homme chauve assis avec une raideur militaire dans le box habituel du député. Puis chacun se précipita vers le bar pour épier la rencontre dans le miroir plaqué au mur derrière les rayons de bouteilles.

Swan suggéra qu'il serait préférable d'aller ailleurs pour s'entretenir confidentiellement. Un instant plus tard ils partirent en voiture, s'arrêtèrent au Southwark Park, y entrèrent à pied, marchèrent quelque temps dans l'air humide de la nuit brumeuse et s'assirent enfin sur un banc.

— Personne ne nous entendra ici, remarqua Kevin.

Swan unit ses deux mains sur le pommeau de sa canne et considéra d'un air morne l'éternel brouillard de Londres.

— Rappelons-nous de temps en temps que Lord Roger est électeur dans votre circonscription. Il a donc le droit de s'adresser à vous, de vous faire part de ses opinions et même de ses doléances.

— C'est tout à fait exact, répondit Kevin, mais en général les électeurs ne m'attirent pas dans un parc désert pour me parler.

Swan esquissa un sourire et leva sa canne en guise de salut.

— La visite de la commission en Ulster nous inquiète,

dit-il tout de go. (Il poursuivit en exposant clairement le but de sa démarche :) Les industriels ont investi largement dans l'industrie du lin, sur laquelle ils jouent même leur va-tout. Les Etats-Unis s'étant tout à fait relevés de leur guerre civile, le coton revient en concurrence directe avec le lin. Le marché du lin a toujours été sujet à des crises et tout ce qui met cette industrie en danger sape la prospérité de l'Ulster. La manufacture de chemises Witherspoon & McNab étant devenue la plus importante de tout le Royaume-Uni, une enquête à son sujet pourrait avoir un effet de choc fatal pour toute l'industrie du lin. (Le général Swan conclut sans ambages :) Nous estimons donc que la commission extraordinaire devrait se tenir à l'écart de Belfast, de Londonderry et de l'industrie du lin, dans l'intérêt même de l'Ulster.

— Vous me racontez des sornettes, Swan, vous craignez que l'enquête révèle les turpitudes de votre entreprise, c'est tout.

Swan avait prévu que O'Garvey serait intransigeant. Il changea immédiatement de thème.

— Considérons cela d'un point de vue pratique, dit-il, le regard perdu vers le brouillard. *Primo,* Witherspoon & McNab emploie plus de mille femmes catholiques. C'est le principal employeur de Londonderry. Avec les autres manufactures de chemises, cette entreprise constitue l'épine dorsale de l'économie en Ulster.

— Votre premier point est exact, dit Kevin.

— Arrivons au second, reprit Swan. Cette usine appartient à Lord Roger et elle lui fournit le gros de ses revenus. Nous avons tout engagé sur les métiers mécaniques à tisser et nous voulons qu'ils nous rapportent. Une enquête et les lois qui s'ensuivront nous forceraient à abandonner la partie si le profit diminue. La vie économique de Londonderry en serait étouffée et ce serait le marasme.

Kevin O'Garvey secoua la tête, incrédule, et éclata de rire.

— Je n'en crois pas mes oreilles, dit-il. La commission a étudié le cas de six usines dans la région Bradford-Leeds. Les six industriels à qui elles appartenaient nous ont déjà raconté exactement ce que vous venez de dire. Ou bien nous les laissons saigner les ouvriers à blanc, ou bien ils ferment. C'est un chantage. Vous tombez mal avec moi, adressez-vous à d'autres. Tant que cette entreprise rapportera un sou, elle continuera à fonctionner.

— Je pourrais vous montrer la comptabilité où vous verrez que nous ne pouvons pas nous permettre de grosses dépenses.

— Eh bien, fermez votre manufacture. Ce que vous me dites aboutit à ceci : ou bien vous arrachez vos bénéfices des entrailles de votre personnel, ou bien vous n'employez plus vos ouvriers. La situation est déjà assez écœurante dans le secteur Bradford-Leeds mais on ne saurait la comparer à votre manufacture minable, tapageuse, faite pour engendrer tuberculose, rhumatismes, surdité, toutes les maladies imaginables. Ce qui me terrifie le plus, c'est l'immeuble de Witherspoon & McNab : une bombe de six étages, ni plus ni moins. Les initiales de vos chemises sont brodées de sang humain et vous n'en avez pas le droit.

Maxwell Swan resta impassible.

— Nous avons, l'un et l'autre, présenté nos points de vue, dit-il. Considérons maintenant certains aspects pratiques.

Kevin savait qu'il avait affaire à forte partie et que son interlocuteur n'avait pas encore tiré toutes ses cartouches. Il connaissait la réputation de Swan qui brisait tout début d'organisation syndicale avec une efficacité de bourreau. Il s'efforça de réprimer sa colère.

— Eh bien, admettons que la commission vienne à Londonderry et procède à son enquête, poursuivit le général. S'ensuit un rapport cuisant, recommandant des lois appropriées. Que croyez-vous que nous allons faire pendant l'étude, le vote et la promulgation de ces lois ?

— Vous menacerez de fermer votre manufacture jusqu'à ce qu'on vous mette au pied du mur. Vous userez de la terreur pour empêcher vos ouvriers de témoigner.

— Plus ou moins, oui, c'est vrai. Nous combattrons pied à pied sur tous les terrains. Les lois que vous ferez voter aux Communes ne le seront qu'après un, deux, trois ans de débats âpres et ardus. Ce ne seront plus que des compromis édulcorés et il nous sera facile de les tourner. En d'autres termes, soyez certain que nous ferons tout notre possible pour protéger nos biens.

— Dieu du ciel ! s'exclama Kevin. Quelle situation abominable Hubble et Weed ont créée à Derry ! Deux populations distinctes vivent chacune à son niveau. Au plan supérieur, les bonnes situations qui assurent la loyauté d'une partie des habitants de votre ville sainte. Au plan inférieur, on traite les êtres humains comme du bétail. Vous avez des milliers de chômeurs sous la main. Vous pourriez mettre en place de nouvelles usines. Mais vous préférez nous réduire délibérément à la misère, nous laisser rôder comme des chiens affamés pour que nos femmes et nos enfants vous supplient de les laisser travailler comme des esclaves pour quelques sous.

— Voilà un point de vue extrême, O'Garvey, répondit Swan. Il existe un ordre établi depuis longtemps. Les héritiers de ce système ne vont pas s'en priver du jour au lendemain pour faire plaisir à une commission parlementaire. Réfléchissez. Croyez-vous que le Bogside ne sera plus le Bogside dans cinquante ans ? Croyez-vous que quelques mesures législatives vont vraiment le transformer ?

— Les gens comme vous disaient exactement la même chose au sujet de la Ligue agraire, rétorqua Kevin. Eh bien, je n'ai pas peiné en vain. Nous avons bel et bien modifié le système de fermage et de métayage et nous changerons de même votre affreux système industriel.

— De votre vivant ? demanda Swan.

— Qu'importe.

Le général alluma un cigare.

— Et si je vous offrais une occasion de modifier la situation du Bogside dès à présent ? demanda-t-il.

Kevin se raidit.

— Dois-je poursuivre ?

— Si vous pensez à m'acheter, je ne suis pas à vendre.

— Je ne suis tout de même pas assez fou pour ça, dit le général Swan.

— Et pourquoi pas ? Des gens comme vous ont essayé de soudoyer tous les chefs du parti irlandais et ont même obtenu certains succès remarquables.

Swan ne put s'empêcher de sourire.

— Dois-je poursuivre ? demanda-t-il de nouveau.

— Faites. Mais il se peut que je me lève et que je m'en aille.

— Il y a quelques années, Frank Carney, le père Patrick McShane et vous avez constitué une association du Bogside destinée à financer des petites entreprises. Ce fut un échec.

— Parce que vous nous avez combattus par crainte de la concurrence catholique.

— C'est possible. Mais supposons que cette association trouve des fonds et qu'un accord discret permette à quelques nouvelles entreprises de fonctionner dans la communauté catholique. Supposons aussi que vous ayez les moyens d'acheter cinquante apprentissages par an et que ces apprentissages vous soient garantis. Quel effet cela ferait-il au Bogside ? De quoi avez-vous le plus besoin ? De satisfaire votre orgueil ? De dignité ? Ou bien d'emplois pour les hommes ?

Kevin O'Garvey fut stupéfait. Il s'attendait à tout de la part de ceux qui voulaient empêcher la commission d'aller à Londonderry, sauf à ça. Le Bogside ! enfer de désespoir où les hommes traînaillaient, privés de tout avenir, où l'on n'avait jamais rien fait pour s'attaquer à la misère, pour susciter un rien d'amour-propre. Maxwell Swan n'offrait qu'une miette d'espérance, mais comme cette miette faisait défaut !

Et qu'arriverait-il s'il refusait ? Kevin prévit des années de combat au corps à corps entre son parti affaibli et un système tout-puissant, maître de tout le pays, y compris de la justice. S'il persévérait dans sa lutte pour une réforme industrielle, le résultat ne s'esquisserait même pas de son vivant.

Accepter de l'argent pour donner un peu d'espoir à ceux qui n'en avaient pas, était-ce se laisser corrompre ? Des abominations comme Witherspoon & McNab survivraient de toute façon, même s'il refusait. Le combat de la Ligue agraire datait de loin. Ses efforts mettaient un terme à des abus qui avaient fait couler le sang en Irlande pendant des siècles, et sa victoire avait coûté cher. La lutte pour la réforme industrielle serait encore plus âpre. Kevin pouvait-il faire plus et mieux que donner un peu d'espoir aux désespérés ?

Diabolique, Swan avait tout prévu. De l'argent passé sous la table libérerait l'association du Bogside de ses dettes, lui permettrait de subventionner des petites entreprises pendant des années et d'acheter des apprentissages. Mais, au nom du ciel, pourquoi cette assistance ne naissait-elle pas d'un sentiment de solidarité humaine ? Pourquoi fallait-il qu'en échange femmes et enfants continuent à suer sang et eau ? Pourquoi ? Parce que c'est ainsi que les patrons gagnaient de l'argent. Pourquoi ? Parce que ça se passait à Derry conformément au canevas politique et économique de l'Ulster, parce que la moindre allusion à une assistance quelconque envers les catholiques était un blasphème pour les maîtres protestants de cette province. Cet accord devait donc rester secret à tout prix.

Kevin O'Garvey passa trois semaines dans une agonie d'incertitude. Tantôt il pensait aux manufactures putrides où les ouvriers étaient traités comme dans des asiles d'aliénés, tantôt il pensait au regard morne des gens du Bogside qui lui torturait l'âme depuis des années. Quelle voix cria le plus fort ? L'espoir. Tout de suite. L'espoir.

La commission extraordinaire d'enquête sur les relations industrielles de la Chambre des Communes parcourut l'Ulster selon la recommandation de Kevin O'Garvey, du parti irlandais. Elle ne visita ni Belfast ni Londonderry, mais seulement l'agglomération industrielle de Ballyomalley où les quakers finançaient une expérience progressiste. Elle y trouva les meilleures conditions de travail et d'existence de la province. Dans son rapport final, Ballyomalley fut citée en exemple.

## 4

Le Celtic Hall, ses activités et celles des terrains de sport avoisinants représentaient une oasis dans la désolation du Bogside. L'Association athlétique gaélique qui ressuscitait les anciens sports celtes, ainsi qu'un rien d'amour-propre national, y était née et se répandait sur toute l'Irlande, plus rapidement qu'on ne l'avait espéré. Son influence était particulièrement sensible au Bogside, enclin, dans sa misère, à des vanités futiles. Les rencontres de football gaélique sur des terrains poussiéreux attiraient des foules énormes chaque dimanche après la messe.

Quelques années plus tard, une association aux buts plus sophistiqués se constitua sous le nom de Ligue gaélique. Ses membres entendaient promouvoir la renaissance de la langue et de la culture ancestrales.

Ces sociétés n'avaient rien de clandestin mais tout le monde savait qu'elles couvraient des activités plus ou moins républicaines dues à un climat de mécontentement. Enseigner l'histoire de l'Irlande, glorifier les héros des rébellions séculaires contre la domination britannique, allait évidemment à l'encontre des efforts d'anglicisation de la colonie. Cette résurgence du nationalisme irlandais était considérée d'un mauvais œil par la Couronne qui y voyait un terrain propice pour les agitateurs fenians. L'administration anglaise surveillait donc étroitement ses militants les plus en vue.

On ne s'étonnera donc pas que Conor fût mal accueilli à la bibliothèque de la Ligue. Ce vigoureux jeune inconnu pouvait fort bien appartenir à quelque équipe spéciale de la constabulary ou bien être dépêché par le château du Dublin dans un but d'espionnage. Les Irlandais se méfient constamment des mouchards, plaie de leur existence.

Conor n'espérait plus trouver de travail et pensait à s'en aller. Teresa O'Garvey s'en rendit compte et en fit part à son mari dans une lettre. Kevin écrivit aussitôt à Conor pour lui rappeler sa promesse de l'attendre jusqu'à la fin de la session des Communes. Conor attendit. Faute de mieux, il dériva vers les endroits où les oisifs se rassemblent pour bavarder vainement. C'étaient des hommes comme lui, arrivés à leur dernier sou. Une chope de bière était un luxe pour eux.

En quittant la bibliothèque de la Ligue gaélique, Conor allait au terrain de sport pour assister à l'entraînement. Sa présence trop fréquente éveilla des soupçons. On l'interrogea. Alors seulement on apprit qu'il vivait chez Kevin O'Garvey. C'était une lettre de créance suffisante pour que, dès lors, on l'accueille au moins par des hochements de tête.

— Eh, toi, le grand type, là-bas !
— Moi ? demanda Conor.
— Oui, toi. Il nous manque un équipier. Tu ne voudrais pas jouer comme demi ?
— Je ne connais malheureusement pas grand-chose à ce jeu.
— Mais tu as déjà joué ?
— Pas souvent.
— Ça suffira pour l'entraînement.

Conor avait déjà joué au football que les Ecossais avaient introduit en Ulster et aussi quelques parties de gaélique. Il était en outre vigoureux et agile. Le football gaélique fait appel à la force brutale. Il s'agit d'écarter une meute d'adversaires, de sauter plus haut qu'eux, saisir le ballon plus vite et le conserver. Ce jeu remonterait à Patrice lui-même et lorsqu'il l'imagina, le saint patron de l'Irlande pensait peut-être à Conor comme demi. Tous les gars de la campagne apprennent à sauter les murs comme des daims dès qu'ils savent marcher. Sa poigne de forgeron, sa haute taille et ses quatre-vingt-seize kilos en faisaient un équipier formidable.

Il était à peine sur le terrain qu'un habitué du jeu, en chemise bleue, fonça droit sur lui en tenant le ballon, bondit de côté et chercha à esquiver. Faute d'habitude, Conor faillit perdre l'équilibre en suivant ses mouvements mais parvint à saisir la chemise bleue, à attirer l'adversaire vers lui et le repousser si énergiquement qu'il tomba. Cette manœuvre n'avait rien de scientifique, mais elle était efficace. L'homme à la chemise bleue lâcha le ballon, et tomba à quatre pattes en haletant. Dès qu'il se releva il marcha sur Conor en brandissant le poing.

— Bougre d'abruti ! Nous sommes seulement à l'entraînement !

— Excuse-moi, J'ai fait quelque chose de mal ?

— T'as failli me tuer, sale con, répondit l'autre en titubant. (Enfin, il reprit ses esprits.) C'est moi qui te dois des excuses, dit-il en tendant la main. Tu m'as sonné. Appelle-moi Pat. Je suis Pat McShane.

— Et moi, Conor Larkin. J'y suis allé trop fort sans en faire exprès.

— Pas du tout. Je t'offrirai une chope chez Nick Blaney tout à l'heure.

Cooey Quinn, directeur et entraîneur de l'équipe, s'intéressa à Larkin qui semblait se familiariser avec le jeu de minute en minute. Cooey avait fait partie de la première équipe dès la naissance de l'A.A.G. Son agilité lui avait valu d'être célèbre dans toute l'Irlande. Depuis qu'il ne jouait plus, il entraînait les joueurs du Bogside dont l'équipe représentait une puissance régionale. Ses succès sportifs laissaient ses poches vides car il s'agissait d'un jeu d'amateurs où on luttait pour la gloire, avec quelques sous-entendus nationalistes. Dès la fin de la partie, il aborda Conor.

— Salut grand diable, je suis Cooey Quinn.

— J'ai entendu parler de vous, dit Conor qui se présenta à son tour.

— Depuis quand joues-tu ?

— Je n'ai fait que deux ou trois parties, il y a déjà un moment. En Inishowen on pratique surtout le football association avec des équipes protestantes.

— Tu es à Derry, pour un moment ?

— Oui.

— Tu ferais un demi du tonnerre, je crois. Si tu viens à l'entraînement je me charge de t'enseigner les meilleures astuces.

— Je t'en suis reconnaissant mais je cherche du boulot.

— Comme tu n'en trouveras pas, autant venir à l'entraînement. (Cooey toisa Conor sans cacher son admiration puis il s'approcha et lui dit tout bas :) A vrai dire, on peut se faire une ou deux couronnes de temps en temps.

— Comment ?

— Des rupins parient sur nous quelquefois et, quand on gagne... Tu comprends ?

— J'aurai jamais pensé que je gagnerais ma vie comme ça.

— Si tu ne connais pas de meilleur moyen, essaie donc.

— Pourquoi pas ? dit Conor en haussant les épaules.

— Bon, alors viens chez Nick Blaney. Tu feras connaissance avec les potes.

La brasserie de Nick Blaney était un des établissements les plus chics de Bogside : sol dallé, comptoir d'acajou poli, grand miroir derrière le bar. Il appartenait en réalité à Carney, le brasseur catholique du Bogside, assez outrecuidant pour prétendre au trône de Guiness. Quant au gérant, Nick, il avait naguère été le numéro trois parmi les poids moyens du Royaume-Uni et répétait à tout venant qu'il serait sûrement devenu le champion si son dernier adversaire ne l'avait pas éliminé par un coup de chance inattendu. Ce bistrot comptait de nombreux habitués : hommes pourvus d'un emploi, petits commerçants, qui traitaient les athlètes en égaux et leur offraient volontiers un verre.

— Tu es costaud, dis donc ! s'exclama Mick McGrath en lui tendant la main. (C'était la vedette de l'équipe. Bâti comme un chêne, très sûr de lui.) Combien pèses-tu, Larkin ?

— Je ne peux pas dire exactement, dans les quatre-vingt-quinze kilos.

— Parbleu ! C'est exactement ce qu'il nous faut.

— Je garantis qu'il cogne comme un bélier, intervint Pat McShane qui était parvenu à s'approcher des deux interlocuteurs

Conor se tourna vers lui et devint aussitôt cramoisi : Pat McShane portait un col de prêtre catholique.

— Protégez-moi, Marie, souffla Conor. J'ai failli défoncer un curé !

Les présentations terminées, encore bourrelé de

42

remords, Conor se rapprocha du père McShane. Son embarras amusa le prêtre dont le sourire révéla une denture fortement entamée. D'autres l'avaient maltraité avant Conor qui confia, étonné :

— Je ne comprends vraiment pas, mon père.

— J'ai étudié les Saintes Ecritures et je n'y ai pas trouvé un seul mot interdisant aux prêtres la pratique du football gaélique.

— Mais l'évêque Nugent, est-ce qu'il tolère ça ?

— Pas quand le Bogside perd.

N'ayant jamais vu un curé de ce genre, Conor était ahuri. Pat McShane en avait vu d'autres arriver de la campagne. Il n'avait pas été coulé dans le même moule que le tout-venant des séminaristes : en général jeunes gens médiocres et égoïstes. Issu d'une famille du Sud, récemment enrichie, il était passé par Cambridge avant d'entrer au service de l'Eglise.

En quelques jours Conor et le prêtre se lièrent d'amitié car ils étaient tous deux assez étrangers au monde du Bogside. L'amour de la poésie et de la littérature contribua à les rapprocher. Les prêtres du Bogside ne ressemblaient guère aux curés dogmatiques que Conor avait connus et le père Pat se distinguait parmi eux. Il jouait secrètement un rôle prépondérant à la Ligue gaélique. Il invita son nouvel ami à une réunion. Ce fut le premier jour heureux pour Conor depuis son arrivée à Derry.

Des sentinelles montaient la garde dans toutes les rues donnant accès à une écurie abandonnée de Lone Moor Road. On y entrait par groupes de deux ou trois discrètement, quand il n'y avait pas de suspects en vue. Les militants étaient jeunes, pauvres, mal vêtus. Plus de la moitié étaient de jeunes ouvrières des filatures et manufactures de chemises, ce qui étonna Conor. Aussitôt entré dans l'écurie, on grimpait par une échelle à l'ancien grenier à foin où de lourdes bâches tendues devant des ouvertures empêchaient la lumière de filtrer à l'extérieur. Ce grenier était d'ailleurs très mal éclairé et on ne se voyait guère les uns les autres. On ne parlait qu'à mi-voix, mais dans une ambiance d'enthousiasme et de rébellion.

C'est Mick McGrath et Cooey Quinn qui amenèrent Conor à la réunion et le présentèrent à la ronde.

Petit bout de fille aux grands yeux marron, Maud Tully réclama le silence et dit :

— Approchez-vous pour que je ne sois pas obligée de parler trop fort. (La trentaine de personnes qui emplissaient le grenier formèrent le cercle autour d'elle.) Le père Pat a envoyé un billet pour dire qu'il est retenu au chevet d'un paroissien gravement malade. (L'assistance grogna sa déception.) Il nous rejoindra dès qu'il pourra. En attendant, commençons la discussion à l'ordre du jour pour ce soir : Theobald Wolfe Tone.

On échangea des regards dépités autour d'elle. Le père McShane avait indiqué à Conor le sujet de sa conférence pour ce soir-là, aussi avait-il apporté son autobiographie de Wolfe Tone, mais il se tint coi.

— Personne n'en sait assez sur Wolfe Tone pour commencer ? demanda Maud.

Nouveaux murmures de mécontentement. Alors Conor leva une main hésitante.

— Eh bien, nous avons de la chance, dit Maud. Notre nouveau frère, Conor Larkin, offre de nous mettre en train. Venez donc ici, Conor.

Il se leva et traversa le cercle bourdonnant de curio-

44

sité. Sa carrure semblait encore plus impressionnante dans ce grenier exigu. Maud lui montra la caisse sur laquelle il devait s'asseoir et les autres s'en rapprochèrent encore plus. A cet instant magique, Conor les vit tous pareils à Seamus et lui-même, assis aux pieds de Daddo, avides d'apprendre.

— J'espère ne pas être trop présomptueux, dit-il. Je ne pourrai pas prononcer une conférence comparable à celle d'un érudit comme le père Pat. (Il tira de sa poche un livre dont il lut le titre : *La vie et les Aventures de Theobald Wolfe Tone*, écrites par lui-même et extraits de son journal, par son fils William Theobald Wolfe Tone.) Pour commencer, poursuivit Conor, nous devons rappeler que nombre de patriotes issus de familles protestantes jouèrent un rôle dans nos aspirations républicaines. Citons, Robert Emmet, Napper Tandy, Henry Joy McCracken, Thomas Davis, Isaac Butt, de même que le fondateur de notre Ligue gaélique, Douglas Hyde. Deux de ces protestants comptent autant pour l'émancipation des catholiques que le libérateur en personne. Daniel O'Connell. Il s'agit de Charles Stewart Parnell, dont la perte nous accable encore, et de Theobald Wolfe Tone, père de tous les républicains d'Irlande dont nous allons parler ce soir.

On l'écoutait dans un silence total.

— Wolfe Tone naquit à Dublin le 20 juin 1763...

Conor parlait d'une voix mal assurée. Peu sûr de lui, il eut pourtant conscience d'un lien de communication intime avec ceux qui étaient groupés à ses pieds. Leurs yeux étaient fixés sur lui. Ils l'écoutaient attentivement. En quelques minutes les années durant lesquelles il avait écouté les contes de Daddo, ses conversations avec Andrew Ingram, les livres qu'il avait lus à la lumière de la chandelle et à l'alpage s'unirent pour tisser la magie irlandaise du verbe. Il se laissa aller à des pointes de fantaisie, d'éloquence et d'humour. C'était le shanachie et ce qu'il racontait semblait venir de lui-même.

Lisant une ligne ici, un vers, le passage d'un chapitre, il retraça la carrière agitée du premier grand patriote irlandais : le serment prononcé à Belfast d'unifier l'Irlande, la fuite en Amérique, l'influence de la Révolution française, les intrigues à Paris afin d'obtenir le soutien des Français, la tempête qui avait réduit la flotte française, la seconde tentative d'invasion dans l'estuaire de la Foyle. Enfin, capture, condamnation à mort et suicide.

Dans la pénombre du grenier, Conor vit briller des larmes aux yeux de ceux qui l'écoutaient. Il regarda plus attentivement. Tous pleuraient. Quand il eut fini personne ne souffla mot puis on entendit « Bravo ! ». Tout le monde se tourna vers la trappe. Le père McShane était arrivé juste à temps pour entendre la conclusion.


— Encore une tournée, messieurs. Mais que ce soit la dernière, je vous prie, dit Nick Blaney.

Conor aurait voulu passer toute la nuit à discuter avec le père Pat. Mais Cooey Quinn et Mick McGrath ne le quittaient pas, lui tapaient dans le dos, le présentaient de nouveau à leur entourage et pompaient autant d'air que des soufflets de forge.

— Quelle soirée ! répéta Cooey pour la centième fois. On n'est pas près de l'oublier ! Si tu apprends à jouer au football aussi bien que tu parles, tu seras le maire du Bogside, Conor Larkin.

— Absolument ! ajouta Mick.

— Je n'en demande pas tant. Ce genre de truc fait la malédiction de ma famille, dit Conor.

— Messieurs, messieurs, il est l'heure ! supplia Nick Blaney.

Tous les quatre quittèrent le bistrot ensemble et plongèrent dans la puanteur de misère qui flottait constamment dans le quartier comme une maladie incurable. Le père Pat s'arrêta brusquement, comme s'il n'osait plus marcher dans ces rues. Un poivrot urinait contre le mur de l'église. Une querelle de famille retentissait aux alentours. Elle éveilla des cris de nourrisson qui suggéraient autant l'idée de la faim que de la crainte. Au Bogside, on faisait des petits dans l'ombre, plus que n'importe où ailleurs dans le Royaume-Uni : des petits nourris de débris de charcuterie, destinés à crever dans les fabriques de chemises ou à jouer à pile ou face sur les trottoirs, pour la plupart, faute d'emploi.

Le père Pat saisit le bras de Conor comme pour assurer son équilibre.

— Si seulement nous y pouvions quelque chose, chuchota-t-il.

— Je foutrai mon camp d'ici un de ces jours, dit Mick.

— Vous dites tous ça, remarqua Cooey.

— Eh bien, crois-moi, je foutrai le camp.

Conor demanda au père McShane :

— Vous allez du même côté que nous ?

— Non. Il faut que je retourne assister mon paroissien qui ne passera probablement pas la nuit.

Conor et Mick virent le prêtre s'éloigner entre les maisons basses de la rue. Des chats affamés miaulèrent de fureur. Les deux hommes relevèrent leur col pour se protéger de la fraîcheur nocturne et tournèrent dans

Leeky Road. Conor et Mick atteignirent le mur de Derry, près de la statue du révérend George Walker, le doigt pointé vers le croissant de la lune, comme pour admonester la racaille du Bogside.

— Cooey croit que je resterai à pourrir ici, eh bien, il se trompe ! Malheureusement je ne sais pas quoi faire.

— Tu n'as pas de métier, Mick ?

— J'ai commencé mon apprentissage de boucher, autrefois, et puis j'ai perdu ma place. J'ai attendu quatre ans un débouché dans le bâtiment. Du temps perdu... Mais je ne vais tout de même pas sombrer ici.

Mick tourna vivement la tête pour jeter un coup d'œil derrière son épaule.

— Merde ! souffla-t-il. On nous suit depuis le troquet.

Conor se retourna à son tour. Les deux flics qui les suivaient ralentirent d'abord, puis approchèrent prudemment.

— Tu es déjà repéré, dit Mick.

— Pourquoi ?

— Ta conférence de ce soir. Ils te prennent pour un agitateur arrivé de Dublin. Ecoute, on fonce et on se sépare au carrefour.

— Pas possible, dit Conor.

Deux autres flics débouchaient à l'autre bout de la rue, la trique à la main. Mick retira sa ceinture, l'enroula autour de sa main en laissant pendre la boucle de laiton comme un fléau. Il se pencha et ramassa un pavé déchaussé. Conor et lui pivotèrent à l'unisson, foncèrent sur les deux premiers flics que cette attaque surprit.

Conor para le coup de trique de son avant-bras, cependant que Mick lançait sa boucle de ceinture sur la figure du flic qui hurla, porta les deux mains

48

à son visage fendu de l'œil à la bouche et tomba à genoux. Mick l'acheva d'un coup de pavé sur la tête.

L'autre flic martela à coups de gourdin la tête de Mick qui s'effondra. Conor l'abattit d'un cou de poing entre les yeux et s'efforça de relever Mick écrasé par les corps de leurs adversaires.

Avant qu'il y parvînt, les deux autres flics arrivèrent à la rescousse en braillant :

— Salauds de Fenians !

Conor s'effondra à son tour.

Mick se redressa à demi. Un coup de pied à l'estomac lui coupa le souffle. Il vomit. Conor se leva en reculant. Plusieurs coups de trique l'atteignirent à la tête et aux côtes. Il allait s'enfuir mais, en voyant les coups pleuvoir sur Mick encore au sol, la rage le ramena à l'assaut. D'un coup de poing à l'estomac, il en élimina un, souleva Mick qui avait le visage et la poitrine couverts de sang et de vomi. Tout en tenant son camarade d'un bras, il brandit un poing menaçant vers le dernier flic, stupéfait de voir ses trois camarades hors de combat. Conor fit un pas vers lui. Il s'enfuit.

Des lumières s'allumèrent. Des criailleries retentirent. Un instant plus tard les coups de sifflet de la police se répandaient dans toutes les rues du Bogside. Des portes s'ouvrirent.

Comme toujours quand on soupçonnait la Ligue gaélique, la constabulary chercha à étouffer l'affaire. Mais l'hospitalisation de trois flics ne pouvait pas passer inaperçue au Bogside. On en parla pendant des jours. Fracture du nez, côtes cassées, points de suture, dents manquantes et tout ça dans une bagarre de trois minutes !... Pour sauver la face, on fit courir le bruit qu'une douzaine de voyous avaient attaqué par surprise quatre policiers.

Pour les autorités l'incident était clos. Mais les gens du Bogside savaient exactement ce qui s'était passé.

## 5

Kevin O'Garvey revint de Londres et, pendant les quelques mois qui suivirent, l'Association du Bogside finança plusieurs affaires dans le quartier : une boulangerie, deux cafés, un service de transports, une fabrique de cordes, une imprimerie et un magasin destiné à vendre au détail les produits de l'industrie ménagère. Chaque inauguration eut lieu en grande pompe.

Et voilà que le chantier naval, la pêcherie, la gare de triage vendirent une douzaine d'apprentissages à de jeunes catholiques. L'Association en fit les frais.

Un rayon de lumière traversa les ténèbres. Personne ne se rappelait avoir vu quelques hommes marcher d'un pas aussi alerte au Bogside.

Frank Carney était un des trois membres du bureau de l'Association. M'as-tu-vu tapageur, il se fit gloire de toutes ces nouveautés et joua les bienfaiteurs du quartier. Propriétaire d'une brasserie, il jouait un rôle dans la politique municipale. Il paradait dans des gilets de brocart, exhibait de l'or partout : montre, chaîne de montre, boutons de manchettes, bagues, dents. Tant de vanité méritait une certaine indulgence car il était parvenu à s'élever à la force du poignet, en plein Bogside. Toutes ses affaires n'étaient pas parfaitement honnêtes, mais il restait fidèle aux siens et à son Eglise.

Second et plus jeune membre du bureau, le père Pat McShane se contenta de bénir les nouvelles entreprises et de leur souhaiter du succès, en laissant la mise en scène à Carney.

Jusqu'alors, le président du bureau de l'Association, Kevin O'Garvey, avait mené la barque avec autant de ferveur qu'il avait dirigé la Ligue agraire. Pourtant ce renouveau d'activité ne paraissait pas l'enchanter. Conor remarqua immédiatement que Kevin s'était transformé lors de son dernier séjour à Londres. Cet homme, naguère extrêmement accessible et enthousiaste, paraissait se retirer en lui-même. Conor s'en ouvrit au père Pat. Ils conclurent qu'après des années de combat le fardeau des ans pesait sur Kevin. Pourtant ils refusaient d'y croire. Sans en rien dire, Conor soupçonnait que le mal était dû à une cause plus grave.

Il allait se résigner à quitter Londonderry quand le bureau de l'Association le convoqua au Celtic Hall pour lui demander d'étudier la création d'une forge et d'en établir le devis. Stupéfait d'abord, il s'adonna à corps perdu à cette mission et constata que l'écurie abandonnée de Lone Moor Road conviendrait et coûterait peu. Il envisagea aussi de réduire les frais en fabriquant lui-même la plus grosse partie de l'outillage.

Mais l'affaire n'était pas si simple. Conor demandait un prêt très supérieur à celui qui avait été accordé aux autres entreprises. Il ne voulait pas se contenter d'une simple échoppe de maréchal-ferrant et estimait que le Bogside avait besoin d'un véritable atelier de ferronnerie qui n'aurait pas seulement servi de quincaillerie au quartier mais s'engagerait aussi dans la décoration, domaine dans lequel le fer était alors à la mode.

Le père McShane et Kevin O'Garvey discutèrent, revirent le budget de l'Association, hésitèrent, mais Frank Carney les encouragea avec enthousiasme. Patron des équipes de football et de hockey irlandais, il tenait à conserver à Derry un athlète aussi prometteur que Conor Larkin. Cette forge ferait la gloire de l'Association, dit-il. Après une dernière séance d'études, le bureau accorda le prêt.

Les affaires marchèrent assez bien dès le début. Mick McGrath et deux autres gaillards de l'équipe eurent enfin du travail comme apprentis forgerons. Conor avait hâte de se mettre à la quincaillerie, mais ses hommes étaient trop novices pour qu'il leur confie même les tâches les plus simples et il ne trouvait pas un seul ouvrier qualifié parmi les catholiques du Bogside. Alors il traversa la Foyle et embaucha un protestant, Tippy Hay, comme contremaître, chargé aussi de former les apprentis, ce qui permettrait au patron de consacrer tout son temps à la production.

Excellent professionnel Tippy était devenu trop lent avec l'âge pour rester à plein temps au Caw & Train Graving Dock où il avait peiné pendant trente ans. En cas de coup de feu on lui donnait assez de travail pour lui permetrre de vivre mais les périodes de vaches maigres étaient trop longues et il s'en consolait à la bouteille. Par reconnaissance pour ceux qui lui offraient la seconde chance de sa vie, il but moins, fournit des journées de travail convenables et se révéla excellent maître pour les apprentis.

Un bateau endommagé se réfugia au port. Roy Bardwick, directeur du bassin de radoub, fit appel à Tippy qui lui répondit de se carrer son emploi quelque part.

Une quinzaine de jours plus tard, on trouva le vieil

ouvrier évanoui dans la rue, au petit matin, et il fallut l'hospitaliser. Le bruit courut d'abord que le diable de l'alcool avait ressaisi sa proie. Mais les médecins constatèrent des traces d'une sévère raclée. On parla alors d'une bande de voyous catholiques jaloux d'un protestant employé dans une de leurs entreprises. Tippy refusa de parler. Quelques mois plus tard seulement un soir de cuite, il bafouilla que ses anciens camarades de Caw & Train et les frères de sa loge d'Orange lui avaient enjoint de quitter Larkin. Comme il refusait, ils avaient voulu faire un exemple contre les trahisons de ce genre. C'était aussi une manière de signifier à Conor Larkin qu'il serait toléré à condition qu'il se tienne tranquille.

Faute de trouver un remplaçant pour Tippy, Conor en vint à travailler dix-huit heures par jour et finit par produire toute une série d'articles : marteaux d'emballeur, limes, couteaux, haches, doloires, gonds, clous, ciseaux, loquets, poignées de porte, pelles, pincettes, et tous les ustensiles de cuisine indispensables. La qualité était la meilleure de Derry et les prix les plus bas. Mais aucun détaillant, hors du Bogside, n'accepta sa marchandise. Il vendit dans sa forge. En dépit du boycott, les protestants y vinrent parce que l'Ecossais aime à épargner et l'argent n'a pas de religion.

— Voyez donc chez Larkin, vous y trouverez peut-être ça.

— Larkin vous fera tout ce que vous voudrez, à la commande et au plus juste prix.

La perfection de son travail accrut sa réputation, le ruisselet de clients devint une rivière. Alors, on grogna au sujet de ce Conor Larkin. N'avait-il pas participé à des activités de Fenians ? Et cette bagarre avec la constabulary ? Son succès n'en fut guère atteint.

Au bout d'un an, Mick McGrath et les deux autres apprentis avaient assez appris pour exécuter les tâches les plus simples. Des deux autres maréchaux-ferrants du Bogside l'un mourut et l'autre, le vieux Clarence Feeny, s'installa auprès de Conor, estimant qu'il s'en tirerait mieux comme contremaître salarié qu'en travaillant pour son propre compte. Il amena avec lui un client de première importance : Frank Carney et sa brasserie pour qui il entretenait les voitures de livraisons, les harnais, et dont il ferrait les chevaux. Il cerclait en outre les tonneaux. Conor embaucha deux nouveaux apprentis, dont le fils de Clarence. Dès la deuxième année, il avait douze hommes sous ses ordres, y compris un représentant de commerce et deux livreurs.

Le vieux Feeny suffisant pour les tâches quotidiennes, Conor put enfin s'engager dans l'activité à laquelle il aspirait depuis longtemps : la ferronnerie d'art. Frank Carney ouvrit la marche des clients en lui commandant grille et portail d'une chapelle qu'il offrait à la cathédrale Saint-Eugène. Le travail plut tellement à l'évêque Nugent qu'il commanda à son tour une chaire de fer forgé, la première de ce genre dans cette région d'Irlande. Suivant l'exemple de l'évêque, les commandes affluèrent de diverses églises aussi éloignées à l'est que Limavady et à l'ouest que Ballyshannon. Ce genre d'œuvres d'art n'enchantait pas Conor. Il avait l'impression de travailler pour des pères Lynch qui dépossédaient leurs paroissiennes des minces ressources de leur basse-cour. Mais il n'avait pas les moyens de refuser.

Le succès de la forge s'affirmait d'autant mieux que plusieurs autres affaires financées par l'Association du Bogside avaient cessé leur activité. En fin de compte, la vie devenait tolérable à Derry pour Conor Larkin. Il fréquenta un petit groupe d'intellectuels de religions diverses, animé par Andrew Ingram, le père Patrick McShane et les professeurs du Magee College. Sous le patronage de Lady Caroline Hubble, comtesse de Foyle, la ville s'ouvrait à une vie culturelle appréciable.

Parallèlement, Conor était un notable du Bogside, de la Ligue gaélique et de l'A.A.G. Cooey Quinn et Mick McGrath en avaient fait un demi d'une efficacité redoutable. Quand le ballon volait vers le pack, Conor le saisissait dans ses poignes d'airain et sa carrure intimidait les adversaires. Les supporters de l'équipe pariaient gros sur lui, ce qui ne lui rapportait pas grand-chose mais quand même plus que ses consommations.

Conor s'en inquiétait autant que de travailler pour l'Eglise. Le père McShane le rassura : sa présence parmi les dévoyés ne pouvait avoir qu'une bonne influence : dans l'étouffoir du Bogside, les miséreux buvaient et jouaient pour oublier la réalité. Ils pariaient avec de l'argent ou sans argent parce que parier faisait partie de leur vie, et perdre aussi, et recourir à l'usurier de même. Eviter de payer le loyer faisait partie de la vie, de même que de végéter aux crochets de l'épouse qui se tuait au travail. Dépouillés de leur amour-propre, les hommes sombraient dans des rêves brumeux. On comprend alors que Conor Larkin et Mick McGrath étaient des héros dans ce milieu sans espoir.

La conscience apaisée, Conor pensa à une liaison. Il hésita entre Maud Tully de la Ligue gaélique, la femme la plus intelligente qu'il eût jamais connue, et Gillian Peabody, maîtresse d'école protestante dotée du charme des demoiselles bien élevées. Il assistait aux spectacles, concerts et conférences tantôt avec l'une, tantôt avec l'autre. Ce n'étaient pas les seules auxquelles il pensait...

A ce moment-là Conor Larkin en venait à s'imaginer qu'il échappait au carcan du Bogside et de Derry.

Andrew Ingram réussissait aussi bien que Conor. Il était promu surintendant des écoles nationales du district s'étendant au sud jusqu'à Strabane et à l'est jusqu'à Dungiven.

Le soir où devait avoir lieu le premier spectacle d'un festival de dix jours consacré à Shakespeare, Enid Ingram accueillit Conor, l'air désolé.

— Vous devrez vous contenter d'une vieille poule mariée, ce soir, dit-elle. Andrew est enfoncé dans la paperasserie jusque-là !

— Quel dommage ! Mais la troupe reprendra *Le Roi Lear* à la fin du festival.

— Souhaitons qu'il ait une soirée de libre à ce moment-là. Parfois je me demande pourquoi il a accepté cette promotion... J'allais oublier : quand j'ai su que vous veniez seul, j'ai donné le billet d'Andrew à Gillian Peabody. J'espère que ça ne vous ennuie pas.

Conor émit un vague grognement et sourit d'un air narquois.

— Vous n'auriez pas une idée derrière la tête ?

— Evidemment pas ! D'ailleurs vous pourriez faire pire, répondit Enid Ingram en frappant à la porte du bureau de son mari.

Visiblement affecté par le surmenage, il accueillit sa femme et son ami en tempêtant contre la paperasserie administrative.

— Voilà le budget, voilà les appels d'offres, dit-il en frappant des piles de documents sur sa table. C'est à ça que mènent l'instruction et le goût de l'enseignement !

La clochette de l'entrée tinta.

— C'est sûrement Gillian, dit Enid en s'en allant.

Andrew et Conor échangèrent un regard amusé.

— Ma femme est comme toutes les autres, dit M. Ingram. Elle ne peut pas s'imaginer qu'un célibataire soit heureux et elle a choisi sa propre pouliche dans la course au Conor.

— Gillian est une fille charmante, dit Conor. Je l'ai déjà vue cette semaine, mais ne vous inquiétez pas, je passerai une bonne soirée.

— Ne te presse pas, mon garçon. Ta situation te permet de choisir toi-même ta potion. Mais tu pourrais trouver pire que Gillian.

Les voix des deux femmes, dans le vestibule, vinrent jusqu'à eux.

— Un instant, Conor.

— Oui ?

Andrew retira ses lunettes, se frotta les paupières avec la paume des mains et montra la pile d'appels d'offres.

— Voudrais-tu passer après le spectacle ? Je serai encore ici et je voudrais te soumettre quelque chose.


Andrew Ingram parut s'arracher à une profonde méditation quand Conor revint dans son cabinet. Il était plus de minuit.

— Ferme la porte, assieds-toi, prends tes aises, dit-il en tirant une bouteille de scotch et deux verres d'un tiroir.

Conor retira son veston, le posa sur le dossier de sa chaise et s'assit.

— Je voudrais que tu examines ça, dit Andrew en lui tendant une liasse de feuillets épinglés ensemble.

— Qu'est-ce que c'est ?

— Les travaux de ferronnerie à effectuer dans les deux prochaines années pour les écoles et les terrains de sport : armatures de pupitres, palissades, mâts de drapeaux, rambardes. Mes nouvelles fonctions font de moi un membre du conseil des corporations de la ville. Ce second dossier contient les soumissions pour les lampadaires, les bancs, les écuries, de la municipalité et de la constabulary.

Ingram se tut et but une gorgée de whisky.

— Si je touche à ces papiers je ne pourrai plus les lâcher, dit Conor.

— Ce sont pas les seuls que je veux te montrer, dit Andrew en posant une troisième liasse devant Conor. C'est l'offre présentée il y a deux ans par Caw & Train pour à peu près les mêmes travaux.

Conor regarda fixement Ingram pendant un bon moment avant de se pencher sur le dernier dossier. Son ami poussa la lampe de bureau vers lui. Au bout d'un moment, il demanda :

— Alors ?

— C'était un peu cher, dit Conor.

— Un peu ?

— Qu'est-ce que vous voulez savoir au juste ?

— Ce que tu penses de leurs prix.

— Vous êtes volés comme dans un bois, dit Conor.

Il se leva, alla à la fenêtre, écarta le rideau de dentelle et regarda passer une voiture.

— Dans quelles proportions ? insista Andrew.

— Si tout le devis est en rapport avec les premières pages, ces gens-là vous font payer cinquante pour cent en trop.

— Lis donc tout le reste.

Conor secoua la tête. Ingram poursuivit :

— Caw & Train a été fondé en 1855. Cette maison travaille depuis lors pour la ville et pour toutes les écoles du district ouest de l'Ulster, sans que personne n'ait jamais trouvé à redire à ses prix.

— Laissez-moi le temps de comprendre où vous voulez en venir, dit Conor à mi-voix.

— Pourrais-tu te charger de ces travaux ?

Conor se tourna vers le bureau.

— La question n'est pas là et vous le savez fort bien. Caw & Train confie ses tâches en sous-traitance à des petits ateliers autour du Waterside. C'est à la portée de tout le monde. Mais voilà : vaut-il la peine d'ouvrir le placard de Barbe-Bleue ?... Je n'en ai pas besoin, je m'en tire fort bien sans ça.

— Il ne s'agit pas seulement de toi, Conor. Ce que nous épargnerions sur ce contrat me permettrait d'ouvrir une nouvelle école à Dunnamanagh. On la promet depuis huit ans. Le prêtre de ce village n'est pas comme les autres. Il s'est engagé à nous donner quarante élèves dès la première rentrée.

— Je comprends... mais je suis endetté jusqu'au cou envers l'Association du Bogside. Je ne peux pas me lancer dans une affaire pareille sans en parler à Kevin O'Garvey, et il est à Londres.

— Comme ça tombe bien !

— Douze hommes et leur famille vivent de la forge. Vous êtes en bons termes avec Lady Caroline. Demandez-lui d'intercéder pour votre nouvelle école.

Le visage d'Andrew durcit. Il se pencha au-dessus de sa table en tendant l'index, comme un instituteur prêt à châtier un mauvais élève.

— L'instruction ne doit pas dépendre du bon vouloir des Hubble. L'ouverture d'une nouvelle école n'a pas à faire l'objet d'une conspiration. Tout le pays est empoisonné par des arrangements conclus à huis clos.

— Mais écoutez donc ! Je n'ai pas encore les reins assez solides, Andrew.

— Alors, excuse-moi de t'avoir proposé ça.

— Vous me prenez pour un lâche ?

— Inutile d'épiloguer, Conor. Tu n'es plus à l'âge où l'on rêve d'insurrection dans l'air enivrant de la montagne, auprès d'une cabane de berger. Tu es un homme maintenant et tu réussis bien.

— Je ne pense pas qu'à moi, Andrew. Mais à vous aussi. Vous jouez votre carrière et ces gens-là vous briseront.

Andrew Ingram s'appuya au dossier de son fauteuil et haussa les épaules.

— Je le sais, Conor, mais c'est ma carrière. Je sais aussi que tous les enfants du comté seraient allés à l'école si les industriels n'avaient pas pillé l'instruction publique pour créer une prospérité fallacieuse grâce à laquelle ils entretiennent leurs fidèles à Londonderry. Ça, c'est l'Ulster, Conor Larkin. Moi je ne suis pas un idéaliste de la Ligue gaélique, ni un révolutionnaire d'estaminet comme toi. Je ne suis qu'un simple maître d'école.

— Vous n'avez pas le droit de me parler comme ça.

— C'est vrai. Une année de prospérité suffit sans doute pour apaiser la rage qu'inspire l'injustice.

Conor saisit son verre, le vida d'un trait et considéra son interlocuteur entêté, malveillant, vexant. Il se versa à boire lui-même, vida de nouveau son verre et resta immobile, tête basse, au milieu de la pièce. A une ou deux reprises, il fut sur le point de présenter de nouveaux arguments, mais en eut honte. Enfin, il revint

60

près du bureau, s'assit, reprit les dossiers et saisit un crayon dans le plumier.

— Que Dieu nous protège ! dit-il.

## 6

Dès l'instant où Conor eut déposé ses devis, les quatre apprentis se relayèrent pour monter la garde à la forge vingt-quatre heures par jour. Il conçut et fabriqua un système d'alarme qui déclenchait une sirène à vapeur si quelqu'un cherchait à ouvrir portes ou fenêtres de l'extérieur. On l'aurait entendue jusqu'au Celtic Hall et au terrain de sport où traînaillait constamment une armée d'oisifs.

La sirène retentit pour la première fois au milieu de la nuit quelques heures après que le conseil des corporations de Londonderry eut ouvert les soumissions présentées sous enveloppes scellées. C'est Frank Carney qui essayait de s'introduire à la forge. Il était hors de lui. Le calme revenu, il gravit l'échelle conduisant au logement de Conor.

— Pourquoi ne m'a-t-on pas parlé de cette foutue sirène ? demanda-t-il.

— Je l'aurais volontiers débranchée si j'avais su que vous me rendriez visite à 2 heures du matin, dit Conor.

Frank tempêta dans le grenier où s'entassaient d'innombrables livres.

— Sacré Bon Dieu ! Je vous prenais pour un garçon intelligent. Je n'aurais jamais prévu une bêtise pareille. J'ai discuté à en perdre le souffle pendant quatre heures avec les gens de Caw & Train et les membres du conseil. Non, mais dites-moi qu'est-ce qui vous prend, mon pauvre garçon ?

— J'ai surpris un voleur la main dans le sac, c'est mon seul tort, répondit Conor.

— Allons donc, mon petit ! Nous sommes entre nous. Alors, parlons franchement. Ces gens-là sont plus forts que nous. Sortons de cette mouscaille. Annulez votre soumission.

— Je ne vois pas pourquoi.

— Petit imbécile ! Où avez-vous grandi ? Vous enfreignez toutes les règles.

— Je n'ai jamais accepté ces règles et je ne m'y soumettrai pas.

— Eh bien, enfoncez-vous 'ça dans le crâne, Conor. Vos dettes envers l'Association du Bogside vous interdisent de prendre des engagements aussi importants sans notre approbation. Si vous regimbez, nous fermerons votre forge aussi vite que nous l'avons créée.

— Attention, Frank ! dit Conor sans se départir de son calme. Si j'avais su que mon emprunt comportait des clauses comme celle-là, je ne l'aurais pas contracté. Alors, si vous avez pris des arrangements au sujet de cette forge à mon insu, fermez-la, ne vous gênez pas.

— Vous bluffez, mon garçon. Toute la vie du Bogside ne dépend que de combines. Comment diable croyez-vous que fonctionne ma brasserie ? Pensez-vous que sept bistrots m'appartiennent sur la rive protestante du fleuve en raison de mon esprit et de mon charme irlandais ? Faut-il vous faire un dessin ? La vie est comme ça chez nous. Pour réussir il faut être intelligent.

— Personne ne m'a jamais accusé d'intelligence.

— Abruti ! Vous vous prenez pour un héros. Vous

62

prononcez des conférences à la Ligue gaélique et vous vous permettez de concurrencer les maîtres de la ville. Vous êtes fou ! (Carney porta la main à son cœur et se laissa tomber sur une chaise en haletant.) Ecoutez-moi bien, Larkin. En vous soutenant je me ruinerais et je ne suis pas allé aussi loin pour retomber d'où je suis parti.

— Allez caresser les cheveux de quelques orphelins, offrez une paire de chandeliers en or à l'évêque et tout le monde vous considérera comme un bon catholique.

— Salopard ! hurla Carney en fonçant sur Conor qui para ses coups de poings sans peine, puis le saisit par les revers de son veston et le secoua juste assez pour le calmer.

— Vous n'êtes pas en forme. Ne vous épuisez pas.

Carney retourna s'asseoir sur la chaise et croisa les deux mains sur son ventre en grognant.

— On compte sur moi pour arranger cette sale affaire. Je reverrai les gens de Caw & Train dans la matinée. Si vous me paralysez, je vous mets en faillite.

— Faites attention en descendant l'échelle, Frank. Vous pourriez vous tuer et ce serait une trop grosse perte.

Conor Larkin sortit peu après le départ de Carney et erra dans les rues jusqu'à la fin de la nuit. Il suivit la lisière du Bogside, descendit vers le fleuve, longea la rive jusqu'à l'estuaire, s'arrêta comme toujours lorsqu'il passait par là devant le bâtiment des douanes et se rappela le jour où son frère terrifié avait émigré. La précarité de leur existence s'imposa à lui plus que jamais et il se demanda si toute sa famille n'était pas arrivée au bout du rouleau. Au delà de Magee College la route s'ouvrit largement devant lui : celle qui conduisait à Ballyutogue. Au lever de jour, il était sur le quai de Madame, entre les phares de Pennyburn et de Crook, à la dernière boucle du fleuve. Les toits d'ardoise et les cheminées de Derry paraissaient abriter une vie paisible.

Il s'assit sur un banc. Quand midi sonna à l'horloge à quatre cadrans du Guild Hall le bruit de la cloche arriva assourdi jusqu'à lui.

— Bonjour !

Conor tourna la tête et vit le père McShane s'asseoir à l'autre extrémité du banc.

— Nous nous sommes déjà rencontrés ici et je me suis dit que je t'y retrouverais peut-être. Chacun médite habituellement à son endroit préféré.

— C'est vrai. Tout paraît si tranquille ici, dit Conor. Où en est Frank ?

— Hors de lui. Il s'est démené comme un démon. Le bureau de l'Association du Bogside est paralysé pour le moment : un vote pour, un vote contre la soumission mal avisée de C. Larkin. Frank devine que Kevin m'approuvera. Il a donc passé toute la matinée avec les gens de Caw & Train pour essayer de sauver sa peau.

— On ne se résigne pas facilement à perdre sa place au paradis et il y est.

— Frank est l'échantillon accompli de la corruption qui règne chez nous. Qu'un indigène s'attaque aux ressources du colonisateur, voilà une infraction inadmissible aux dogmes de l'Ulstérisme et aux lois de tous les pays civilisés, mon cher. Conor, tu ne t'es pas engagé à la légère et tu savais ce que tu risquais. Frank ne se laissera pas trancher la gorge en te soutenant.

— Mais toi, mon père, qu'est-ce que tu en penses ?

— J'ai voté pour toi.

— Ce n'est pas ce que je demande.

Le visage puéril du prêtre réfléta la mélancolie pendant un court instant.

— Au premier abord, j'ai eu du chagrin. Ça va déjà assez mal sans qu'on s'empêtre dans une affaire pareille. C'est ce que je me suis dit mais ça n'a pas duré. Une chose comme celle-là devait se produire tôt ou tard et je me suis toujours attendu à ce que tu déclenches la confrontation.

Ils se levèrent et s'en allèrent le long du sentier bordé de rosiers.

— Cet Andrew Ingram, c'est un homme ! dit le prêtre. Tu n'es pas inquiet pour lui ?

— Non. Voilà longtemps qu'il a tout prévu. C'est un taciturne, comme mon père. J'ai pensé à mon papa pendant toute la fin de la nuit. Il n'a pas accepté des risques comme celui-là une fois, mais des centaines de fois. Je le vois encore traverser la pelouse de Ballyutogue en allant voter pour la première fois de sa vie. Tomas, mon père, ne s'en est pas glorifié. Il vit la révolution à sa façon, au jour le jour. Non, ce n'est pas Ingram qui m'inquiète, mais un certain Conor Larkin. Il a toujours haï l'injustice, il a toujours aspiré à la combattre et puis... quand le moment de faire quelque chose est venu, il a été paralysé par la peur. J'ai conseillé à Andrew d'aller mendier pour son école chez Lady Caroline, de faire n'importe quoi pour ne pas me compromettre. Soumissionner pour un travail n'était sûrement pas le genre d'insurrection que j'envisageais. Mon vieil ami l'instituteur me connaît mieux que moi-même, père Pat. Il n'a vu en moi qu'un patriote de bistrot comme il y en a tant en Irlande.

Le prêtre répondit :

— Quand j'ai entendu parler de cette affaire, je n'ai

éprouvé d'abord que du chagrin, je te l'ai dit. J'en suis donc au même point que toi. Nous en arrivons à perdre de vue qui nous sommes et pourquoi nous sommes là. Parfois, après avoir assisté à un spectacle trop écœurant dans le Bogside, je m'en retourne chez moi épuisé. Je vois la crasse de mon logis et je me dis que j'aimerais bien être un homme comme les autres, en quête de plaisirs banals.

— Tu dis ça pour me rendre mon amour-propre, père Pat.

— Tu parles ! Je ne suis pas le Christ. Crois-tu que l'image d'une femme n'ait jamais traversé mon esprit ?

Conor comprit soudain l'enfer que vivait cet homme et il en fut effaré.

— Faillir dans un instant d'angoisse n'est pas déshonorant. Ce n'est pas même un péché, reprit le prêtre. Ce qu'il y a de grave c'est de ne pas s'en rendre compte, ni s'en soucier... Frank Carney a pris rendez-vous pour toi avec Roy Bardwick, chef de chantier chez Caw & Train. Acceptes-tu de lui parler ?

— Je veux savoir auparavant si le bureau de l'Association avait promis quoi que ce soit à ces gens-là au sujet de ma forge.

— Pas moi. Selon toute vraisemblance, Kevin non plus. Reste le troisième...

— Voir Bardwick ne servira à rien, dit Conor.

— Ça ne fera pas de mal non plus. Tu peux lui parler sur un pied d'égalité. Ils nous ont toujours traités par le mépris, je ne crois pas que nous devions en faire autant avec eux.

Caché dans la chapelle que Frank Carney avait offerte à la cathédrale, Roy Bardwick était visiblement mal à l'aise parmi les icônes aux yeux mornes de l'idolâtrie romaine. Le père Pat ouvrit le portillon, s'écarta pour laisser entrer Conor et s'en alla. Les deux autres s'observèrent. Bardwick aurait eu la même taille que Conor si ses soixante-dix années ne l'avaient pas voûté. Il avait les cheveux blancs. Il serra la main de Conor d'une poigne vigoureuse. Pendant un instant Conor eut l'impression de revoir son père en train de marchander avec Luke Hanna pour lui arracher un minimum d'air à respirer à l'usage des gens de Ballyutogue. Bardwick était vieux mais tout à fait calme et sûr de lui.

— Je vous connais, Larkin. Je vous ai déjà vu.

— C'est exact, j'ai travaillé quelques semaines au bassin de radoub, voilà plus d'un an.

— Je me souviens : deux cargos canadiens à voile et vapeur nous avaient été amenés par la tempête. Je n'oublie jamais un visage. Arrivons-en au fait. Frank Carney m'assure qu'il ignorait tout de votre soumission.

— Il dit la vérité.

— C'est donc vous et Ingram alors qui avez manigancé ça ?

— Puisque vous faites appel à ma franchise, permettez-moi de vous demander ce qu'il est arrivé à Tippy Hay.

— Je n'y suis pour rien. J'aimais bien le vieux Tippy. Dans des affaires de ce genre, les événements nous dépassent. Personne n'a besoin de donner d'ordres écrits.

— En tout cas vous n'avez rien fait pour lui éviter ça.

— Pourquoi m'en serais-je soucié ? répondit Bardwick sans prendre la peine de celer sa dure brutalité.

— Au nom de qui vous adressez-vous à moi ? demanda Conor.

— Au nom de tout le monde, y compris de moi-même. En vous attendant j'ai réfléchi. Je me suis demandé comment arranger cette affaire. Il m'a semblé que les menaces seraient inutiles parce que l'homme capable de s'engager comme vous l'avez fait ne les craindrait pas. Je préfère donc jouer cartes sur table.

— Allez-y !

— Je sais ce que vous voulez et ce que veut Ingram. Permettez-moi de vous dire ce que moi je veux, personnellement. J'ai soixante-dix ans. Dans deux ans je prends ma retraite avec une pension complète. J'ai donné quarante ans de mon existence au bassin, depuis sa construction. Laisser cette commande échapper gâcherait tout. Je ne pense pas seulement à ma retraite, mais aux principes. Est-ce que vous comprenez ?

— Oui.

— En ce qui concerne Ingram, le conseil des corporations est prêt à revoir le budget des créations d'écoles. Il aura celle de Dunnamanagh l'an prochain.

— Il ne reste donc plus que Caw & Train d'une part et moi de l'autre, dit Conor.

— Carney nous assure que vous êtes seul dans le coup et que vous êtes entêté. Nous avons donc conféré pour étudier une solution raisonnable. Certains étaient prêts à la guerre totale. Pas moi. Il se peut que les choses évoluent en Ulster, mais il nous faudra un certain temps pour nous y adapter. Les maîtres de Londonderry sont très chatouilleux à ce sujet. J'ai eu du mal à leur faire comprendre que si la guerre vous anéantissait elle nous coûterait aussi très cher. Alors ils consentent à un compromis. Ou bien vous retirez votre soumission, ou bien vous ne contestez pas la décision du conseil qui la rejettera, sous un prétexte technique : manque de moyens ou quelque chose dans ce genre-là. La soumission de Caw & Train restera seule sur les rangs. Or, vous savez que nous sous-traitons pour la plus grosse partie de ces travaux. Depuis trente ans toutes les petites forges environnant le Waterside en vivent. Nous sommes obligés de tenir compte de ces gens-là.

— Et ma part ?

— Vingt pour cent de ce qui reste à Caw & Train.

Conor jeta un coup d'œil à un christ sanglant dans les bras d'une vierge aux yeux de biche. L'échappatoire était là... Il s'emplirait les poches sans se faire pocher l'œil. Vivre et laisser vivre... Formule odieuse mais acceptable parce qu'en fin de compte il réussissait une percée. Mais, à ce compte, la soumission honteusement enflée subsisterait. Qui paierait ? Pas les miséreux du Bogside qui n'en avaient pas les moyens. Oui... mais ce serait encore une combine inavouable, une affaire réglée dans l'ombre. Même si les maîtres de l'Ulster lui accordaient à regret un petit morceau du gâteau, le système resterait intact dans toute sa turpitude.

Bardwick déplia son mouchoir et se moucha vigoureusement.

— Dès le début, Larkin, je vous ai dit que je n'essaierais pas de vous intimider. Mais croire que si vous refusez ma proposition vous gagnerez la partie sans dommage serait une folie. Acceptez cet arrangement pour quelque temps, jusqu'à ce que nous nous accommodions de la concurrence.

— Pendant deux ans, jusqu'à votre retraite.

— Eh bien, oui. Je me fous complètement de ce qui se passera après.

— Quand j'étais gamin dans mon village, la famille du hobereau représentait la circonscription aux Communes depuis des générations. Quand un candidat de la

Ligue agraire se présenta contre lui, vous vous imaginez l'indignation et les menaces des siens. « Laissez-nous le temps de nous habituer ! » criaient-ils tout en cherchant à nous intimider. Mais la vie évolue, l'homme de la Ligue agraire l'emporta et rien ne changea. Ça ne marche pas, monsieur Bardwick. J'en suis désolé.

Le vieillard qui avait fait face à bien des défis accepta celui-là sans manifester de colère. Il savait ce qui lui restait à faire. Certes, il aurait préféré l'éviter, mais il lui faudrait en passer par là.

— Moi aussi, je suis désolé, dit-il.

Les devis furent publiés et c'est Conor qui décrocha les commandes. Il renforça ses mesures de précaution et puis le temps passa. La forge travaillait de longues heures chaque jour pour subvenir à tous les besoins en ferronnerie de la ville et des écoles. La plupart des petites entreprises protestantes avoisinant le Waterside eurent droit à la même part de travail qu'auparavant avec Caw & Train et leurs craintes s'apaisèrent. La rancœur ne subsista qu'au bassin et dans les loges d'Orange. Or, l'oubli des injures est une chose qu'on ne connaît pas en Ulster.

Saint Sinell est particulièrement révéré dans le Bogside de Derry et sa fête annuelle donne lieu à un pèlerinage en masse jusqu'aux rives de l'Erne, au comté Fermanagh. Il se trouve que cette année-là l'équipe de football gaélique du Bogside se rendait à Enniskillen pour y disputer le match le plus important de la saison. En raison de cette coïncidence, presque tous les catholiques du Bogside partirent par un train spécial.

Ahern, le fils aîné du vieux Clarence Feeny, devait être de garde ce jour-là. Or, le contremaître avait remarqué le chagrin de son fils pendant la semaine. Il

70

était lui-même en retard sur le travail qu'il exécutait pour une église. Le vendredi il annonça donc à Ahern la bonne nouvelle : il garderait la forge et le jeune homme pourrait faire le voyage avec l'équipe.

L'incendie dura quelques minutes et il ne resta plus rien de la forge de Conor Larkin. La sirène était restée muette.

Un expert vint de Belfast. Il ne décela rien qui permît de soupçonner un acte de malveillance. Pourtant, en fouillant dans les cendres, on constata que des centaines de petits outils qui n'auraient certainement pas brûlé avaient disparu. Les dégâts subis par l'outillage lourd n'étaient pas dus seulement au feu. Dans son rapport le coroner indiqua que Clarence Feeny s'était vraisemblablement assoupi après avoir provoqué accidentellement l'incendie dans lequel il avait péri. Le texte suggérait que, gros buveur, Feeny était sans doute ivre à ce moment-là. Pourtant, bien qu'il ne restât plus grand-chose du corps, on remarquait quatre fractures au crâne et le coroner les passait sous silence.

Une semaine plus tard, le conseil des corporations de Londonderry traita avec Caw & Train pour tous les travaux non encore livrés à la municipalité et aux écoles.

## 7

Une année de pénitence n'apaisait guère les remords de Kevin O'Garvey. On chuchotait qu'il ne s'était jamais remis depuis la mort de Parnell. En réalité personne ne savait ce qui l'avait transformé. Le père Pat et Conor qui parvenaient à l'approcher de temps en temps, convenaient que ce n'était plus le même homme.

Depuis l'instant où il avait accepté l'offre de Maxwell Swan, Kevin le regrettait. Ses promenades dans le Bogside, surtout la nuit, le ramenaient infailliblement à la manufacture Witherspoon & McNab, et son sentiment de culpabilité lui rongeait le cœur comme un acide. Son dossier de doléances et de supplications des ouvrières de cette manufacture devenait de plus en plus épais et ne servait à rien, parce qu'il avait lui-même interrompu la filière de leurs protestations.

Force lui était de constater qu'il avait fait un marché de dupes car les entreprises financées par l'Association du Bogside ne prospéraient guère et bon nombre avaient déjà fait faillite. Les quelques apprentis admis dans les chantiers des maîtres ne guérissaient pas le mal chronique du chômage et n'apportaient guère d'amélioration économique.

Kevin entra dans l'hôtel particulier d'Abercorn Road abritant le siège social des entreprises du comte de Foyle. Son pas s'était nettement ralenti depuis qu'il était passé devant le bâtiment à six étages de la fabrique des chemises. Son cœur s'était serré en voyant une fois de plus ce bagne de crasse et de périls, sans air ni lumière.

Au rez-de-chaussée de l'hôtel particulier il passa devant des rangées d'employés en chemise blanche aux yeux protégés par des visières vertes et de femmes dont les jupes frôlaient le plancher. On le conduisit jusqu'au bureau où le général de brigade Maxwell Swan trônait dans un fauteuil de cuir. Ils échangèrent quelques politesses banales. Kevin regarda le fleuve, au delà de la fenêtre. Comme bien des choses en Donegal, la Foyle n'était pittoresque que de loin. Mais de près, elle avait l'air d'un égout à ciel ouvert. Kevin s'assit en face de Swan et essuya ses lunettes.

Le général s'était beaucoup inquiété de son arrangement avec O'Garvey. Il ne s'était guère laissé intimider au cours de sa carrière, ni par les organisateurs de syndicat les plus sûrs d'eux, ni par les Fenians, ni par les indigènes rebelles, aux colonies. Tous il les avait brisés. Tous. Et lui seul tenait tête, le cas échéant, à Frederick Weed. Pourtant le cas de O'Garvey le tracassait. Peut-être avait-il sous-estimé cet homme qui n'avait reculé devant rien, ni menaces, ni passages à tabac, ni la prison, ni l'excommunication par son Eglise. Rien ne l'avait fait dévier de sa route... sauf cette petite faveur.

Maxwell Swan s'était cru extrêmement astucieux lorsqu'il avait jeté quelques miettes à l'Association du Bogside. Mais ne s'était-il pas trompé ? Certes, O'Garvey avait tenu la commission extraordinaire d'enquête à l'écart de Derry. Mais... le général n'était pas sûr d'en avoir fini avec cette affaire.

Ce qu'il vit ce jour-là réveilla son inquiétude. Le tourment de O'Garvey apparaissait, en effet, dans les rides entourant ses yeux, son visage encore plus émacié, son regard amer.

— Qui a fait le coup, Swan ? demanda Kevin. On a repéré le chef d'une de vos pires équipes d'hommes de main près de la Foyle, deux jours avant l'incendie.

— Je ne vous avais jamais pris pour un détective.

— Nous sommes bien obligés de faire nos enquêtes nous-mêmes puisque les experts de la constabulary et les magistrats de la Couronne sont à votre service.

Swan prit son attitude la plus martiale, fixa sur son interlocuteur ses yeux bleu d'acier et dit à pleine voix :

— Qu'importe qui l'a fait. Vous saviez fort bien que

nous ne pouvions pas laisser créer un précédent pareil à Londonderry. Vous êtes en partie responsable, O'Garvey, parce que vous auriez dû dire à vos gens avant de leur consentir des prêts que nous n'admettrions jamais la concurrence.

— Ils le savaient pour la plupart. C'est d'ailleurs pourquoi ils ont échoué.

— Si ces lascars sont incapables de gérer une boutique ou un atelier, ne me le reprochez pas.

— Mais bien sûr, ils en sont incapables ! Des générations d'esclavage en ont fait ce qu'ils sont. Je leur ai menti quand je leur ai dit : « Tenez, voici un peu d'argent, établissez-vous. » C'était absurde. Non seulement en raison de leur ignorance mais surtout parce que vous les étouffiez en interdisant la concurrence. Et c'est pour ça que j'ai trahi les malheureuses femmes qui se crèvent au travail dans votre abominable bagne. J'en ai pleuré de honte depuis ce jour-là chaque fois que je traversais le Bogside. J'aurais dû hurler ma protestation quand j'en avais la possibilité.

Swan s'éclaircit la gorge.

— Vos remords morbides ne m'intéressent guère, O'Garvey. D'ailleurs ils sont vains parce que, de toute façon, rien ne changera jamais ici.

— Peut-être. Mais je pourrais quand même vous entraîner en enfer avec moi.

— Permettez-moi de vous conseiller la prudence.

— Pourquoi donc ? Pour que toute ma vie de militant se termine sur une combine inavouable avec une brute comme vous ?

Pour la première fois de sa vie, Swan eut peur. Il éprouva la contraction qu'il avait provoquée chez des centaines d'hommes auparavant. Il eut envie de boire mais il s'en priva, sachant que s'il tendait la main elle tremblerait. Enfin, il haussa les épaules et dit :

— Comme vous voudrez.

— C'est bien ce que je vais faire, répondit Kevin en se levant.

Stupéfait par sa propre faiblesse, Swan souffla :

— Expliquons-nous.

— Notre minable manigance, dont je suis coupable autant que vous, n'a rendu la dignité qu'à quelques hommes, mais bien peu. Maintenant qu'ils y ont goûté vous voulez les écraser de nouveau. Eh bien, non ! Nous briserons notre carcan. Vous vous en êtes pris au meilleur d'entre eux, Conor Larkin, et vous avez eu tort. Vous allez reconstruire sa forge et lui rendre ses contrats.

— Sinon ?

— Les conspirateurs ont toujours des choses gênantes dans leurs poches. (Kevin jeta sur la table une enveloppe contenant l'aveu d'avoir accepté une récompense pour empêcher la commission parlementaire d'enquêter sur la fabrique de chemises.) Prenez le temps de lire ça.

— Inutile. Je sais ce que c'est.

— Et vous savez aussi où se trouve l'original de cette copie ?

— A Londres, entres les mains d'un journaliste, sans doute. Et vous lui avez indiqué quand, dans quelles circonstances, il doit ouvrir son enveloppe.

— Discuter avec un homme comme vous présente des avantages. Ça évite les explications fastidieuses.

Swan était à peu près certain que O'Garvey était prêt à subir la prison pour le perdre, lui. Qu'en résulterait-il pour les Hubble et les Weed ? Devant la justice, seul le général devrait rendre des comptes. Ni Lord Roger ni Sir

Frederick ne lui avaient donné des instructions écrites. Si Swan avait le malheur de les mettre en cause, il serait un homme fini. En outre, il avait personnellement accompli bien d'autres missions plus répréhensibles encore pour leur compte et Weed en particulier ne laisserait pas survivre un délateur.

Le vernis du général s'écailla et l'acier qu'il couvrait tomba en poussière. Il avait déjà affronté des fanatiques prêts à se faire fusiller plutôt que de céder. Mais aucun n'avait proféré une menace aussi redoutable. Morbide ou pas, O'Garvey était tourmenté par le remords et il serait enchanté de s'anéantir lui-même pour libérer sa conscience.

Quelle idée bizarre il avait eue de s'adresser à cet homme! Bien sûr il avait sauvé la fabrique de chemises et l'abomination industrielle de Londonderry, mais il avait aussi suscité une concurrence gênante.

Si le scandale éclatait, le parlement voterait à coup sûr les lois mêmes auxquelles Swan avait essayé de parer. La première enquête d'une commission des Communes porterait sur Witherspoon & McNab, à n'en pas douter.

Il n'aurait jamais dû traiter avec O'Garvey parce que des hommes comme celui-là sont capables de tout, même de sacrifier plus que leur vie pour leur petite cause ridicule. Trop astucieux, Swan s'était pris à son propre piège.

— La forge Larkin rouvrira et on lui rendra ses contrats. En échange, vous me remettrez tous les exemplaires de ce chef-d'œuvre et vous n'en rédigerez aucun autre.

— Traiter avec vous est un plaisir, mon général, dit Kevin en se coiffant.

En proie à une crise de rage inattendue, Swan s'exclama :

— Vous savez ce qu'il arrive à ceux qui ne tiennent pas parole !

— Je m'en doute.

— Votre vie est en jeu.

— Je le sais.

— Vous me paraissez y tenir bien peu. Mais si vous revenez sur notre accord, je vous assure que Larkin et plusieurs autres de vos amis disparaîtront sur-le-champ.

— Bien.

— Et désormais, maintenez vos lascars dans le Bogside. C'est leur place.

— Ils ne m'obéiront peut-être pas. Au revoir, monsieur.

Swan s'affaissa dans son fauteuil et sa fureur s'évanouit aussi vite qu'elle avait éclaté.

— Pourquoi, O'Garvey ? chevrota-t-il. Pourquoi ?

— Pourquoi ? répéta Kevin. Mon père, que je n'ai jamais connu, croyait en Daniel O'Connell, notre libérateur. Il l'a suivi avec la même adoration que plus tard j'ai suivi Parnell. O'Connell et Parnell étaient des hommes honnêtes. Ils n'aspiraient qu'à la paix. La violence leur était totalement étrangère. En récompense, votre affreux parlement a fini par les détruire en suscitant la trahison autour d'eux. Voyez-vous, général, je me rends compte, tardivement d'ailleurs, que pendant toute ma vie j'ai joué contre des tricheurs, même si j'ai obtenu quelques succès devant vos tribunaux en vertu de vos propres lois. Vous cédez un peu, de-ci, de-là, dans les cas les plus scabreux, mais en fin de compte le mensonge britannique est toujours là. L'Irlande s'insurgera. Main-

tenant je suis convaincu qu'elle ne se débarrassera pas
de vos fripouilleries sans vous jeter dehors.

## 8

*1897*

Le cher père Lynch mourut subitement d'une crise
cardiaque. Tout Ballyutogue poussa un profond soupir
de désespoir et reprit son souffle, soulagé. Ces manifestations de chagrin prirent des proportions démesurées
quand l'évêque Nugent, lui-même voûté par l'âge, vint
célébrer la messe de requiem. Quand, après quarante
années de sacerdoce, le curé fut inhumé, un gros nuage
noir s'éleva de la paroisse et s'en alla, poussé au fil du
vent par-dessus la Foyle, et plus loin, vers l'Ecosse.

Vicaire jusqu'alors, le père Cluny devint curé. C'était
un homme beaucoup plus doux. Le père Lynch ne
l'incitant plus à tyranniser ses ouailles de manière
mesquine, une paix bienvenue régna sur Ballyutogue.

Brigide Larkin approchait de son vingtième anniversaire, c'est-à-dire que le vingt et unième n'allait pas
tarder : date fatidique pour la plupart des filles. Lorsqu'elles franchissaient cette frontière, elles perdaient
l'espoir et rejoignaient les rangs des vieilles filles, de plus
en plus nombreuses au Village. On ne comploterait donc
plus au sujet de Brigide. Aggravées par l'obstination
tenace des Larkin, ses relations avec sa mère prenaient
l'aspect affreux de l'hostilité entre ceux qui cohabitent
sans s'adresser la parole. Ses rendez-vous avec Myles

McCracken devenaient de plus en plus pénibles. Ils continuaient à se voir en secret. Leurs mains s'étreignaient, ils se lamentaient, désespérés, pour se séparer ensuite, insatisfaits et moroses.

De temps en temps, Myles en avait assez, donnait libre cours à des accès de colère, refusait les rendez-vous et menaçait de quitter Ballyutogue. La crainte affolait Brigide. Pour l'apaiser elle lui accordait quelques étreintes brusquement rompues dès qu'ils arrivaient au seuil du plus mortel des péchés. Ensuite la frustration les rongeait pendant des jours et des jours.

De plus en plus nerveuse, Brigide devenait sujette à des crises de colère presque hystériques. Finola attribuait cela aux mauvaises fées qui s'étaient introduites dans sa fille. Au bout d'un certain temps Brigide la crut et douta de sa raison.

Tant que le père Lynch vécut, elle n'osa pas confesser les péchés qu'elle commettait avec Myles. Et cela aggravait son tourment. La mort du vieux curé la libéra plus que la plupart des autres habitants de Ballyutogue. Elle pourrait enfin s'adresser au père Cluny.

Elle ne choisit qu'après avoir médité mûrement le jour de sa confession. En franchissant le portail de Saint-Colomban elle trembla à l'idée d'avoir si longtemps gardé sur sa conscience d'aussi graves péchés. Puis elle pria en suppliant le ciel de lui conserver sa raison, quoi qu'en dît sa mère. Elle demanda un miracle en faveur de Myles et d'elle-même. A la fin d'un long rôlet de doléances, elle réclama assez de courage pour ne pas succomber à la tentation avec Myles avant qu'ils puissent se marier.

« O vierge Marie, bénie, mère de Dieu. O, mon saint ange gardien et vous tous anges et saints du paradis, priez pour moi, afin que je fasse une bonne confession et que dorénavant je mène une vie de sagesse afin que plus tard je vous rejoigne au ciel pour y louer notre cher Seigneur jusqu'à la fin des siècles. »

Le visage couvert de larmes, elle récita deux fois un acte de contrition pour avoir offensé Dieu. Elle pria intensément, jusqu'à l'obsession, et c'est presque en état d'hypnose qu'elle frappa la petite porte du confessionnal qui s'ouvrit.

— Pardonnez-moi, mon père, car j'ai péché. Mon pere, pardonnez-moi, je vous en prie car je pèche depuis trois ans.

— C'est très grave, mon enfant. Quels péchés as-tu commis ? demanda le curé de sa voix suraiguë.

Pendant un moment de silence elle résista à l'envie de s'enfuir, puis elle s'éclaircit la gorge, se pencha vers le guichet et souffla :

— Comprenez-moi, mon père, s'il vous plaît. J'ai confessé honnêtement tous mes autres péchés, sauf ceux-là.

— Je comprends, mon enfant.

— Père, mon père ! gémit-elle.

— Oui, mon enfant.

— Mon père, depuis trois ans je regarde un garçon d'un œil impur et j'ai touché un garçon. Nous nous sommes... embrassés... étreints.

— Je vois, répondit sévèrement le prêtre. Un seul garçon ?

— Un seul, évidemment !

— Combien de fois as-tu commis ces péchés avec ce garçon ?

— Avant de venir ici aujourd'hui, j'ai fait de mon mieux pour me le rappeler. Nous avons dû nous rencontrer une centaine de fois, la moitié du temps en secret.

80

Dans la mesure où je peux me fier à ma mémoire, je l'ai embrassé au moins vingt fois à chacun de ces rendez-vous secrets.

— Voyons, mon enfant, ça fait à peu près un millier de baisers.

— Au moins, approuva Brigide qui se fiait aux calculs du père Cluny.

— Dis-moi, mon enfant, étaient-ce des baisers très passionnés ?

— Ah oui, mon père ! très passionnés. Et je le regardais d'un œil impur au moins depuis deux ans avant le premier de ces baisers.

— Est-ce là toute l'étendue de tes péchés ?

— Oh, mon Dieu ! (La voix de Brigide fléchit.) Il m'a touchée quelquefois... Pas plus de vingt ou trente fois, quand même et seulement pour de courts instants... et puis... et puis... Je l'ai touché, moi aussi... une fois... disons deux ou trois fois.

— Vraiment, mon enfant ?

— J'ai si souvent eu des pensées impures que je ne peux pas les compter.

— Quand as-tu eu la dernière pensée impure au sujet de ce garçon ?

— Franchement, juste avant de venir me confesser.

Pendant une demi-heure, Brigide révéla tout : ils s'étaient roulés sur l'herbe et dans le foin, elle avait collé son corps contre celui de ce garçon et en avait éprouvé tant de plaisir qu'elle lui avait accordé des libertés sur sa poitrine et trois fois entre ses jambes. Mais à travers les vêtements !

Depuis la mort du père Lynch, le nouveau curé de Ballyutogue entendait souvent des confessions rétroactives. Certaines étaient plus graves et d'autres moins. Il était tenté de proclamer une amnistie générale plutôt que d'imposer pénitence à la moitié des paroissiens. Avec tant de contrition ne risquaient-ils pas de faire pourrir leur récolte ?

Deux jours plus tôt le père Cluny avait entendu la confession d'un jeune homme dont les péchés coïncidaient avec ceux de Brigide Larkin. Eh bien oui, le garçon avec qui elle avait péché, le seul et unique, devait bien être Myles McCracken. Assortir ainsi les pénitents devenait un de ses amusements favoris. Tout compte fait il ne s'ennuierait pas de sitôt au confessionnal.


Les gars partis, Tomas Larkin aurait travaillé seul si Brigide n'avait pas assumé une lourde part de labeur. Un nouveau siècle pointait, apportant de nouvelles espérances dont il se souciait peu. Un à un ses amis gagnaient leur dernière demeure auprès de Saint-Colomban. Tant de jeunes gens étaient partis comme ses fils et tant de vieux se retiraient du monde dans la tombe ou la sénilité ! La mort ne se contentait pas d'emporter ses voisins. Son odeur filtrait à travers le Village et se répandait sur les champs aussi vieux et épuisés que les cultivateurs.

Pendant la journée Tomas se retournait souvent, comme s'il attendait Conor ou même Liam. Il se souvenait de la main de Conor dans la sienne, du regard intense de son aîné fixé sur lui, joyeux, émerveillé, adorateur. Il marchait alors plus lentement, passait de plus en plus de temps au bain de vapeur pour chasser les démons du rhumatisme qui raidissaient ses mains et lui tenaillaient le dos.

Un jour, à la tourbière, un chuchotement flotta de

coupe en coupe, comme toujours à l'approche des intrus. Certes, le père Cluny n'était pas tout à fait un intrus, mais on ne le voyait là que dans les cas graves. Il sinua le long des tranchées, en franchit quelques-unes et arriva enfin auprès de Tomas qui se redressa, posa son tranchet et conduisit le prêtre vers un bosquet de chênes où personne ne les entendrait.

— Merci d'être venu, père Cluny.

— Rappelez-vous la parabole de la montagne qui va vers Mahomet. (Ils rirent. Depuis que le père Lynch lui avait rendu sa liberté, le curé s'épanouissait et devenait assez agréable.) Ma présence auprès de vous fait jaser et moi aussi j'en suis curieux.

— Je comprends, dit Tomas. Sauf votre respect, je ne me vois pas entrer de but en blanc à Saint-Colomban. Il fait beau et le temps invite à la promenade.

— Sur un terrain neutre, d'accord.

— Entendons-nous bien, mon père. Je n'ai pas l'intention de me confesser mais seulement de bavarder et surtout, j'ai besoin de conseils. Je vois en vous un homme honnêtement pieux.

Le père Cluny hocha la tête, enchanté. Tomas Larkin faisait un pas de géant, mais le curé se garda bien de triompher ou de prendre un air trop dévot.

— Eh bien, voilà, mon père, j'ai accumulé les sottises. (Tomas se passa la langue sur les lèvres et poussa un profond soupir irlandais.) J'entends faire amende honorable avant... avant que sonne mon heure.

— A quel sujet ?

Les yeux embués, Tomas avoua :

— Conor ne reviendra pas, je m'en rends compte maintenant et j'aurais tort de persévérer dans mes illusions. Voilà les fautes que je confesse. J'ai eu la

prétention de prendre le destin de mes fils entre mes
mains et les résultats sont piteux. Ce que je vais vous
dire maintenant doit rester entre nous.

— Fiez-vous à ma discrétion.

— J'ai des vertiges et par moments, je suis presque
aveugle. Jusqu'à présent, j'ai réussi à n'en rien laisser
paraître devant Finola, ni devant Fergus O'Neill.

— Mieux vaudrait vous adresser au Dr Cruikshank
qu'à moi.

— Non, advienne que pourra ! Mais ce qui importe,
c'est que je remette de l'ordre dans la famille. Je veux
que Liam revienne et je veux lui léguer la ferme.
Voulez-vous lui écrire pour moi ?

Le père Cluny se leva maladroitement parce que
c'était un homme lourd, sans muscles ni souplesse. Il se
pencha vers Tomas dont le visage exprimait l'abatte-
ment.

— Et Brigide ? demanda-t-il.

— Je fais ça pour elle aussi. Finola me survivra
sûrement et elle n'acceptera jamais le gars McCracken.
Quand Liam sera de retour et prendra la ferme en main,
Brigide devra abandonner toute ambition à ce sujet. J'ai
épargné une petite somme et Conor se débrouille bien à
Derry. A nous deux, nous pourrons payer le voyage de
Brigide et de son McCracken. Ils se marieront et s'en
iront.

Le père Cluny réfléchit. Ce projet paraissait simple et
pourtant...

— Je ne sais pas, Tomas. Ces affaires-là sont bien
épineuses. Tant de choses peuvent mal tourner.

— Que pourrais-je faire d'autre, mon père ?

Le curé n'était pas doué d'une grande imagination et
il ne proposa rien de mieux.

— J'écrirai à Liam. Ça ne fera sûrement pas de mal et ça marchera peut-être.

— Vous êtes un brave homme. Malheureusement je ne serai pas là-bas en Nouvelle-Zélande quand le prêtre lui lira votre lettre. Il sera tellement heureux !

Tomas se leva péniblement. A cet instant le père Cluny constata combien le géant avait vieilli. Il lui parut même vieillir sous ses yeux.

Tomas regarda d'un air las le sentier conduisant à la tourbière où sa pelle l'attendait comme toujours. Il se répéta une fois de plus qu'il devait tenir, coûte que coûte, jusqu'au retour de Liam et qu'alors seulement il aurait le droit de se reposer.

— Je voudrais aussi mieux connaître Dary, dit-il. Vous le voyez beaucoup plus que moi. Malgré les difficultés qu'il nous a créées, c'est un bon enfant. Je prévois qu'il fera un excellent prêtre. Oui, excellent.

Cet intérêt subit pour l'Eglise intrigua le père Cluny et lui parut même un peu suspect. Tomas avait encore quelque chose à dire mais il lui était difficile de s'y résoudre. Les deux hommes se turent, étrangement gênés. Enfin, Tomas sauta le pas.

— Parler de Dary me rappelle quelque chose. Je ne sais pas tellement bien comment vous expliquer ça, mon père. Mais, s'il m'arrivait malheur... Non, disons plutôt que Finola a partagé mon existence ; même si tout ne va plus parfaitement entre nous depuis un bon moment, nous étions autrefois unis avec ferveur. C'était beau. Le moins que je puisse faire pour une femme comme elle, après tout ce que nous avons vécu ensemble, c'est de demander l'absolution. Je ferai ça pour elle. Vous savez donc désormais que si je tombe malade vous n'aurez pas à hésiter.

— Tomas Larkin, vous ne parlez pas sincèrement.

— Mais si, je vous dis la vérité.

— Vous n'avez vraiment pas d'autres motifs de demander l'absolution ?

— Eh bien, si... j'aimerais reposer auprès de Kilty.

— Excusez-moi, mais je ne peux pas accepter une raison comme celle-là.

— Allons donc, mon père ! vous êtes prêtre, votre devoir vous oblige à m'accorder l'absolution.

— Certainement, je vous la donne sur-le-champ, mais vous fréquenterez régulièrement l'église jusqu'à la fin de vos jours.

— Vous êtes tous pareils, vous, les curés ! Ne vous servez pas de moi comme exemple.

— Je ne ferais pas une chose pareille et vous le savez.

— Alors, pourquoi ne pas m'accorder l'absolution au dernier instant, juste avant l'extrême-onction ?

— Pour deux raisons. D'abord, vous ne m'avouez pas vos vrais motifs, ensuite, je ne veux pas que Conor m'en veuille autant que vous en avez voulu au père Lynch à la mort de Kilty.

Tomas se gratta le menton et grogna :

— Oui, je comprends.

— Alors, d'accord. Vous vous montrerez régulièrement à la messe. Ainsi les paroissiens ne chuchoteront pas derrière mon dos que j'ai abusé de votre faiblesse au dernier instant.

— Je me mets à votre place et je vous comprends, mon père. Donnez-moi le temps de réfléchir.

— Certainement. Rien ne presse. Venez me voir ce soir et nous commencerons la lettre pour Liam.

## 9

Conor perdit conscience avant d'arriver au sol. Cooey Quinn fonça sur le terrain avec une escouade de secouristes. Les vociférations du public atteignirent leur apogée. Quatre brancardiers emportèrent en haletant Conor allongé sur la civière. La toile était usée, elle se déchira. Il retomba par terre. Sous la direction de Cooey hors de lui, chacun prit un membre, un autre la tête et ils le traînèrent jusqu'à la ligne de touche.

Mick McGrath, l'autre victime de la collision, se traîna à quatre pattes en gémissant. Deux de ses coéquipiers le saisirent sous le bras, le traînèrent hors du terrain et le laissèrent choir auprès de Conor. Mick chercha à se relever mais retomba la figure dans la boue.

— Reprenez le jeu ! brailla l'arbitre dans le tintamarre.

— Sainte mère de Dieu ! criait Cooey, en faisant respirer des sels tantôt à l'une, tantôt à l'autre de ses vedettes. Réveillez-vous, les gars. Réveillez-vous pour votre ami Cooey ! Et vous autres, écartez-vous ! Laissez-les respirer.

Mick entrouvrit les paupières, secoua la tête. Ses oreilles bourdonnaient. Cooey le gifla et lui demanda :

— Qui suis-je ?

— Merde, gémit Mick. Merde.

Le ballon vola vers les guerriers abattus, accompagné par le tonnerre des pieds sur le sol. Cooey se dressa devant les joueurs, les bras levés pour les empêcher de piétiner ses deux gars.

La partie se poursuivit vers l'autre côté du terrain.

Mick reprit conscience lentement. Les yeux encore vitreux, il se racla la gorge et cracha le sang qui emplissait sa bouche. Une dent jaillit en même temps. Ensuite il considéra Conor et chercha à se rappeler ce qui s'était passé.

Un instant plus tard, Conor réagit à l'odeur des sels, se tourna sur le côté et s'appuya sur un coude. On leur vida des seaux d'eau sur la tête. Cooey sautillait sur place au bord de la ligne de touche, montrait le poing à l'arbitre, encourageait son équipe, injuriait les adversaires. Puis il retourna supplier Conor et Mick.

Enfin Conor parvint à se remettre sur pied et tira Mick par son maillot, juste au moment où les Aigles de Strabane marquaient un but sur les Bogsiders et prenaient l'avantage.

On conduisit le Dr Aloysius Malone à travers la cohue jusqu'à la ligne de touche. Il se dressa sur la pointe des pieds pour regarder Conor au fond des yeux, puis Mick. Il leur posa bien des questions : pour qui ils jouaient ? Comment s'appelaient leurs frères ? Leurs sœurs ? Leurs camarades d'équipe ? Il les interrogea aussi sur le catéchisme. Cependant une bosse grossissait sur le front de Conor et ses paupières s'abaissaient.

Encouragés par l'absence de leurs pires adversaires, les Aigles de Strabane attaquaient furieusement.

— Hé, Mick ! On y va ? dit Conor.

Mick sourit. Un filet de sang coula de ses lèvres. Tous deux trottèrent vers le terrain. Les tribunes faillirent s'effondrer. Fou de joie Cooey encouragea ses deux héros tout en leur recommandant d'être prudents. L'équipe du Bogside reprit confiance, égalisa... Match nul.

Chez Nick Blaney on se serait cru à l'abattoir plutôt

que dans une brasserie dans le brouhaha des acclamations, des félicitations. Tous les supporters étaient là et braillaient à qui mieux mieux, juste avant le banquet marquant la fin du championnat.

Cooey Quinn joua du coude, livide, jusqu'à Conor et Mick, suivi par un gommeux.

— Voilà Derek Crawford, dit-il sans aucun enthousiasme. Il veut vous parler à tous les deux.

Malgré son élégance tapageuse, ce Crawford avait les mains noueuses et le visage couvert de cicatrices. Sans doute avait-il pratiqué des sports violents.

— Il n'y aurait pas un coin tranquille par là pour bavarder ? demanda-t-il.

Tous trois traversèrent la salle. Au passage on tapait sur le dos des deux champions. Arrivés dehors, ils se dirigèrent vers la forge rebâtie à neuf. Conor rendit la liberté au gardien, examina les lèvres enflées de Mick et se tourna vers Crawford qui inventoriait l'atelier du regard.

— Belle partie ! dit-il en posant le pied sur une enclume basse. Cooey vous a dit qui je suis ?

— Non.

— Je suis le directeur des Chaudronniers à Belfast-est.

Le nom de l'équipe la plus prestigieuse du rugby de tout l'Ulster eut l'effet prévu. C'était le seul club professionnel d'Irlande. Tous ses membres faisaient partie du personnel des Weed Ship & Iron Works.

— Voilà ce qui m'amène, les gars, reprit Crawford. Je parcours la province en quête d'athlètes prometteurs. Je viens d'embaucher sous contrat trois joueurs de l'équipe nationale, celle qui vient de battre l'Ecosse, l'Angleterre et le pays de Galles en une seule saison.

» Inutile de vous dire que l'Union des amateurs mène un tapage du diable, mais vous imaginez aussi quelle équipe nous présenterons sur le terrain à la saison prochaine. Eh bien, messieurs, je vous invite tous les deux à Belfast pour quelques parties d'essai. Je suis convaincu que vous ferez l'affaire.

— Sainte mère de Dieu ! souffla Mick entre ses lèvres enflées.

— Je ne sais pas jouer au rugby, dit Conor.

— Quiconque joue au gaélique s'adapte aisément au rugby. Nous avons une équipe d'espoirs, plus ou moins amateurs. Mais vous avez de grandes chances d'être parmi les Chaudronniers avant la fin de la saison.

— Sainte mère de Dieu ! répéta Mick.

Derek Crawford offrit des perspectives engageantes. Travail assuré au chantier naval pour une livre par semaine minimum et dix shillings par match en dessous de table tant qu'ils appartiendraient aux espoirs. Plus tard, dans l'équipe des Chaudronniers ce serait une livre par match avec prime en cas de victoire.

Mick, qui ne s'était pas encore tout à fait remis, faillit s'évanouir d'émotion. Cooey entra discrètement dans la forge et les rejoignit, encore plus blême. Crawford continuait à pérorer. Il vanta Sir Frederick Weed qui était résolu à mettre sur pied la meilleure équipe du monde. Il conclut en peignant de couleurs éclatantes la tournée annuelle de l'équipe dans les Midlands... dans un *wagon privé* de l'Express Main Rouge.

Conor resta muet. Cooey paraissait malade.

— Diable, dit Mick, ça vaudrait la peine.

— On emploie vraiment des catholiques au chantier naval ? demanda Cooey.

— Quand il s'agit des Chaudronniers, nous n'avons

90

de religion que pour la victoire. Près de la moitié de nos gars sont catholiques. Les démêlés de secte ne m'intéressent pas. Tant que vous ferez partie de l'équipe vous aurez un boulot convenable et aucun tracas au chantier. Mieux encore, si vous nous donnez quelques bonnes années, votre pain sera cuit pour la vie. Sir Frederick assure toujours de belles retraites à ses gars.

Mick allait accepter. Conor le saisit par la manche.

— Il faut en parler avec Cooey d'abord, dit-il.

— Mais bien sûr, mes amis, dit Crawford. Je suis à l'hôtel Donegal jusqu'à demain midi. Pour l'amour du ciel, ne laissez pas échapper une occasion comme celle-là. Ce serait désolant.

Le banquet eut lieu dans la plus belle salle du Celtic Hall. On désigna deux Aigles de Strabane ainsi que Mick et Conor pour faire partie de l'équipe du comté Derry dans la coupe d'Irlande. A la courte paille, Cooey fut désigné comme directeur et celui qui perdit comme adjoint. Comme d'habitude dans des festivités de ce genre, le ton monta. Cependant Mick et Cooey restaient moroses, comme s'ils étaient en deuil. Quand les gens de Strabane s'en allèrent précipitamment, juste avant le départ de leur train, la salle paraissait dévastée.

Conor fit signe au père Pat qui se trouvait près de la porte. Mick essaya de s'éclipser, mais le prêtre l'en empêcha.

— Je ne resterai pas ici tant que Cooey me regardera comme si j'étais un traître.

— Mais tu es un traître ! répliqua Cooey. Tu n'as peut-être pas compris les discours de ce soir, en particulier ce qu'a dit le père Pat sur la valeur morale du sport gaélique. Regarde les portraits accrochés aux murs de cette pièce, s'il te plaît, mon garçon. Tous ces hommes ont pratiqué notre sport, dans notre pays, et ils ne nous ont pas quitté pour aller jouer de foutus jeux anglais... Excusez ma grossièreté, mon père, mais j'en perds la tête.

— Tout ça, c'est des conneries, dit Mick.

— Non seulement tu lâches ton club au moment où il pourrait décrocher le championnat d'Irlande, mais encore tu insultes l'idéal de l'Association athlétique gaélique. Tu n'es qu'un vendu.

— Un vendu qui va te casser la gueule, bafouilla Mick, outré.

— Doucement, doucement, intervint le père Pat. Vous y allez fort, Cooey.

— Que vous dites ! Vous n'avez pas entendu Crawford leur offrir monts et merveilles pour les suborner. Il a embarqué aussi deux Aigles de Strabane et Dieu sait combien dans l'équipe nationale ! Il se fout de nous, ce type. Je lui ai demandé de remettre les tests jusqu'après le championnat. Il me l'a promis mais il n'en a plus parlé après à ces nigauds. Il vous fait miroiter des boulots que vous n'aurez jamais.

— Je me suis renseigné, dit le père Pat. Les Chaudronniers sont des professionnels du rugby. Ils ne peuvent pas faire leurs tests en hiver, c'est évident. Si ce n'était pas sérieux, ils ne paieraient pas un aller et retour à Mick.

— Ces billets ne lui coûtent rien, le chemin de fer appartient à son patron !

— Taisez-vous un instant, Cooey, dit le père Pat. Qu'est-ce que tu en dis, Conor ?

— Je ne suis pas dans le coup, répondit Conor. Je ne peux pas quitter Derry.

— Dieu merci! s'écria Cooey. En voilà au moins un qui nous reste fidèle.

— Fidèle à ma forge, oui, dit Conor.

— Et moi? lui demanda Mick d'un ton suppliant.

Conor haussa les épaules.

— Réponds-lui, Conor, dit le prêtre.

— J'espérais que, dans un an ou deux, Mick serait contremaître de la forge. Mais si nous étions seuls tous les deux je lui dirais de foutre le camp d'ici. Vas-y, Mick, et si tu ne réussis pas à te placer dans la grande équipe, reviens et nous t'accueillerons à bras ouverts.

Cooey faillit s'évanouir à son tour. Trapu, les jambes un peu torses, il avait dépassé l'âge des rêves, à trente-sept ans. Même lorsqu'il était en pleine jeunesse on ne lui aurait jamais offert sa chance chez les Chaudronniers. Le football gaélique? Un sport de miteux, joué sur des pelouses semées de cailloux, pour un demi-denier la place de tribunes. Au troquet, bien sûr, les champions de la veille paient volontiers à boire, mais c'est tout. Cooey continuerait à conduire sa voiture de livraison; sa femme et ses gosses travailleraient à la fabrique de chemises jusqu'à leur mort, s'il n'émigrait pas. Pourtant l'équipe du Bogside faisait l'orgueil de sa vie. Non, pas l'orgueil, toute sa vie. C'est lui, Quinn, qui avait découvert Mick et Conor, qui les avait initiés et entraînés. Sans lui ils n'auraient jamais pris conscience de leur identité irlandaise... qu'ils paraissaient si prêts à jeter aux orties dès qu'un salaud d'étranger leur offrait quelques livres.

— Pourquoi, mon père, pourquoi faut-il qu'à peine nous mettons la main sur un type exceptionnel à Derry, il nous file entre les pattes?

— Parce que le plus exceptionnel d'entre nous à Derry ne peut pas espérer mieux que le plus haut échelon de la stagnation.

Cooey parut accablé et Mick se mit à pleurer. C'était presque comique à cause de ses lèvres gonflées. Mais ses larmes devinrent d'autant plus tristes que ses sanglots secouaient un gaillard qui n'avait pas souvent pleuré dans sa vie. Conor voulut le consoler, mais il le repoussa, et se tourna contre le mur qu'il frappa à coups de poings.

— Alors, tu es content, Cooey ? demanda Conor.

Mick se retourna.

— Bon Dieu de merde ! Regardez-moi. J'ai près de trente ans et c'est à peine si j'ai travaillé deux ans en tout avant que Conor ouvre sa forge. Il faut que je tente ma chance, quand même. Vous n'avez pas le droit de me considérer comme un traître.

Le père Pat dit à Cooey Quinn :

— Les gens de Derry ne vivraient pas s'ils ne rêvaient pas. Et la vie défonce leurs rêves trop cruellement. On ne saurait empêcher un homme de chercher à voir le soleil quand il entrevoit un rayon de chance.

— Et mes rêves à moi, mon père ? demanda Cooey, les larmes aux yeux.

Il parcourut du regard les photographies accrochées au mur. Pendant un instant il se revit tel qu'il se rêvait souvent sur sa voiture de livraison. Sa photo plus grande que toutes les autres s'étalait sur le mur avec la première page du *Belfast Telegraph :* A LUI SEUL COOEY QUINN AILIER DROIT DES CHAUDRONNIERS ECRASE LES RANGERS DE BRIGHOUSE DE TROIS BUTS A ZERO. DES MILLIERS DE SPECTATEURS ACCLAMENT COOEY QUINN DONT LE NOM RESTERA DANS NOS ANNALES A JAMAIS !

Le père Pat fit un pas vers Mick, lui donna un coup de coude dans les côtes.

— Va voir ce Crawford, tu seras toujours le bienvenu parmi nous.

Le père Pat et Conor se raidirent pour ne pas céder à l'attendrissement. Ils retournèrent, sans y réfléchir, chez Blaney.

— Et toi, Conor ? demanda le prêtre.

— Je ne sais pas. Je ne finirai pourtant pas ma vie ici.

— Le Bogside nous engloutit tous, tôt ou tard. Mais c'est un morceau de l'Irlande et c'est peut-être même toute l'Irlande.

Ils s'en allaient tous, l'un après l'autre, les gars doués d'assez d'allant pour ne pas accepter la stagnation, même au plus haut échelon. Les lettres de Seamus O'Neill donnaient à Conor un aperçu d'autres mondes tentateurs. Il s'efforçait de conserver la paix de l'esprit que lui apportait la réussite de sa forge, mais le canevas de la vie à Derry s'imposait à lui : alignement de cabanes délabrées, ruelles bourbeuses, désespoir, naufrages. Il avait espéré d'autres succès sur d'autres plans et chaque réussite ajoutait à sa confusion.

Mick tenterait sa chance et reviendrait peut-être avec assez de souvenirs glorieux pour finir ses jours. Derry résumait-il vraiment toute l'Irlande ? Pouvait-on le considérer comme un terminus ? En retournant à la forge, Conor s'arrêta en chemin et la regarda, reconstruite à neuf, en briques. Il pensa à toutes les commandes en cours.

— C'est toi, Conor ? demanda l'apprenti de garde.

— Oui, c'est moi.

— Bon. Quelqu'un t'attend.

Sa sœur Brigide se jeta dans ses bras en sanglotant.

— Papa. Pauvre papa !

## 10

Après quelques années à la ville, Conor trouva Ballyutogue tout petit. Les derniers vestiges de son charme passé s'effaçaient. Comme un ami quitté depuis peu et qu'on retrouve les cheveux brusquement blanchis, son Village lui parut usé par l'âge. Même la ville protestante et ses grandes fermes offraient des signes de décrépitude.

Conor Larkin monta à pied le long du sentier de son enfance, peiné de ne plus retrouver le décor qu'avait conservé sa mémoire. L'école nationale était fermée. Un étranger venu d'au delà de l'eau se débattait au milieu d'un minable bric-à-brac, dans la forge de M. Lambe, bien plus petite que celle de Conor à Derry. L'Arbre aux Pendus mourait. Dooley McCluskey avait tellement vieilli qu'il interrogea longuement Conor avant de le reconnaître.

Brigide avait demandé à son frère de passer au presbytère avant d'aller à la maison. Le curé l'avertit que son père avait beaucoup changé. Puis il alla chercher une lettre.

— C'est la réponse à celle que j'ai écrite à Liam pour Tomas l'an dernier. L'aller et retour a pris plusieurs mois. Je la lui ai lue. Quelques jours après il s'est évanoui en travaillant aux champs.

Quand Conor ouvrit l'enveloppe, le père Cluny s'éclipsa.

Christchurch, Nouvelle-Zélande.
3 mai 1898.

Papa,

Voilà plusieurs mois que ta lettre est arrivée, mais le prêtre le plus proche de chez moi est à Christchurch ; c'est très loin. Ce curé, le père Gionelli, est italien mais catholique. Il te prie d'excuser son anglais qui n'est pas parfait.

Mon contrat de voyage m'a amené à un grand domaine proche de Dunedin. Je croyais qu'il me faudrait deux ans pour me libérer de ma dette, mais Conor m'a envoyé de l'argent, ce qui m'a permis de régler plus tôt le trajet. Aussitôt, je me suis mis à économiser. Tout est différent de chez nous ici parce que le gouvernement veut de bons cultivateurs. Il met donc de la terre à bas prix à leur disposition et il prête à ceux qui s'installent. Rien n'est comme chez nous, je te l'ai déjà dit. Tu ne me crois sans doute pas. Nous n'avons pas de propriétaires ni de régisseurs. Hormis ceux qui viennent d'Irlande, personne n'a entendu parler d'usuriers ici. La plupart des gens sont des Britanniques, mais on ne le croirait pas car ils sont vraiment gentils. Ils s'entendent bien avec les indigènes qui sont des Noirs.

A la fin de la dernière saison j'ai pu faire un premier versement pour acheter une propriété et on m'a prêté le reste. Je ne sais pas si tu me croiras, mais le gouvernement m'a même avancé de quoi constituer un troupeau de moutons. Tu ne me croiras sûrement pas, mais je possède deux cent quarante hectares et près d'un millier de bêtes. Je me suis construit une petite ferme. Je paie

97

*mes dettes et dans huit ans je serai tout à fait maître chez moi.*

*Les environs sont tellement verts qu'ils me rappellent parfois Inishowen, mais la terre est meilleure et il y a beaucoup moins de monde. Une famille catholique habite à une vingtaine de kilomètres de chez moi. C'est des Anglais, mais de bons catholiques. Leur fille s'appelle Mildred. Je lui fais la cour. J'ai parlé à sa famille. Nous nous marierons aussitôt après la tonte des moutons. C'est drôle: nous sommes en mai mais l'hiver commence parce que tout est sens dessus dessous ici. Mildred a été élevée dans un couvent d'Auckland. Quand nous serons mariés elle écrira mes lettres et tu auras plus souvent de mes nouvelles.*

*J'ai failli pleurer en recevant la tienne. Je te suis très reconnaissant d'avoir voulu me donner la ferme. Mais je ne quitterai jamais la Nouvelle-Zélande.*

*Dis à Ma que je récite mon chapelet tous les soirs et aussi l'angélus. Quand Mildred et moi serons mariés, nous aurons un foyer catholique et que maman ne se fasse pas de soucis à ce sujet. Salue tous mes bons amis de ma part, encore plus Brigide et Dary. J'ai déjà commencé à rembourser Conor et je lui enverrai encore de l'argent après la tonte. En voilà aussi pour toi. Tu pourras le changer pour de l'argent de chez nous à la poste.*

> *Ton fils,*
> *Liam.*

Tomas dormait profondément. Bien qu'il s'attendît au pire, Conor fut bouleversé. Il baisa doucement le front de son père.

Finola avait embauché un de ses vieux cousins célibataire, Rinty Doyle, pour les travaux abandonnés par Tomas. Rinty couchait à l'étable, ne disait pas grand-chose, se rendait invisible, et sa seule présence suggérait que la famille des Larkin était au bout de son rouleau. Il sella un cheval pour Conor qui retourna à la ville chercher le Dr Cruikshank.

— Ton père est diabétique, dit le médecin. Le rapport du laboratoire ne laisse guère d'espoir. Tomas Larkin ne guérira pas. Nous ne connaissons aucun traitement pour rétablir l'équilibre chimique de son corps. Le mal doit déjà remonter au moins à un an. C'est un miracle que ton père ne soit pas encore plongé dans un coma final.

Le malade pourrait peut-être vivre encore un an, mais seulement si on l'envoyait dans un hôpital à Derry. Conor pensa aussitôt que Liam et lui pourraient rassembler assez d'argent pour assurer ce traitement à son père.

— Cette maladie est pratiquement incurable, reprit Cruikshank. Le patient est désarmé devant toutes les infections que son corps ne peut plus combattre. Voilà pourquoi l'hôpital est indispensable. Malheureusement ton père est intransigeant. Il ne veut pas. Il veut rester chez lui.

— Alors, qu'arrivera-t-il ?

— Il peut perdre la vue, un ou plusieurs membres, avoir une maladie de cœur ou des reins. Ce serait une fin terrible pour un homme comme Tomas Larkin. Fais de ton mieux pour qu'il aille à Derry.

— Je ferai de mon mieux, promit Conor.

Rinty Doyle servit le thé à Conor, assis au chevet de son père. C'était un petit bonhomme paisible et sans ambition qui consentait à travailler pour le vivre et le couvert. La cinquantaine passée, il accomplissait encore une pleine journée de travail, si bien que la ferme vivait grâce à lui, Brigide et Finola. Fergus O'Neill et les autres voisins veillaient aussi sur les champs de Tomas.

Dès que le malade remua dans son lit, Rinty s'éclipsa. Tomas grogna sans s'éveiller. Conor arrangea ses couvertures. Son père avait les bras couverts de boutons et d'égratignures. La perte de l'appétit l'avait amaigri. Son haleine avait une odeur symptomatique d'acétone.

— Conor ?

— Oui, papa.

— C'est vraiment toi, ou bien je rêve ?

— C'est bien moi, papa.

— Je ne vois plus clair. Donne-moi la main.

Ce n'était plus la poigne solide de Tomas Larkin, mais une main frêle qui se referma sur celle de son fils puis la lâcha pour tâter le visage de Conor.

— Qu'est-ce qui se passe à Derry ?

— Je me débrouille bien.

— Tu as entendu parler de la lettre que j'ai reçue de Liam ?

— Je l'ai lue.

— Deux cent quarante hectares... c'est un fief. Ça devrait nous donner envie de chanter, non ? Tu es un bon frère, Conor, tu l'as aidé. C'est bien... J'ai tout le temps soif. Sois gentil.

Conor aida son père à redresser la tête.

— C'est ma maladie. J'ai l'intérieur rouillé à force de boire de l'eau. (Il fit la grimace. L'eau le ranima pourtant. Il sembla mieux voir et parvint à sourire.) Tu sais sans doute que Finola a embauché Rinty Doyle.

— Oui.

— Assez bon petit vieux. Mais je n'arrive quand même pas à comprendre quelle espèce d'homme accepte d'obéir à une femme et de coucher jusqu'à la fin de sa vie dans une étable. Est-ce que j'ai vraiment le droit de parler comme ça ? Regarde ce qui reste de moi. J'aurai survécu à la grande famine pour finir d'une maladie de femme.

— Allons donc, papa ! Tu feras encore des meules de foin au prochain siècle.

Le regard du père sembla dire à son fils :

— Parbleu oui, si je veux. (Il but encore et rassembla ses idées.) J'ai vu quelque chose d'épouvantable avant d'être abattu par ce mal. Les gens de Sa Seigneurie essayaient une machine à vapeur, en bas, à Ballyutogue. Non, mais, tu imagines ça : une machine qui labourerait les champs ? Elle faisait le travail de vingt hommes. Il paraît qu'elle peut accomplir d'autres tâches.

— Mais jamais une machine ne remplacera l'homme pour préparer les planches de pommes de terre, dit Conor rassurant.

— Peut-être. Mais en voilà une qui fait le travail des hommes. Je quitte peut-être ce monde au bon moment. Qu'est-ce que ça veut dire une chose pareille ?

— Ce n'est pas moi qui pourrais répondre à cette question, dit Conor. (Il mentait car il en avait discuté pendant des heures avec Andrew Ingram.)

— Moi je crois que je sais, souffla Tomas. Ce sera notre fin avant peu.

— Comment peux-tu dire ça, papa ?

— Qui oserait prétendre le contraire ? répondit Tomas. Si une machine remplace vingt hommes, dix-neuf d'entre eux devront quitter la terre pour aller à la ville. Ils ne feront plus leurs tissus comme nous le faisons, ils ne construiront plus leur propre maison et ne produiront plus leurs aliments. Il faudra tout acheter et pour ça ils seront obligés de travailler dans des usines, sur d'autres machines qui fabriqueront ce qu'ils achèteront. Il y a de quoi perdre la tête, Conor. L'apparition de ces machines à vapeur dans nos campagnes sonne notre glas. Nous avons combattu en vain parce que l'enjeu du combat n'existe plus. La machine viendra à bout de ce que la famine et les Britanniques n'ont pas pu réussir. Les villes deviendront de plus en plus grandes, laides et sales.

— Tu parles trop, papa, ça te fatigue.

— Voilà trois ans que je ne parle plus et si j'attends encore je ne parlerai qu'au paradis. Conor, j'ai quelque chose de très grave à te dire.

— Quoi donc, papa ?

— Le père Cluny est un homme sincèrement pieux, doué d'un esprit convenant à son état. Il est devenu mon ami, le meilleur même, après Fergus. Conor... Conor... j'ai reçu l'absolution.

— Vraiment, papa ? Tu en es sûr ?

— Oui. A cette extrémité du sentier on ne voit plus les choses de la même manière.

Conor parcourut du regard la petite chambre où il était né, où ses frères et sœur étaient nés aussi. La nuit tombait. Il ouvrit la fenêtre. Les rideaux de dentelle neufs que Finola y avait accrochés gonflèrent et flottèrent dans la pièce.

— Pourquoi, papa ?

— Je n'ai pas dit toute la vérité au père Cluny, dit Tomas. Il me survivra et je n'ai pas voulu alourdir son fardeau.

— Pourquoi, papa ?

— Pour les voisins. Je leur devais bien ça. Nous sommes venus ensemble dans ce monde et nous y avons vécu ensemble. Nous y avons connu la joie. Mais ceux qui ont survécu à la famine sont allés de désespoir en désespoir. Ils meurent l'un après l'autre. Ils meurent tous. Si je leur laisse croire que j'ai vu Dieu, ça leur rendra un rien d'espérance. C'est comme si je leur laissais un héritage. Ça leur permettra d'aller jusqu'à leur fin un peu plus facilement... Je ne peux pas les laisser tout seuls, sans espoir...

— Je comprends, papa. Mais tu te fais des idées. Tu ne nous quitteras pas si vite. Je te le jure.

— Ian Cruikshank est un bon médecin et un brave homme, mais il ne sait pas mentir. Puisque nous parlons de ça, je n'irai pas à l'hôpital à Derry. Merci bien.

— Il le faut pourtant, papa.

— Je n'irai pas à l'hôpital. Merci.

Conor lui saisit le bras.

— Je ne sais pas ce que t'a dit Cruikshank. Tu n'es pas aussi malade que tu le crois, mais il faut te soigner.

— Parbleu, mon garçon ! Crois-tu que je ne sache pas où j'en suis ?

— Alors, cesse d'être aussi têtu pour une fois dans ta vie. Je t'emmène à Derry. Nous y serons ensemble, j'irai te voir tous les jours.

— Dans ces conditions, c'est tentant.

— Alors, tu viens ?

— Mon pauvre Conor, comment peux-tu souhaiter que ton père aille crever dans l'obscurité d'une salle d'hôpital ? Je ne quitterai ni ma terre ni mes amis.

— Non, zut ! Ecoute-moi. Si tu ne viens pas à Derry,

sais-tu comment ça finira ? Tu tomberas en morceaux. Tu perdras les yeux, les orteils, les doigts. Ton cœur sera atteint. C'est ce que tu veux ? (La voix de Conor s'étouffa. Il tremblait.) Non ! je ne veux pas voir ça !

Tomas tendit la main et la posa sur celle de son fils en souriant.

— Nous caquetons comme la poule qui vient de pondre un œuf. Tu sais bien que je ne peux pas m'en aller. Tu me comprends, n'est-ce pas, mon fils ?

— Oui, papa, dit Conor. (Il pleura.)

— Bon, alors, c'est réglé. Pourras-tu rester un moment ici ?

— Oui, papa.

Tomas ne dit plus rien. Il avait l'esprit en paix. Le Dr Cruikshank lui avait formellement interdit de boire de l'alcool qui le plongerait dans un coma dont il ne sortirait plus. Tomas avait caché une bouteille de poteen sous son matelas. Il avait envisagé de recevoir l'absolution puis de s'empoisonner. Mais le suicide est un péché capital. Ça lui vaudrait un long temps de purgatoire, mais une fois qu'il y serait installé, il récapitulerait ses souvenirs, mettrait les choses en ordre et plaiderait sa cause. Dieu merci il n'avait plus à s'en soucier puisque Conor était là et resterait.


Le temps passa. Conor et Dary veillèrent sur leur père. Pendant ces longues heures l'aîné raconta à son jeune frère toute l'histoire de leur père et aussi de leur grand-père. Dary entrevoyait depuis longtemps pourquoi Tomas le tenait à l'écart. Il l'aimait pourtant tendrement. L'histoire de sa famille ranima cet amour et les

Larkin retrouvèrent l'unité, la vigueur qui en faisaient un foyer exceptionnel au Village.

Au début, Conor accepta mal la réconciliation de son père avec l'Eglise mais il s'en accommoda. A Derry il s'était lié intimement avec le père Pat et avait connu d'autres prêtres fort différents de ceux de Ballyutogue : des prêtres secrètement engagés dans les activités de la Ligue gaélique. Son ressentiment contre l'Eglise s'apaisait donc. Le soin que le père Cluny apportait à réconforter Tomas contribuait à cette indulgence. En fin de compte, Conor comprit la volonté de son père mais se jura de ne jamais capituler quant à lui.

Il ne tarda évidemment pas à déceler l'hostilité latente entre Brigide et sa mère car Finola avait presque autant vieilli que Tomas. Elle était obsédée par l'idée que les fées s'étaient emparées de l'esprit de sa fille et conspiraient pour la priver de sa terre et la jeter hors de chez elle.

Quand Tomas était éveillé, son fils ne manquait jamais de soulever la question de Brigide et de Myles McCracken. Le père ne devrait-il pas faciliter le départ des deux amoureux pour compenser le mal qu'il avait fait à ses deux fils ? Conor aborda aussi la question avec le père Cluny, mais le prêtre répondit évasivement ; il craignait de violer le secret de la confession et n'osait donner un conseil dans un cas pareil.

Quinze jours après son arrivée, Conor vit un matin Brigide s'en aller vers le donjon normand, au delà du poncelet : lieu de rendez-vous qu'il avait fréquenté luimême en son adolescence. Il laissa Dary seul au chevet du père pour suivre sa sœur.

Brigide faisait les cent pas en attendant Myles, lorsque Conor franchit le pont. Elle sursauta.

— Ne crains rien, lui dit-il.

Elle jeta autour d'elle un regard effrayé de biche prise au piège et fonça vers le pont. Conor l'arrêta.

— Calme-toi, dit-il. Calme-toi. Je ne cherche qu'à te rendre service, à toi et à Myles.

— De quoi te mêles-tu ? On ne t'a pas vu depuis trois ans et aussitôt arrivé tu voudrais diriger la vie de tout le monde !

— Notre famille existe encore. On ne compte pas les minutes sur le calendrier, ni les mètres sur l'immensité de l'océan.

Brigide le repoussa. Il la retint. Elle se tordit les mains. Ses épaules s'affaissèrent.

— Je suis folle. Tu ne sais pas que je suis folle ? Les fées se sont emparées de moi.

— C'est maman qui perd la raison et s'acharne à faire croire que tu n'as plus ta tête. Tu es nerveuse et hors de toi parce que tu réprimes des désirs parfaitement normaux.

— Pas normaux du tout ! s'écria Brigide. Ce sont des péchés, et j'en suis punie.

Un moment apaisée, la colère de Conor contre l'Eglise rebondit. Il sacra en se frappant d'un poing la paume de l'autre main puis saisit sa sœur qui sanglotait et la secoua.

— Tu es une fille normale, honnête, en bonne santé, qui éprouve, à vingt ans, des désirs normaux, honnêtes et sains. Tu voudrais faire l'amour avec ton gars. Tu voudrais dormir auprès de lui. Il n'est pas question de péché là-dedans !

— Tais-toi ! Je ne veux pas entendre des choses pareilles.

Même en pleurant dans les bras vigoureux de son

frère et en s'efforçant de le croire, elle ne parvenait pas à entamer la sainte muraille qui enferme le remords et laisse la raison dehors. Enfin ses sanglots s'espacèrent et elle murmura :

— Tu ne me crois pas folle, toi, Conor ?

— Absolument pas et tu ne l'es pas.

Elle se calma et lui prit la main. Ils retournèrent à l'extrémité du pont, jusqu'au rocher où elle s'était souvent assise avec Myles.

— Ma chérie, il faut cesser de jouer un jeu malsain avec maman. Elle ne sait plus où elle en est, et toi, tu en viendrais vraiment à perdre la tête si tu continuais à mener cette vie absurde. Qu'est-ce que tu veux, en fin de compte... Colm O'Neill ?

— Je ne peux plus le supporter.

— Et pourquoi le supporterais-tu ? Un beau gars solide est amoureux de toi, Brigide. Ça vaut mieux que mille arpents de nos rochers stériles. Je vous emmène tous les deux à Derry. J'enseignerai la ferronnerie à Myles.

Brigide s'écarta de son frère et secoua la tête.

— Non.

— Pourquoi ? Tu tiens tellement à cette vie de mésentente avec une malheureuse démente ?

— J'ai horreur de Derry, dit-elle. Le soleil ne chauffe pas là-bas. Il ne nous embrasse pas comme celui de Ballyutogue. Quant il est chaud, il nous brûle la peau et nous fait fondre le corps. Ici, après la pluie c'est la douceur, pas là-bas. On y piétine comme si on avait toujours les pieds pris dans la glaise. Au Bogside on a l'impression de respirer dans un nuage de poussière. J'ai peur de Derry. J'ai peur des feux de joie, des tambours du Waterside, des horribles braillards. Je crains aussi ces femmes qui se querellent en hurlant, et les enfants couverts de pustules aux yeux toujours tristes. Tu as de bonnes intentions. Conor, mais un jour viendra où il n'y aura plus de travail là-bas, ni pour toi ni pour Myles. Alors, il s'adossera aux murs et ne fera plus rien. Moi, j'irai à la fabrique de chemises ou bien je nettoierai les cabinets de gens riches. Myles n'aura plus ni honneur ni virilité dans son regard.

Conor laissa tomber les bras en pensant : « Mon Dieu, comme elle a raison ! » Il reprit sa sœur par les épaules.

— Si c'est de la terre que tu veux, ma fille, il y en a en Nouvelle-Zélande. Liam est là-bas, il vous aidera à démarrer tous les deux. Mais surtout, va-t'en. Va-t'en d'ici tant qu'il en est encore temps.

— Non, Conor. Notre ferme ne vous suffit peut-être pas, à vous les garçons, mais trois générations de Larkin s'en sont contentées et, par la Sainte Vierge ! je suis tout aussi Larkin que vous autres.

Il lui prit la tête entre ses deux mains et lui demanda, désolé :

— Tu sacrifieras ton amoureux à la ferme ?

— Comprends donc, Conor, que nous ne sommes pas tous comme toi, capables de partir vers les ténèbres de l'inconnu. Je n'ai pas ta tête pour apprendre, ni ton charme pour séduire, ni ta vigueur pour combattre. Je ne suis qu'une pauvre vieille fille toute simple. J'aime notre masure. C'est chez moi. Le monde autour de Ballyutogue me terrifie. Chaque soir je voudrais, en me couchant, enrouler notre maison autour de moi.

Conor baisa les joues de sa sœur, la regarda encore un moment puis retourna seul au village.

Un instant plus tard Myles apparut. Brigide et lui s'interrogèrent du regard.

— J'ai entendu, dit-il.

— Ah, oui, soupira-t-elle.

— Ton frère a peut-être raison. Si j'allais travailler à Derry pendant quelques années, j'épargnerais un peu d'argent. J'apprendrais un métier et en revenant, je serais quelqu'un.

— Non, répondit-elle. Personne ne revient jamais à Ballyutogue.

— Mon Dieu, mon Dieu, Brigide, ma famille est dans une situation désespérée. Je suis le prochain à émigrer. Mes aînés ont envoyé d'Amérique l'argent de mon voyage. Je ne peux plus rester. Ou alors je deviendrai un Pinty Doyle. Bien sûr, je ne suis pas aussi fort que Conor, moi non plus, mais je ne veux pas devenir valet de ferme. Alors, tu vois, il faut que je parte.

La perspective de cet abandon donna le vertige à Brigide qui se laissa tomber, bras ballants, dos voûté, sur le rocher. De nouveau, une lueur de folie apparut dans son regard.

— Je vais parler à Conor, dit Myles. J'irai à Derry avec lui. Ça m'évitera de partir au delà de l'eau... et je reviendrai te voir de temps en temps.

— Ah, Myles ! sanglota-t-elle. Myles, Myles, Myles...

— Nous nous en tirerons, tu verras. Dans un an ou deux il y aura de la terre à vendre ici et j'aurai de l'argent, tu verras.


Dary était encore seul à son chevet quand Tomas s'éveilla, arraché au sommeil par des élancements atroces montant de son pied gauche. Sa vue lui permettait à peine de distinguer des ombres vagues.

— Conor.

— Il est sorti pour un moment, papa, dit Dary. Mais je suis là.

— C'est toi, petit Dary ?

— Oui, papa. Est-ce que tu me vois ?

— Bien sûr, mais j'ai du sable dans les yeux. (La douleur lui brûla la jambe, comme si on y appliquait un fer rouge.) Sois gentil, Dary, grogna-t-il. Cours chercher le père Cluny. Je voudrais lui parler.

— Tout de suite, papa.

Dès qu'il fut seul, Tomas Larkin fit appel à tout ce qui lui restait de vigueur pour fouiller sous son matelas dont il tira la bouteille de poteen.


Conor arriva chez lui à l'instant où le Dr Cruikshank descendait de cheval dans la cour. Les vieux du Village s'étaient rassemblés, effrayés : la mort de Tomas Larkin aurait signifié que la leur approchait. Bon nombre d'entre eux priaient, à genoux, dans la salle commune.

Finola, Dary et le père Cluny étaient rassemblés auprès du lit. Conor et le docteur avisèrent en même temps la bouteille vide. Le médecin s'en empara et ils échangèrent un regard entendu. Quand Cruikshank fit le vide dans la chambre, Conor s'en alla en titubant à l'étable.

Le médecin l'y rejoignit un instant plus tard, lui tapota l'épaule et ils s'en allèrent ensemble jusqu'au ruisseau, à l'extrémité du Village.

— Il en a pour combien de temps ? demanda Conor.

— Quelques heures, un jour ou deux, peut-être.

— Qu'est-ce qui s'est passé ?

— Il savait que l'alcool lui serait fatal. Je l'avais mis en garde dès le début et je le lui ai répété souvent depuis. Mais je le soupçonnais d'avoir caché une bouteille.

— Pourquoi ne la lui avez-vous pas enlevée ?

— Tu connais ton père, Conor.

— Alors vous l'avez laissé se tuer ! s'écria Conor outré.

— Es-tu capable de supporter la vérité, mon garçon ?

Conor recula. Ses mains tremblaient.

— Quand ton père a bu, il était déjà aveugle et son pied dans un tel état que je dois retourner auprès de lui pour l'amputer.

— Excusez-moi, docteur, gémit Conor.

— N'en parlons plus, mon garçon et, sois tranquille, je lui ferai le moins mal possible.

Resté seul, Conor erra sans but le long du ruisseau. Tout à coup il tomba à genoux, brisé par la douleur, et vomit sur le sentier.

— Papa ! cria-t-il. Papa !

Tomas Larkin, fils de Kilty, resta dans le coma pendant seize jours. Toute la péninsule d'Inishowen en trembla. Les villageois, et surtout Fergus O'Neill, étaient malades de peur à l'idée d'affronter la vie sans Tomas Larkin. Son cœur continuait à battre comme s'il réprouvait le suicide.

Enfin, au dix-septième jour, le géant s'éteignit.


## 11


Caroline Hubble embellissait avec l'âge. D'une élégance exquise elle régnait, à l'approche de la quarantaine, sur toutes les activités culturelles de l'Ulster occidental, depuis une dizaine d'années. On jasait, évidemment, dans tous les environs sur les habitants du manoir. Les propos malveillants faisaient place à l'admiration, surtout depuis que Caroline avait rendu Roger moins hostile à la vie mondaine : chef-d'œuvre de subtilité. On oubliait aussi qu'il l'avait lui-même apprivoisée. On voyait en eux un couple magique, un seul esprit se manifestant en deux corps, en communication constante.

Toutefois, des rumeurs discrètes continuaient à courir chez les gens à l'esprit le plus étroit, au sujet de leurs longs voyages dans des pays exotiques. On parlait d'opium et d'autres excès ahurissants pour des puritains de l'Ulster. Leur pavillon de chasse sur les collines d'Urris passait pour une fantaisie érotique. On chuchotait que les tentures d'une chambre secrète du manoir dissimulaient des miroirs couvrant les murs. Si répréhensibles que fussent ces mystères, ils avaient quelque chose de tentateur car la vie publique des Hubble était exemplaire.

Roger s'était affirmé comme seul maître de la politique à Londonderry et dans la région. La transformation de son domaine se poursuivait impitoyablement : reprise des terres à fin de bail pour les convertir en herbages et champs de lin qui fournissaient la matière première à ses filatures, tissages et manufactures de linge. D'autre part, des accords avec Weed consolidaient leurs entreprises, de telle sorte qu'il devenait difficile de préciser où commençait et où finissait la part de chacun. Toutes ces activités convergeaient adroitement vers un but essentiel : assurer l'unité de l'Ulster s'il fallait séparer un jour cette province du reste de l'Irlande, afin de céder aux exigences des indigènes.

L'union des Hubble avait donné deux héritiers mâles : Jeremy qui devint vicomte Coleraine lorsque Roger succéda à son père comme comte de Foyle, et Christopher, né un an après. Différents et complémentaires, les deux enfants réalisaient les rêves de leur grand-père. Taillé dans un tissu solide, petit gaillard vigoureux destiné à faire un homme viril, Jeremy était la prunelle des yeux de Sir Frederick. Dès son plus jeune âge, Christopher manifesta un esprit curieux et studieux. Ce contraste conviendrait parfaitement pour diriger l'empire familial.

La question des héritiers étant résolue, l'appétit dévorant de Sir Frederick s'apaisa. Moins soucieux d'expansion, il pensa surtout à consolider ses biens, diriger l'avenir politique de l'Ulster et former ses petits-enfants. En outre, il ambitionnait la pairie. A cet effet il élabora un programme approprié : subventions aux organisations charitables qui convenaient, assistance aux conférences qui convenaient, participation aux travaux de comités qui convenaient, activités publiques tout aussi convenables.

Il se voyait baron de Hollywood, peut-être même vicomte Hollywood, ce qui n'était pas hors de sa portée : un fauteuil bien mérité à la Chambre des Lords mérite l'hommage d'un titre assorti. Parfaitement ! grognait-il, enchanté. La réussite de Caroline ajoutait à sa satisfaction. Elle avait suivi son conseil, avait admirablement tiré parti de son mariage et le beau-père considérait son gendre comme son propre fils.

La rénovation du manoir avait pris près de six ans. Il en résultait un palais admiré par toute la province. Le bruit courait que les travaux coûtaient plus de trois cent mille livres.

Un point noir subsistait toutefois : la grille en fer forgé de la Salle Longue. Caroline y voyait un défi et ce fut parfois une pomme de discorde avec son mari. Elle fit venir successivement deux maîtres ferronniers, l'un d'Italie, l'autre d'Allemagne. L'Italien se démena fiévreusement pendant plusieurs mois avant de capituler devant le mystère de cette merveille. Lorsqu'il quitta l'Ulster, dans un sillage de malédictions, Caroline entendit parler de Joachim Schmidt, qui passait alors pour le meilleur expert européen en fait de restaurations. La grille refusa de lui livrer ses secrets en dépit de ses assauts méthodiques et de tous les raisonnements logiques qu'il fondait sur l'histoire de la ferronnerie. Quand Schmidt abandonna la partie, Caroline fut tentée de faire arracher cette grille et de la remplacer par un écran de bois sculpté. Mais l'opiniâtreté qu'elle héritait de son père lui interdit de s'avouer vaincue.

Gary Eagan, le nouvel apprenti, passa la tête dans l'entrebâillement de la porte, les yeux exorbités, et pointa le pouce par-dessus son épaule.

— Qu'est-ce qu'il y a, Gary ? demanda Conor, assis à son bureau.

— Une dame chic est arrivée en calèche, avec un cocher et un valet. Oui, monsieur, elle vous demande.

— Eh bien, amène-la ici.

Tous les ouvriers de la forge restèrent pétrifiés, bouche bée, en voyant Lady Caroline avancer sur le sol couvert de poussier en soulevant le bas de sa jupe.

— Monsieur Larkin ? demanda-t-elle sur le seuil de la porte.

114

— Moi-même, répondit Conor en se levant. (Il jeta un coup d'œil sur la pièce exiguë et cria :) Gary, apporte une chaise à la dame. Une propre !

Il tendit la main, mais la ramena aussitôt pour ne pas salir celle de la belle dame. La chaise arriva entre les mains de Gary assisté par deux forgerons. Il n'y avait pas assez de place dans le bureau. Penaud, Conor demanda :

— Ça vous dérangerait vraiment beaucoup si nous allions chez Nick Blaney, de l'autre côté de la rue ? Je n'ai vraiment pas de place ici.

— Ça ne me dérange pas du tout.

Quand elle traversa de nouveau la forge, le travail s'arrêta encore. Arrivé sur le pas de la porte, Conor brailla :

— Ce n'est pas l'anniversaire de O'Connell !

A la brasserie, il commanda une chope de bière et un xérès pour la dame.

— Je viens vous parler au sujet d'un travail, dit-elle. Permettez-moi d'abord de me présenter.

— Seul l'idiot du village ne sait pas qui vous êtes. Il se trouve d'ailleurs que je vous ai déjà vue à plusieurs reprises, mais vous ne m'avez sans doute pas remarqué.

— Où était-ce ?

— Au festival shakespearien, il y a un an. Mon atelier apporta sa modeste contribution, comme à tous les concerts et à la saison d'opéra.

— Ravissant ! Et vous y assistez régulièrement ?

— Certainement. Je ne manque aucune de ces manifestations. Vous vous demandez ce qu'un forgeron peut bien faire dans une salle de concert, n'est-ce pas ? Tout le monde sait que saint Patrice était un citoyen romain qui vivait en Angleterre. Capturé par des pirates irlandais, il fut amené ici et réduit en esclavage. La plupart des gens ignorent quelque chose d'aussi vrai : avant de s'engager dans sa carrière, Shakespeare fit un voyage secret en Irlande pour apprendre à se servir de la langue anglaise. Depuis qu'un shanachie m'a révélé ce détail authentique, je m'intéresse beaucoup à Shakespeare.

— Allons, Larkin ! dit Caroline en souriant. Vous êtes un farceur !

— Il ne s'agit pas de savoir comment je sais qui vous êtes, comtesse, mais comment vous avez appris mon existence.

— J'ai vu la grille de balcon que vous avez offerte à Andrew Ingram pour son anniversaire et il m'a montré d'autres œuvres que vous avez exécutées.

— Andrew ! J'aurais dû m'en douter... Alors, maintenant vous voulez que j'aille à Hubble Manor voir ce que je pourrais faire au sujet de la grille de la Salle Longue ?

Caroline sourit, secoua la tête et le menaça du doigt.

— Ma foi, madame la comtesse, vous appartenez au domaine public. Etant donné que je suis ferronnier, les histoires de grille viennent jusqu'à moi. Je me demandais quand vous arriveriez au bout du rouleau et vous décideriez à venir ici.

Caroline retint son humeur. Passe de marquer quelque bienveillance à un artisan, mais pourvu qu'il reste à sa place. Le pire c'est que ce jeune homme se rendait compte de son indignation et s'en réjouissait.

— Dites-moi, monsieur Larkin, êtes-vous toujours aussi insolent ? demanda-t-elle assez sèchement.

— Seulement avec les clients qui ne peuvent pas se passer de moi. Comment ne pas me glorifier en vous voyant venir chercher ici, à Derry, en plein Bogside, ce qui vous a échappé partout en Europe ? Ce ne serait pas humain.

Caroline eut envie de s'en aller sur-le-champ. Mais elle avait déjà eu affaire à des artisans, savait qu'ils se considèrent comme des artistes auxquels on doit une certaine considération. Jusqu'alors elle n'aurait jamais imaginé qu'un catholique irlandais manifesterait de telles prétentions. Cette maudite grille l'obsédait depuis des années. Ce Larkin capitulerait sûrement devant un exploit que n'avait pu accomplir un Joachim Schmidt. Mais tant pis ! Caroline estima qu'elle était allée assez loin pour faire un dernier essai.

— Puis-je compter sur vous demain matin à Hubble Manor ? demanda-t-elle.

— Excusez-moi, madame la comtesse, mais j'ai du travail par-dessus la tête et je ne pourrai guère quitter mon atelier jusqu'à la semaine prochaine.

« Zut, qu'est-ce qui me prend ? Pourquoi ai-je dit ça ? se demanda Conor. Parce qu'un fils de bouseux du domaine doit normalement appuyer sur la crête d'une comtesse de Foyle quand il en a l'occasion, bien sûr. Mais n'est-ce pas aussi parce que cette femme est belle ? Les deux peut-être ? »

Caroline éleva son verre de xérès avec un sang-froid affecté. Conor devina qu'après avoir patienté pendant dix ans, elle ne pouvait plus compter que sur lui. Que faisait-il donc ? Cherchait-il à affirmer sa personnalité de mâle ou d'artisan ? Ou bien à établir d'emblée leurs relations sur un pied d'égalité ? C'était un bel homme, certes, et il s'en rendait probablement compte. Intriguait aussi Caroline l'intérêt invraisemblable que ce forgeron manifestait pour la culture. Ça va, mon petit gars, pensa-t-elle. Amuse-toi.

— La semaine prochaine, d'accord, dit-elle.

Les formidables portes de bronze de la Salle Longue pivotèrent. Conor avança vers la grille avec le respect d'un moine miséreux approchant du pape. Il demanda à dame Caroline s'il était possible de mieux éclairer la pièce et s'il existait des plans originaux de l'œuvre d'art.

— Ces dessins ont été détruits, hélas ! au cours d'une guerre quelconque. Je ne possède que les plans des architectes qui ont dirigé la restauration de la salle ces temps derniers et quelques esquisses de Schmidt et de Tustini.

— Tout cela pourrait m'être utile. Merci. Il me faudrait d'abord une grande échelle et une ou deux heures pour étudier le travail. Ensuite seulement, nous pourrons parler en connaissance de cause.

Caroline fit apporter ce qu'il demandait et se retira. En examinant l'écran, Conor fut ébloui et abasourdi par ce qui faisait l'effet d'une fanfare de fer. Chaque soudure était dissimulée par des feuilles et des volutes. Il ne restait guère qu'un tiers de l'œuvre originale. En sa pleine gloire, elle s'élevait à treize mètres de haut à peu près et devait avoir une largeur équivalente. Conor estima qu'il n'existait pas au monde plus de deux ou trois ouvrages d'une telle magnificence.

— Diable, diable ! chuchotait-il. Diable, diable !

Deux heures plus tard, Lady Caroline revint avec une servante qui apportait le thé. Les plans qu'elle avait envoyés plus tôt s'étalaient sur une lourde table de chêne que Conor avait posée devant la grille. Ses propres esquisses se mêlaient aux autres. La tête penchée, il s'absorbait dans leur étude. Dame Caroline jeta un coup d'œil par-dessus son épaule.

Conscient d'une présence Conor releva la tête, laissa

tomber son crayon et passa les deux mains sur les plans. Son regard exprima une ferveur mystique.

— Tijou, souffla-t-il. Jean Tijou.

Caroline fut déçue. Elle avait espéré que ce forgeron serait capable de réaliser son rêve. Il était sûr de lui jusqu'à la fanfaronnade et voilà qu'il se révélait inapte à distinguer entre un maître et un très bon imitateur. Il eût été pourtant maladroit de l'humilier à cet instant.

— Oui, je sais, dit-elle. Tout le monde a pris cet écran pour un Tijou. Schmidt s'y est trompé au début. Hélas ! ce n'est pas un Tijou.

— C'est un Tijou, répéta Conor avec une certitude tranquille.

Caroline en fut exaspérée.

— Impossible, dit-elle. Nous avons fait faire des recherches, notamment par un professeur d'histoire à Oxford.

— Qu'est-ce que vous savez au sujet de Tijou ?

— Ce protestant français se réfugia en Hollande. Nous savons qu'il est venu en Angleterre vers 1690, avec notre roi Billy. Ce fut un des protégés de Guillaume et Marie. Il a accompli son œuvre entre 1690 et 1710. On ne trouve aucun indice d'un voyage de Tijou en Ulster.

— Il est pourtant venu ici.

— Votre obstination m'étonne, monsieur Larkin. Les lettres que nous possédons prouvent que cette grille a été forgée vingt ans avant l'arrivée de Tijou en Angleterre. Ce sont des preuves vraiment irréfutables.

— Vous vous trompez, madame, affirma catégoriquement Conor. Vous avez mis bout à bout des renseignements erronés.

Caroline se raidit, indignée. Conor admira la grille, comme si elle l'hypnotisait.

— Monsieur Larkin, je voudrais savoir si vous vous moquez de moi.

Conor revint vers la table, but une gorgée de thé, remercia la comtesse de l'avoir fait servir, considéra les esquisses, hésita un moment puis, comme si la grille venait de lui révéler son secret, il sourit et dit :

— Daddo Friel connaissait sans doute l'histoire de ce château mieux que les comtes qui l'habitaient.

— Pourriez-vous me dire qui est ce Daddo Friel ?

— Qui il était, rectifia Conor. C'était un shanachie, un maître conteur. Avec un de mes petits voisins nous étions ses disciples préférés. Il nous a parlé pendant des heures et même des journées entières.

— Vous a-t-il enseigné que les pirates irlandais ont enlevé Tijou sur la côte anglaise ?

Conor sourit, l'air joyeux.

— Bien répondu, madame, je l'ai mérité ! dit-il. Mais, sérieusement, les histoires de Daddo se sont toujours révélées d'une parfaite exactitude lorsqu'il parlait des soulèvements, des combats, des sièges qui se sont déroulés dans la région.

Caroline eut l'impression que ce géant cherchait à exercer sur elle son charme irlandais. Mais elle était trop intriguée pour mettre un terme à la conversation avec ce Larkin qui paraissait tellement à l'aise dans ses affirmations.

— Que vous a dit votre Daddo au sujet de cet écran ? demanda-t-elle.

— Lors de la révolte des paysans, en 1641, le comte de Foyle commanda les troupes de Cromwell, comme vous le savez. A un certain moment il captura cinq cents insurgés, les enferma ici, dans cette Salle Longue, derrière la grille. Je ne m'étendrai pas sur les tor-

120

tures qui accompagnèrent le massacre de ces prisonniers.

— Je n'ai jamais entendu parler de cet événement, dit Caroline.

— Je possède une étude en deux volumes sur l'insurrection des paysans en Ulster occidental par l'historien britannique Wycliff. Cet ouvrage a été publié l'an dernier par l'université d'Oxford. Tout ce que j'y ai lu coïncide exactement avec les récits de Daddo Friel.

— Poursuivez, dit sèchement Dame Caroline.

— Cette grille devint un objet d'horreur pour les paysans catholiques. Elle survit dans les souvenirs de mon village. Pour effrayer ses enfants une mère leur dit volontiers : « Si tu n'es pas sage, je te mettrai derrière la grille du comte. »

Pour ne pas vexer son interlocuteur, Caroline esquissa un mince sourire.

— En 1690, pendant le siège de Derry, les troupes du roi Jacques II s'emparèrent de votre manoir, madame. Leur premier objectif fut la grille. Elles la détruisirent complètement. Il ne resta pas grand-chose non plus de la Salle Longue et du reste des bâtiments.

Caroline fut obligée de convenir mentalement qu'à ce point de vue l'histoire et le folklore coïncidaient en effet.

— Par gratitude envers le comte de Foyle, votre roi Billy envoya personnellement Jean Tijou reconstruire la grille détruite à Hubble Manor.

Caroline perdit son assurance. La destruction de la grille originale lors du sac par les troupes de Jacques II semblait aller de soi. Même les plus vieux vestiges de la grille paraissaient plus récents qu'elle ne l'avait cru et pouvaient être l'œuvre de Tijou. Pourtant les Irlandais entremêlent tellement la légende et l'histoire et leurs shanachies sont tellement menteurs qu'on ne saurait s'y fier.

— Il y eut encore une brève rébellion en 1732 dans notre région, poursuivit Conor. Les insurgés s'en prirent une fois de plus à la Salle Longue dont le toit s'effondra et détruisit les deux tiers de la grille refaite par Tijou une quarantaine d'années plus tôt. Il en reste ce que nous avons sous les yeux actuellement.

— Irez-vous jusqu'à prétendre que votre conteur de village connaissait le nom de Jean Tijou ?

— Pas son nom, justement. Mais je me rappelle l'avoir entendu parler maintes fois de celui qu'il appelait « Le Français » lorsqu'il nous racontait les révoltes de cette époque. Mon village est fier de son histoire. Par tradition le curé consigne au jour le jour les événements de la paroisse. Après votre visite à la forge la semaine dernière, je suis retourné à Ballyutogue et j'ai consulté le cahier de cette époque. Le texte est en gaélique. Il indique que trente hommes de Ballyutogue se rendirent au Château Hubble comme on l'appelait alors, pour participer à la restauration de la Salle Longue où l'on dressait une magnifique grille de fer forgé sous la direction d'un Français.

Caroline Hubble en resta muette.

— Je comprends votre scepticisme, madame la comtesse. Toutes ces bribes d'histoire coïncident à peu près, mais ce n'est pas ce qui importe le plus. La véritable preuve, la voici. (Il désigna la grille.) Chaque peintre a son coup de pinceau et chaque ferronnier d'art son tour de main. Celui de Tijou est là, sur cette œuvre. Je la distingue aussi nettement que vous reconnaissez un maître de l'impressionnisme. Ce travail n'aurait pu être

122

accompli soixante ans avant l'époque de Tijou. Les œuvres antérieures sont trop lourdes. Lui seul réussit à faire de la dentelle de fer. Voyez ces feuilles qui s'enroulent, regardez celles-ci qui paraissent flotter au fil d'un ruisseau.

Conor feuilleta les plans qui avaient servi à la dernière remise en état. Il en choisit un et l'étala sur la table. Il concernait l'amélioration de la charpente et des fondations de la Salle Longue nécessaires pour assurer la stabilité de la grille.

— Cette note est en français, dit-il.

— Oui. Nous avons confié la restauration de cette salle à un élève de Viollet-le-Duc.

— Je ne comprends pas le sens exact. Il me semble pourtant qu'on y parle de points d'ancrage espacés de trois pieds en trois pieds et n'ayant aucun rapport avec la grille actuelle.

Caroline tourna le plan vers elle et porta son face-à-main à ses yeux.

— Oui, c'est bien ça, dit-elle, étonnée.

— Ne peut-on pas en conclure logiquement que ces points d'ancrage ont servi à tenir une autre grille en place autrefois ?

— Celle qui fut détruite lors des guerres de Cromwell ? répondit-elle avec enthousiasme. En fin de compte, Tijou aurait pu faire la suivante.

— C'est bien ce que je pense.

— Eh bien, monsieur Larkin, je vous dois des excuses. J'ai douté de vous. Mais nous avions fait tant de recherches à ce sujet !

— Mais vous n'aviez pas les souvenirs de Daddo à votre disposition, répondit Conor, malicieux. Maintenant il s'agit de savoir ce qu'il faut faire.

— Croyez-vous pouvoir restaurer complètement cet ouvrage ?

Conor secoua la tête.

— Venez. Je vais vous montrer quelque chose, dit-il en se penchant vers un angle de la grille.

Côte à côte, ils examinèrent la ferronnerie de très près. Conor passa un doigt sur la courbe d'un barreau qui se refermait en spirale de plus en plus étroite pour jaillir en une végétation multiple. Le même motif se reproduisait de place en place.

— Voyez. Arrivé ici, on distingue à l'œil nu où finit Tijou et où commence Schmidt. Les barreaux n'ont pas la même section. Les outils ne sont pas les mêmes. Et le fer est différent, comme les couleurs, les huiles et le marbre, certains fers ont un caractère inimitable. Mais ce qui compte le plus c'est qu'un maître ferronnier ne peut pénétrer l'esprit d'un autre maître. Schmidt est excellent, mais Cézanne pourrait-il peindre un parfait Renoir ?

— Je comprends, dit-elle, émerveillée.

— Tijou s'est appliqué à ce chef-d'œuvre comme à la fontaine de Hampton Court. Il a tendu des pièges pour s'assurer que personne ne pourrait jamais reproduire cette grille. La copier, oui, mais pas la reproduire. Regardez ces volutes, ici, à l'angle. Je suis sûr que Tijou en a chargé un ferronnier gaucher. Quant à la restauration à l'italienne dans la partie la plus haute de la grille, elle ressemble autant à Tijou que Verdi à Wagner.

Caroline constata que son forgeron de village repérait exactement le travail de l'Italien et celui de l'Allemand. Il lisait cette grille comme un livre. Désormais elle ne doutait plus de sa compétence. Ce qui la ravissait surtout c'était de posséder une œuvre de Tijou, un chef-d'œuvre immortel.

— Que dois-je faire, Larkin ? demanda-t-elle. (Ces mots à peine prononcés, elle craignit qu'il se fût ingénié à gagner sa confiance pour s'assurer la commande et profiter d'elle pour établir sa réputation d'artiste dans le pays entier.) Que me conseillez-vous ? ajouta-t-elle pourtant.

— Si cette grille m'appartenait, je n'hésiterais pas, répondit-il. J'ai autant d'admiration pour Jean Tijou que vous en éprouvez pour Léonard de Vinci. Un tiers d'un Tijou vaut mieux que cent Conor Larkin. Je laisserais donc cette grille telle qu'elle est.

Caroline regretta d'avoir douté de lui et se promit de ne plus jamais s'interroger sur ses mobiles.

Le regard de Conor parcourait la grille avec vénération.

— A peine pourrait-on réparer quelques dégâts, ici et là, mais surtout il faudrait supprimer ce que l'Italien et l'Allemand ont ajouté à l'original.

— Voulez-vous vous en charger ?

— J'en serais enchanté.

Il fut entendu que Conor viendrait une fois par semaine au manoir pour travailler sur place.

Au bout d'un moment Dame Caroline lui dit :

— J'aimerais savoir où vous avez appris votre métier, monsieur Larkin.

— Dans les endroits les plus invraisemblables, répondit-il. Dans la petite forge de mon village, sous la direction d'un bon maître et sous un arbre...

— Sous un arbre ?

— Oui, c'est à l'ombre de cet arbre que je lisais la plupart du temps quand j'étais jeune. J'ai beaucoup appris aussi chez un bon vieux tailleur de pierre, à Derry. Je devrais même dire un sculpteur. Son métier est un des plus anciens du monde, très antérieur à l'écriture et même au travail du fer. Ceux qui le pratiquent doivent donc connaître des secrets vénérables. Quand je l'ai interrogé à ce sujet il m'a dit :

— Regarde les feuilles, Conor. Il n'y en a jamais deux qui soient identiques.

— C'est pourquoi vous avez distingué entre les feuilles de Tijou et celles de Schmidt.

— Oui, ce vieil homme m'a appris à regarder.

Caroline le laissa à ses esquisses et se retira dans son boudoir. Les cris de ses enfants jouant sur la pelouse l'attirèrent à la fenêtre. Jeremy et Christopher étaient engagés dans une partie de rugby avec quelques jeunes Anglais de leur âge. Son attention se porta sur Larkin lorsqu'il sortit de la Salle Longue.

C'était un bel homme. Des carrures comme la sienne l'avaient mise dans tous ses états lorsqu'elle s'était trouvée en présence d'athlètes, lutteurs, boxeurs et autres costauds. Mais il était tellement irlandais avec sa casquette de travers, ses propos, tantôt câlins, tantôt taquins ! Comment expliquer tant de connaissances chez ce maréchal-ferrant fils de bouseux catholique ? Tout à coup, le ballon vola vers lui et roula sur le gazon. Il l'arrêta adroitement, le ramassa et le renvoya en l'air d'un coup de pied. Le ballon partit vers le ciel, si haut qu'il semblait destiné à voler éternellement. Les gamins le suivirent des yeux, émerveillés. Quelques-uns coururent le ramasser. Jeremy, Christopher et quelques autres se précipitèrent vers Larkin et le supplièrent de jouer quelques minutes avec eux.

Quand il avait du travail en retard, Roger apportait toujours ses dossiers dans le boudoir de Caroline en fin d'après-midi. Ils y passaient ensemble leur soirée, assis face à face au même bureau. Il n'avait pas encore achevé sa correspondance ce soir-là quand elle lui dit qu'il était temps de bavarder.

— Qu'as-tu à me dire ? demanda-t-il.

— J'espère que nous avons trouvé la solution au sujet de la grille.

Roger rangea ses paperasses en prévoyant qu'elle lui annoncerait la découverte de quelque maître ferronnier hongrois : encore un de ces étrangers qu'il entendrait brailler dans les couloirs et sur les pelouses du manoir.

Elle lui raconta en détail pourquoi elle supposait que le roi Billy avait commandé une œuvre d'art à Jean Tijou pour remplacer celle que les catholiques de Jacques II avaient détruite.

Roger fouilla dans sa mémoire mais n'y trouva rien. Caroline lui exposa ensuite le projet de Conor : ne réparer que les plus gros dégâts et s'en tenir à l'œuvre du grand artiste.

— Ça me convient tout à fait, dit-il. Mais ce type qui s'y connaît si bien doit avoir une culture extraordinaire.

— Je dois te dire tout de suite que c'est un forgeron catholique du Bogside.

— Tu plaisantes !

— C'est pourtant vrai, mon chéri. Tu n'en as encore jamais vu de ce genre-là. Pour rien au monde je ne voudrais le vexer. Alors, méfie-toi et mets tout le monde en garde à son sujet.

— Nous pourrons supporter ça. L'esprit démocratique est à la mode. Tu m'as dit son nom, je n'y ai pas prêté attention.

— Conor Larkin.

— Larkin ? Un forgeron de Londonderry ?

— C'est bien ça.

— Larkin ?... Sa famille vit dans les parages depuis plusieurs générations. Des Fenians, je crois. Quant à ton forgeron, Swan a eu maille à partir avec lui il y a un ou deux ans. C'était une sale affaire entre lui et Caw & Train.

— Tu ne vas quand même pas annuler ma commande ?

— Evidemment pas, répondit Roger. A vrai dire, je ne me rappelle pas les détails de ce différend. Mais peu importe. Sois prudente, observe-le quand même pour être sûre qu'il est honnête. On ne se méfie jamais assez avec ces crapules.

— Je suis convaincue que tout ira bien avec lui.

## 12

Le père Cluny grimpa jusque chez les Larkin, bouleversé parce qu'il venait de recevoir une lettre de Liam, ainsi que vingt livres pour faire construire le plus beau monument possible sur la tombe de Tomas.

Conor passa la commande à son ami le tailleur de pierre de Derry et ajouta l'argent nécessaire pour un tombeau convenant à Kilty. Il les amena à Ballyutogue avec une balustrade en fer forgé de ses mains pour clore la concession de la famille.

Brigide, Dary et Finola avaient toujours entretenu les tombes des Larkin avec piété. Désormais les pierres tombales offertes par les fils qui avaient réussi dans le monde extérieur leur donnaient une distinction digne du rôle joué par les deux défunts à Ballyutogue.

Dans sa lettre, Liam indiquait qu'il avait épousé Mildred, la jeune Anglaise, et qu'elle était enceinte. Ainsi, un nouveau Larkin commencerait sa vie à l'autre bout du monde, quand on achèverait les tombes de ses ancêtres. En outre, un événement capital se préparait à Ballyutogue. Dary atteignant sa quatorzième année allait entrer au séminaire du diocèse. Bien que prévue longtemps, cette séparation affligeait son entourage.

Une fois de plus Finola rangea les menus objets indispensables que les aînés avaient déjà emportés dans une vieille valise cabossée, achetée à quelque foire oubliée depuis longtemps. Elle accabla Dary de conseils en retenant ses larmes.

Le père Cluny monta le chercher. Finola prit la main de Dary. Ils traversèrent le Village. Toutes les portes étaient ouvertes et les habitants répétèrent la formule d'adieu si souvent prononcée.

— Dieu te garde, Dary.

— Et qu'Il veille aussi sur vous.

Un cortège de femmes aux châles noirs leur emboîta le pas et les suivit jusqu'à Saint-Colomban. Elles allumèrent des cierges et prièrent. Puis Dary alla dire une prière d'adieu sur la tombe du père qu'il n'avait jamais vraiment connu. La famille descendit jusqu'au carrefour. Arrivé là, il prit la valise des mains de sa sœur.

— Je continuerai ma route tout seul, dit-il, comme tous ceux qui avaient quitté Ballyutogue.

Finola l'étreignait.

— Au revoir, Dary, dit Brigide.

Le petit bonhomme sourit et s'en alla.

— Il est si menu, dit Finola. Si menu et si frêle !

Elle éclata en sanglots. A cet instant Brigide fut sur le point de consoler sa mère, mais elle se retint au moment de la toucher. Le père Cluny s'apitoya devant ces deux femmes. Il avait grande envie d'inciter Brigide à partir. Myles McCracken travaillait à la forge de Conor, à Derry. La masure des Larkin ne serait plus qu'un tombeau. Mais le curé se tut. A longueur d'années il avait appris à partager en silence l'éternel chagrin de ses paroissiens.

Un vide effrayant régna en effet chez les Larkin dès le retour des deux femmes. Chacune gagna sa cellule : Finola, la chambre, où elle avait dormi avec Tomas et où ses enfants étaient venus au monde ; Brigide le grenier à foin qu'elle avait partagé avec ses frères. Cependant Rinty Doyle se rendait aussi invisible que d'habitude dans l'étable. Les journées se succédèrent. Comme si chacune avait prononcé le vœu monastique du silence, Brigide et sa mère vaquèrent à leurs occupations habituelles en n'échangeant jamais que les quelques mots indispensables.

Le départ de Myles McCracken rassurait Finola. Lorsqu'il lui arrivait de parler, c'était la plupart du temps pour enjoindre, en longues tirades sévères, à sa fille d'épouser Colm O'Neill. Brigide fit la sourde oreille sans rien dire pendant longtemps. Enfin, exaspérée, elle se déchaîna avec une telle violence de langage que Finola n'insista plus. Leur dernier sujet d'entretien disparut. Le silence devint encore plus opaque.

Comme la bête de somme qui fait tourner la noria, Brigide passait successivement par des crises de haine contre sa mère dont elle souhaitait la mort, puis elle s'en repentait, se confessait, faisait pénitence et retombait dans le même péché.

Au bout d'un certain temps elle oublia l'aspect de Myles. Elle ne se rappela plus les sensations de douleur et de joie qu'elle avait éprouvées en courant jusqu'au donjon pour se jeter dans ses bras.

D'une banalité presque terne, Brigide avait quand même rayonné un certain charme tant que Myles lui faisait la cour. Morose, elle devint laide. Elle s'en voulut de penser trop souvent combien sa vie serait meilleure si sa mère mourait. Après chaque confession elle détestait encore plus Finola. Mais le souvenir de Myles s'estompant, elle ne fut plus certaine de l'avoir aimé, douta même qu'il eût existé et détesta moins sa mère.

Complètement résignée au célibat, Brigide Larkin n'était plus capable d'aimer ni de haïr avec passion.

A treize kilomètres de Derry, près du pont qui franchit le Burntollet, un chemin de terre battue conduit de la route à la crête d'une colline boisée sur laquelle se dresse le séminaire du Sacré-Cœur de l'ordre sacré des frères de Saint-Colomban, derrière une haute muraille.

Dary Larkin franchit le redoutable portail avec sept autres petits novices. Pour la plupart, leurs joues roses et leurs mains soignées montraient avec quelle vénération leurs mères avaient veillé sur eux. Certains arrivaient avec enthousiasme, comme Dary. D'autres cédaient à regret aux injonctions d'une famille trop nombreuse. Quelques-uns n'étaient pas destinés à rester longtemps au séminaire. Ceux qui se montreraient capables de poursuivre le voyage y passeraient douze années avant d'accéder à la prêtrise.

Dary se départit de tout ce qu'il possédait, sauf son

chapelet. On lui assigna une cellule de deux mètres sur trois, dans le bâtiment qui hébergeait une vingtaine d'autres nouveaux venus. Il devait passer quatre ans dans cette pièce parcimonieusement meublée d'un bat-flanc, une paillasse, une chaise et une table de bois brut. La fenêtre exiguë, percée très haut, l'éclairait à peine. Au mur : un crucifix et une image délavée du Sacré-Cœur.

Le premier jour on présenta les nouveaux à leurs futurs maîtres : des Frères de la doctrine chrétienne. Puis une voix sévère leur enjoignit de s'agenouiller à l'arrivée d'un vieux Monsignor à cheveux blancs qui leur débita d'un ton monotone, dénué de conviction, ce que l'Eglise attendait d'eux. Pas un instant il ne regarda les visages exprimant l'émerveillement ou la terreur. Il leur parla de pauvreté, chasteté, obéissance, avec la même indifférence. Il énonça les règles essentielles gouvernant la vie quotidienne au séminaire, le programme de leur journée, et les invita à la piété.

La machine du séminaire tournait en silence. A peine murmurait-on un ordre de temps en temps. Prêtres et élèves se saluaient d'un hochement de tête. Ces gestes muets donnaient parfois à Dary l'impression de flotter.

On récitait le chapelet à haute voix, avec ferveur. Le menu des repas variait avec les saisons, la nourriture était toujours mauvaise. Les heures d'instruction alternaient avec les épreuves d'endurance et d'humilité. Chacun poursuivait sa quête de Dieu en priant dans un état de prostration, les pieds nus, ou en accomplissant des tâches répugnantes telles que le nettoyage des pots de chambre.

Effarés et esseulés, quelques-uns des nouveaux pleuraient de temps en temps en cachette. Frère Dary semblait parfaitement à l'aise. Dès les premiers jours ses

132

maîtres repérèrent en lui un sujet d'élite préparé au séminaire depuis sa petite enfance.

Myles McCracken et Conor étaient devenus des amis intimes. Myles apprenait le métier de forgeron avec ardeur. Arrivé à vingt-trois ans il avait cessé d'espérer une occasion pareille.

Conor, Mick McGrath et Cooey Quinn l'initièrent au football gaélique. Il y fit des progrès rapides. Sa vigueur et son adresse lui assurèrent une place dans l'équipe du Bogside. Il plongea aussi dans l'étude de ses racines irlandaises en fréquentant les réunions de la Ligue gaélique.

Une seule chose inquiétait Conor : les filles qui tournaient autour de son copain. Myles gagnait sa vie, ce qui en faisait un des rares partis intéressants du Bogside. Aussi beau garçon que Conor, presque aussi vigoureux, il chantait encore mieux la ballade et son sourire aurait arraché un ver de terre au bec d'une mère moineau. Ayant passé sa vie jusqu'alors dans la misère la plus complète et dédaigné de tous, l'attention qu'on lui prêtait lui tournait la tête.

Mais ne nous y trompons pas. C'était un garçon honnête, décidé à rester fidèle à Brigide, à apprendre son métier et retourner au Village avec assez d'argent pour exiger ce qu'il n'aurait pas osé mendier auparavant. Son avenir était tout tracé. Retourner voir Brigide de temps en temps... non. Il ne parvenait pas à s'y résoudre parce qu'une nouvelle séparation réveillerait leur chagrin à tous les deux. Mais quand il serait riche !...

Au début, Myles coucha sur une paillasse, dans un coin de la forge. Puis il monta au grenier, avec Conor. L'argent dont il ne s'était pas servi était passé au suivant de ses frères, si bien qu'il ne restait plus que trois McCracken à Ballyutogue. L'aîné hériterait de la rocaille, les autres enverraient de l'argent pour permettre aux deux derniers d'émigrer. Myles épargnait une bonne part de son salaire dans ce but. Pourtant il sentait souvent quelques pièces de bronze tinter dans sa poche et au début il s'en étonna. Dès que Conor lui accorda une augmentation il loua une chambre : la première de sa vie.

Conor s'inquiéta. Certes, Myles répétait qu'il n'avait pas changé d'intentions envers Brigide, mais il n'était pas assez adroit pour tenir les filles à l'écart.

— Ecoute-moi bien, Myles, lui dit Conor. On sème des pièges sous tes pas. Attention à ta braguette, si tu ne veux pas finir comme tous les miséreux du Bogside.

— Allons donc ! Je ne pense qu'à Brigide.

— Dans ton cœur, mon garçon. Mais la trique n'a ni cœur ni conscience et j'ai entendu dire que tu as beaucoup de succès.

— Rien de sérieux, mon vieux. Je m'amuse un peu, c'est tout.

— Tous les pauvres caves disent ça avant de se faire passer la corde au cou.

— Ça ne m'arrivera pas, sois-en sûr.

Myles était sincère mais il se laissait aller. En échappant, dans la grande ville, à la surveillance du Village et encore plus à la misère, il résistait mal aux tentations.

Quelque temps plus tard Conor revint à la charge.

— Si tu tiens à écrire un mot, mon ami Pierrot, ne trempe pas ta plume dans un encrier catholique. Nos filles ne sont d'ailleurs pas de si bonnes affaires, avec tous leurs Je-vous-salue-Marie, leurs pleurnicheries et leurs remords. En outre, elles ne pensent qu'au mariage.

Cette fois encore Myles chercha à le rassurer mais en prenant l'affaire à la légère.

— Je connais de chouettes petites protestantes à Claudy et à Dungiven, insista Conor. Elles te donneront tout ce que tu voudras sans y mettre de conditions. Mais surtout ne grimpe pas des catholiques.

En dépit des ses bonnes intentions et des conseils de son ami, Myles n'avait d'yeux que pour les filles du quartier. Enfin son regard se fixa sur Maud Tully. Une quinzaine de mois auparavant on avait cancanné sur Maud et Conor. Elle lui plaisait en particulier comme cavalière pour assister à un spectacle ou à quelque autre manifestation culturelle. Mais il avait rompu dès qu'elle avait présenté trop énergiquement ses exigences. En outre il préférait Gillian Peabody.

Gamine maigrelette d'une intelligence vive et amusante, Maud Tully avait dix-neuf ans et travaillait à la fabrique de chemises Witherspoon & McNab depuis l'âge de dix ans. Trois de ses onze frères et sœurs étaient morts en bas âge. Aucun de ses cinq frères n'avait d'emploi régulier. En trente ans son père n'avait travaillé que pendant de brèves périodes, ne totalisant que quelques mois. Ses fils émigrant l'un après l'autre, Henry Tully glissait gentiment vers l'ivrognerie. Ridé, édenté, il semblait avoir vingt ans de plus que son âge ; une légère taie d'alcoolisme voilait son regard. La mère et deux sœurs de Maud travaillaient à la chemiserie comme assembleuses pour une moyenne de quatre deniers par heure.

Furieusement résolue à échapper au destin du Bogside, Maud entrevit une première lueur d'espoir dans la

Ligue gaélique et se laissa prendre au leurre de la culture irlandaise. Elle apprit avec passion à lire, à écrire, étudia la vieille langue du pays et se bourra la tête d'idées politiques, poétiques, nationalistes, qui l'amenaient à confondre les droits et les désirs de l'homme.

Il n'y avait pas de filles de ce genre à Ballyutogue. Elle ne pouvait manquer de fasciner un gars comme Myles McCracken. Le dimanche, lorsqu'ils se promenaient ensemble, le long du fleuve, à la campagne, elle se mettait souvent à chanter sans raison apparente. Ils s'asseyaient sous un arbre, elle lui faisait la lecture. Ils parlaient de choses auxquelles, à Ballyutogue, ne pensaient que des gars aussi intelligents que Conor Larkin et Seamus O'Neill. Myles se serait bien gardé de comparer Maud à sa bien-aimée Brigide. Toutefois, la différence entre elles s'imposait à son esprit : ses rendez-vous près du vieux donjon normand le plongeaient toujours dans un état de torpeur morose, alors qu'avec Maud, il riait.

Il faisait si chaud en ce mois d'août que le soleil arrachait de la poussière aux pierres des murailles de Derry. Nu jusqu'à la ceinture, couvert de sueur, Conor travaillait aux esquisses d'un énorme lustre destiné à l'église de Buncrana.

Soudain Myles apparut sur le seuil du bureau. Il était tellement livide que Conor le crut malade. Il haleta et grogna.

— Qu'est-ce qui te prend ? lui demanda Conor.

Myles se frotta les mains. De grosses larmes coulèrent sur son visage crispé.

— C'est Maud Tully, bafouilla-t-il. Elle est enceinte.

Le poing de Conor l'atteignit si brutalement à la

bouche qu'il tituba, à reculons, et tomba sur une enclume. Il y resta hébété, la tête vide. Conor le rejoignit. Myles osa à peine lever les yeux vers lui, passa le revers de sa main sur sa bouche et tira le pan de sa chemise hors de son pantalon pour en essuyer le sang.

Conor desserra les poings, retourna à sa table de travail, se laissa tomber sur sa chaise et se couvrit la figure à deux mains.

Myles se mit à quatre pattes, se releva péniblement et se dirigea vers la porte ouvrant sur la rue. Blême un instant plus tôt, son visage devenait violacé.

— Ne t'en va pas ! lui cria Conor.

Myles se retourna. Il vacilla, incapable de parler. Les deux amis se regardèrent en silence. Enfin Conor dit à voix basse :

— Excuse-moi.

— Il n'y a pas de quoi. Tu avais le droit de me tuer.

— Non, Myles. Je n'ai aucun droit.

— Tu ne sais pas combien je me dégoûte moi-même en pensant à tout ce que tu as fait pour moi, Conor, par amour pour ta sœur.

— Tais-toi donc ! Tous ceux qui essaient de diriger nos existences nous massacrent. Rien ne me permet de gouverner la tienne.

Conor sortit de son bureau et posa la main sur l'épaule de son ami qui eut encore plus honte.

— Tu me détestes ? demanda Myles.

— Non, répondit Conor. Est-ce que tu aimes Maud ?

— Oui, je l'aime. Je ne sais pas quand ça m'est venu mais je l'aime.

— Alors pas de temps à perdre. Allons voir le père Pat.

Bien d'autres filles du Bogside s'étaient mariées enceintes. Le mariage atténuait leur honte. Après la cérémonie religieuse on fêta l'événement au Celtic Hall dans une ambiance exceptionnelle de joie et d'espérance parce que, s'il arrivait jamais qu'une fille échappe au Bogside, ce serait sûrement celle-là.

Conor calculait que Myles devrait encore apprendre son métier pendant deux ans pour être capable de s'établir à son compte. Alors il aurait le choix entre deux solutions : émigrer, car un bon forgeron trouve toujours à gagner sa vie n'importe où au monde ; ou bien succéder à quelque vieux forgeron de la région. Maud préférait rester en Irlande, mais la première solution ne lui répugnait pas trop. Ce qui lui importait surtout, c'était de maintenir son mari debout. Bien des filles en avaient fait le serment le jour de leur mariage. Quiconque connaissait Maud savait qu'elle réussirait là où les autres avaient échoué.

Myles quitta sa chambre et s'installa dans le taudis de sa belle-famille pour économiser le foyer. Il y avait toujours trop de monde autour des jeunes mariés qui durent se contenter d'un lit au fond de la cuisine. Pour protéger leur intimité la nuit, ils accrochaient une couverture au plafond. Maud continuerait à travailler à la manufacture jusqu'à la naissance de son enfant. Et Myles et elle épargneraient tant qu'ils pourraient.

Auprès de sa petite bonne femme, Myles oublia les terreurs que lui avaient inspirées le mariage. Il jura de se rendre digne d'elle en travaillant de plus longues heures à la forge, en se privant de toutes les menues fantaisies qu'il s'était permises jusqu'alors. Il s'émerveillait de son bonheur. Deux années passeraient vite et ensuite ils auraient du soleil jusqu'à la fin de leurs jours.

## 13

Chaque mardi Conor quittait Derry à cheval avant le lever du jour pour arriver à sa forge et à son échafaudage de la Salle Longue avant le réveil du manoir. Dame Caroline s'intéressait passionnément à son travail. Son secrétaire avait ordre de refuser tout rendez-vous ce jour-là. Aussitôt après son petit déjeuner, elle allait à la Salle Longue et étudiait avec Conor le programme de la journée. Elle revenait le soir prendre un thé léger en sa compagnie pour se rendre compte des progrès réalisés.

Après avoir construit son échafaudage, Conor effaça deux siècles de poussière, de rouille et de suie en utilisant des acides, de la paille de fer et de la toile émeri. Ainsi perça-t-il, un à un, les secrets de Tijou. Le maître avait forgé sa grille en plusieurs morceaux qu'il avait rivés les uns aux autres et brasés de place en place. Ensuite il avait dissimulé chaque soudure et chaque rivet de telle sorte que seul un maître de sa classe pouvait les repérer.

La grille n'avait pas souffert que du temps et de la négligence. Bombes, incendies, effondrement du toit l'avaient tordue et affaiblie. De pouce en pouce, Conor devait décider ce qu'il fallait supprimer, redresser, remplacer, comment il pouvait utiliser telle feuille, rouleau au filigrane d'une partie trop endommagée pour sauver une section récupérable.

Les semaines se succédant, le chef-d'œuvre de Tijou recouvra un certain rayonnement. Travailler dans ce manoir exaspérait quelque peu Conor, alors que Caroline comprenait combien ce forgeron de village épris de culture était un cas exceptionnel. Il s'efforçait d'oublier la haine invétérée de génération en génération. En qualité d'œuvre d'art, la grille exigeait tout son talent. En outre, il savait qu'il n'aurait plus jamais l'occasion d'exécuter un travail de ce genre, pas même d'approcher une œuvre aussi extraordinaire et sa tâche l'obsédait.

Conor se tenait à l'écart des activités régnant au manoir et feignait de ne pas remarquer les avances des nombreuses servantes. Par beau temps, il déjeunait seul sous un arbre, sur la pelouse, et quand il pleuvait il restait dans la Salle Longue.

Il ne se lia d'amitié qu'avec Jeremy, le vicomte Coleraine, qui se souciait beaucoup plus de grimper aux arbres et cracher plus loin que les autres que de son titre. Il arrivait souvent sous « l'arbre de Conor » avec une douzaine de petits camarades, un ballon à la main, pour supplier le forgeron de jouer avec eux un moment. Par mauvais temps, il traînaillait dans la Salle Longue, privilège refusé dans la journée à tout le monde, même à Dame Caroline. Il se rendait utile en passant les outils et au bout de quelque temps il frappa sur l'enclume comme un apprenti diligent.

Les préjugés de Larkin contre les Hubble se diluant, il s'avoua à lui-même que l'attitude chaleureuse de Lady Caroline envers ses enfants et son mari lui plaisait. Tous les grands manoirs flottent sur un océan de cancans. Conor surprit donc sans le vouloir des ricanements au sujet de l'opiniâtreté avec laquelle la comtesse tenait tête à son mari et à son père pour élever ses deux fils en Ulster au lieu de les envoyer faire leurs études en Angleterre.

Conor avait plus que la grille en tête. Ça l'agaçait au point de le distraire dans son travail, de rabrouer Jeremy et même de le chasser. Son exaspération s'aggravant, il se tint encore plus à distance de la famille Hubble.

Caroline s'en aperçut et en fut agacée elle aussi. Jeremy admirait trop Conor pour se laisser évincer. Un mardi où Caroline se trouvait dans son boudoir, peu après le déjeuner, elle vit par la fenêtre Conor en train de lire sous un arbre. Et voilà qu'à ce moment Jeremy s'approchait, son ballon de football à la main.

— Je n'ai pas le temps aujourd'hui, dit durement Conor.

— Un petit moment seulement, Conor, s'il vous plaît.

Conor se leva, de mauvaise humeur, saisit le ballon et shoota de toutes ses forces.

— Cours après, perds-toi et ne reviens plus, dit-il.

Jeremy le regarda d'un air ahuri, éclata en sanglots et partit à la poursuite du ballon. Dégoûté de lui-même, Conor retourna à la Salle Longue.

Cette scène indigna Dame Caroline. Devait-elle en parler au forgeron ou feindre de n'avoir rien vu ? Aborder cette question serait attacher trop d'importance à ce travailleur à gages. Mais Larkin jouissait, en qualité d'artiste, d'un statut particulier au manoir... Elle hésitait encore lorsqu'elle avisa le livre abandonné par Conor au pied de l'arbre. Elle décida de le lui rapporter et d'agir ensuite selon l'inspiration du moment. Mais lorsqu'elle eut le volume entre ses mains, la curiosité l'emporta. Elle eut envie de savoir ce que cet homme lisait, en espérant découvrir ainsi ce qu'il pensait.

Caroline remonta donc à son boudoir, s'allongea sur un divan et fronça les sourcils, intriguée par le titre : *Kalevala* d'Elias Lönnrot. Ce poème épique finlandais ressemblait aux légendes populaires celtiques. Quelques feuilles volantes tombèrent du livre. Elle vit des dessins qui représentaient selon toute évidence des fractions de la grille. Sur d'autres feuilles, Conor avait écrit de courts poèmes. Etonnée par sa propre indiscrétion, Caroline les lut.

LA DAMNATION
PLEUVAIT DES EVEQUES
LE PARLEMENT REGRETTAIT
TENTATION
TROIS FOIS ON VOULUT LE TUER
DES LEVRES VENALES BAVAIENT UNE MORALE
[ INSANE
EXIGEANT LE SACRIFICE

PARNELL EST MORT
PARNELL EST MORT
L'AME D'ERIN EST DANS SA TOMBE

*J'abhorre l'ordure sous les murs de Derry.*
*Je fuirai cette soue du Bogside.*
*Mais, parti ainsi, trouverai-je la paix,*
*Putain d'émigrant sur une rive étrangère?*
*Là-bas, plus jamais les murs*
*De Derry ne blesseraient ma vue.*
*Où est le but? Est-ce là-bas?*
*Ou rester clochard dans mon pays épuisé?*

Ni fêtes, ni beuveries, ni foires
N'égaleront la joie de récolter des algues.
Le sel de la mer sur la bouche
On est aussi libre que la mouette
La poitrine des filles aux vêtements trempés
S'épanouit comme la fleur en plein été.

PERE LYNCH
INCLINE-TOI, AGENOUILLE-TOI, PROSTERNE-TOI,
ACTE DE CONTRITION
TREMBLE DE SOUMISSION
REMORDS, PEUR, PENITENCE,
L'AVEUGLE SUIT LE SENTIER
DE L'ESPRIT VIDE

CONFESSION, REPENTIR, ABSOLUTION
LA VIE EST SAIGNEE
LE MORT EST EN PAIX

*A pied vers Derry*

*Masures en ruine,*
*Murs de famine,*
*Bouches verdies par l'herbe*
*Sommes-nous chevaux ou vaches?*

*Ventres enflés*
*Salles de fiévreux,*
*Bateaux de la mort aux cales puantes*
*Emporte-t-on des chevaux ou des vaches?*

*Cadavres entassés*
*Sur le bûcher communal,*
*Dieu protège notre noble reine!*

Il y en avait d'autres, du même genre. Caroline
parcourut un long poème inachevé à la gloire du père ;
des réflexions peu intelligibles sur la fièvre du football,
sur un certain Seamus O'Neill et sur un instituteur de
derrière les haies.

En refermant le livre, Dame Caroline était pâle. Elle redescendit vivement à la pelouse. Conor était sous l'arbre et cherchait son livre. Elle le lui tendit en disant :

— J'ai honte de mon indiscrétion.

— Vous auriez tort, répondit Conor en souriant. Je ne suis qu'un mauvais poète, comme il y en a tant en Irlande.

— Monsieur Larkin, voulez-vous me dire tout de suite s'il vous déplaît de travailler ici ?

Conor considéra ses mains noircies par le travail à la forge, comme les poumons d'un mineur.

— Vous me plaisez, personnellement, madame, dit-il au lieu de répondre à la question. Quant à Lord Hubble, il me traite convenablement et j'aime beaucoup vos deux petits garçons.

— Vous éludez la réponse avec une adresse consommée, dit-elle.

— Oui, parce que j'éprouve des sentiments contradictoires.

— Terminerez-vous la grille ?

— Je me suis engagé.

— Mais vous n'en avez plus envie.

— Si. J'y tiens pour deux raisons, dit-il. Abandonner une œuvre d'art comme celle-là serait un crime. Je suis assez vaniteux pour croire que vous ne trouverez pas un ferronnier aussi capable que moi.

— J'en suis convaincue. Et votre seconde raison ?

— Ce travail terminé, nous ne nous reverrons probablement jamais. Ou bien, ce serait dans des circonstances moins agréables. Nous avons entretenu des relations exceptionnelles et charmantes. J'aimerais que Jeremy et vous conserviez un bon souvenir de moi. Je me demande pourquoi j'y attache tant d'importance tout à coup, mais c'est ainsi.

— Je suis touchée et je vous remercie.

La remise en état de la grille touchant à sa fin, Caroline Hubble envisagea vaguement d'offrir une autre tâche à Larkin pour qu'il revienne au manoir. Mais elle s'en abstint. Tout s'était bien passé jusqu'alors, à quoi bon chercher des complications ?

Enfin un mardi, Conor acheva sa tâche et prit congé.

Roger et Caroline s'aimaient passionnément, ce qui n'interdisait, ni à l'un ni à l'autre, d'admirer, aimer et même désirer physiquement d'autres partenaires. Rares sont les ménages aussi unis. Etant donné qu'ils s'accordaient réciproquement une telle liberté, et se confiaient franchement leurs fantaisies, ils n'avaient jamais été obligés d'agir à l'insu l'un de l'autre. Roger ne tarda pas à deviner que sa femme s'intéressait sans doute de bien des manières au forgeron Larkin. Elle avait toujours eu un faible pour les costauds ruisselants de sueur et Larkin ne pouvait manquer de l'attirer. Dans un tel cas, elle aurait dû comme d'habitude se confier à lui et ils auraient échangé des propos grivois sur cette aventure. Or, Caroline ne parlait jamais de cet homme et cela agaçait Roger, comme si elle le trompait pour la première fois en gardant le secret sur cette fantaisie exceptionnelle. Toutefois, étant donné leur largeur d'esprit à tous les deux, le mari aurait eu honte de jouer les taureaux furieux. Il n'en fut pas moins soulagé lorsque le forgeron s'en alla, tâche achevée.

Le soir de ce mardi-là, Roger descendit à la salle à manger, inquiet.

— Tu devrais aller voir Jeremy, dit-il à sa femme. Il pleure tout seul dans sa chambre.

Ils prirent leur repas en silence et firent leur partie de billard habituelle sans rien dire. Enfin Roger s'exclama :

— On se croirait à une veillée funèbre ici ! Est-ce que le Larkin a séduit toutes les servantes ?

— Je serais la dernière informée.

— Le connais-tu vraiment, cet homme ?

— Non, il tenait ses distances.

— Eh bien, il laisse une plus forte impression sur Jeremy.

— Le ballon, le rugby, ces choses-là...

En passant de la craie sur la pointe de sa queue de billard, Roger se demanda s'il pouvait se permettre d'interroger sa femme.

— Est-ce qu'il t'a vraiment plu ?

— Ma foi, oui.

— Tu aurais pu m'en parler.

— Je le trouvais à la fois trop attrayant et trop distant. C'est un homme vigoureux et intelligent. J'ai l'impression que nous entendrons encore parler de lui. Pas de lui seul, mais de tous ces gens-là. Il m'a donné l'occasion de plonger le regard chez nos ennemis. Eh bien, mon cher, penser que tout le pays autour de nous est peuplé de gens comme lui n'a rien de rassurant.

— D'accord, dit Roger. Mon père a grogné quelque chose à ce sujet sur son lit de mort. Tant que le général Swan veillera sur la boutique, tout ira bien jusqu'à la fin de nos jours.

— Et nos enfants ?

Roger éclata de rire pour écarter cette question trop grave. Il embrassa sa femme et lui dit :

— La grille est absolument admirable. Voilà une

question réglée une fois pour toutes et je m'en réjouis.

Au bout de six mois Dary eut la permission de sortir avec son frère aîné le dimanche après la messe. Ils allèrent au delà du pont sur le Burntollet jusqu'à une cascade au milieu des bois appelée le Saut de Shane en l'honneur d'un légendaire Robin des Bois de la région qui se serait jadis échappé en la franchissant d'un bond.

Dary et Conor prirent un repas froid sur l'herbe. Les oiseaux gazouillaient et les écureuils roux gambadaient autour d'eux. Avant peu ils s'approchèrent pour quêter des miettes. Conor eut les larmes aux yeux en voyant ces petites bêtes picorer dans la main de son frère. Dary lui avait toujours inspiré de la pitié. Il admirait sa grâce, certes, mais le trouvait trop délicat pour supporter les duretés et les chagrins de la vie. Pourtant il était assis là, dans l'herbe, sûr de lui, le visage rayonnant d'une paix intérieure.

De son côté Dary sentait que quelque chose bouillonnait en Conor comme sous un volcan à la veille d'une éruption. Il avait lu les derniers poèmes dans lesquels Conor exprimait ses angoisses et depuis lors tous ses propos dénotaient une espèce de rage contenue. Conor en vint à un de ses sujets habituels lorsqu'il était avec son frère : des piques contre l'état sacerdotal et des regrets de le savoir enfermé dans un séminaire.

— Mais je suis heureux, lui dit Dary. Il n'y a pas de cadenas au portail du séminaire. Pourquoi faut-il donc que dans toutes les familles on considère comme une tragédie la vocation religieuse ?

Conor ne répondit pas mais pensa : « Tu as peut-être raison, si tu deviens un prêtre dans le genre de Pat McShane ; pourtant j'ai remarqué parfois une expression de chagrin dans les yeux du père Pat et même, pendant des instants fugaces, briller des lueurs de désirs humains. Tu souffriras, toi aussi et tu auras faim de ce qui est interdit aux prêtres. »

Comme s'il suivait les pensées de son frère, Dary lui dit :

— La chasteté n'est sûrement pas facile à supporter. Nous luttons tous contre la tentation. Je ne serai pas le premier.

— Tu es trop intelligent pour ton âge, rétorqua Conor, agacé.

— Toi, tu n'es pas dans ton assiette. Quelque chose te ronge. Dis-moi de quoi il s'agit.

Libéré du vœu de silence qu'il s'était imposé lui-même, Conor répondit nonchalamment :

— Je ne sais pas, Dary... c'est peut-être la maudite grille du manoir. J'ai accompli ce travail dans des circonstances bizarres. J'ai donné tout mon cœur à une œuvre d'art qui pour moi est un affreux symbole d'injustice. Les deux gosses me plaisaient et leur mère aussi... Oui. Peut-être plus que je ne me l'avouais. Je vivais là-bas comme dans un rêve. J'avais hâte de voir arriver le mardi. Je m'ennuyais pendant le reste de la semaine et j'en suis dégoûté de moi-même.

— Tu as attisé des feux que tu aurais dû laisser s'éteindre. Tu refuses d'admettre les qualités de gens pour qui tu éprouves une haine innée. Tu les aimais malgré toi. Tu ne voulais voir que le mal en eux pour justifier ton exécration.

— Tu me fais peur, petit salaud. Comment peux-tu deviner ainsi ce qui se passe chez ton prochain ?

— Tu es mon frère, Conor. En réalité ce ne sont ni les Hubble ni la grille qui te tenaillent.

148

— Ah, tu feras un bon curé, toi, il n'y a pas de doute !
dit Conor, désarmé par la perspicacité de son frère.

— Alors, de quoi souffres-tu ?

— Si tu veux le savoir, petit Dary, viens te promener
avec moi au Bogside. Regarde les yeux des petits mou-
flets rabougris : des vieillards de dix ou onze ans. Tu
verras aussi l'air morne de leurs papas, des jeunes gens
vigoureux adossés à un mur, sous la pluie froide, les
mains profondément enfoncées dans leurs poches, en
train de gâcher une journée après une autre et une autre
encore, jusqu'à ce qu'ils tombent dans le panneau de
l'émigration. Il y a aussi les foules d'ouvrières qui
rentrent chez elles à pas lents, après le travail, trop
lasses pour chanter, pour aimer, pour connaître d'autres
joies que de manger jusqu'à ce qu'elles arrivent à
l'épuisement complet. La puanteur des ruisseaux, les
querelles, les bagarres de famille, les cris déchirants de
ceux que la frustration précipite les uns contre les autres
comme des bêtes. Voilà, Dary. Et là-haut, à Hubble
Manor, on veille à ce que les singes d'Irlande restent
inaptes à tout, sauf décrotter leurs égouts. J'ai trahi
Conor Larkin. Voilà ce que j'ai fait. La graisse épaissit
autour de ma tripe parce que je gagne trop d'argent
pour acheter trop de chopes. Je suis tellement content de
moi que je ne peux plus supporter leurs sanglots. En
réalité je ne les entends plus parce que je ne veux plus
les entendre. J'aspire à la paix et je n'y ai pas droit.
Sais-tu pourquoi ? Parce qu'une malédiction pèse sur les
Larkin. Elle remonte au delà de Ronan, puis elle a
frappé Kilty et Tomas. Mon tour est venu. Qu'est-ce que
nous sommes, nous, Irlandais, Une plaie ? des lépreux ?
Cesserons-nous un jour de pleurer ?

L'angélus tinta, mettant fin à la permission de Dary

qui jeta les dernières miettes aux petits mendiants. Ils retournèrent au pont, gravirent le sentier menant au séminaire et restèrent un moment devant le portail, sachant qu'ils ne se reverraient pas de longtemps.

— Ça ne servira probablement à rien, dit Conor, mais de temps en temps pense à moi dans tes prières.

— Je n'y ai jamais manqué.

— Je le sais, trognon. Tu marchais à peine que tu priais déjà sans en rien dire, mais je te voyais. Qu'est-ce que tu demandes au ciel pour moi, petit Dary ?

— Qu'est-ce que ça peut te faire ?

— Dis-moi. J'ai besoin de le savoir.

— Je prie pour qu'un fusil anglais ne tue pas mon frère Conor.

**14**

La maison s'éveillait à 4 heures et demie du matin. Pourtant rien n'indiquait l'heure. La baraque d'une seule chambre à coucher construite au XVIIIe siècle, rue du Moineau, était moins bondée car il n'y restait plus que deux filles sur les huit enfants Tully. Henry et sa femme Bessie dormaient dans la chambre à coucher. Peg, l'aînée, son mari et leurs quatre enfants campaient dans la salle commune.

Le droit de s'isoler au fond de la cuisine imposait à Maud et à Myles de se lever les premiers. Ils passaient la nuit enlacés jusqu'au dernier instant, seuls avec le bébé qui se démenait comme un furieux à la fin du septième mois. Maud s'asseyait sur la paillasse. L'énormité de son ventre faisait paraître encore plus menus ses bras et ses seins. Ils s'habillaient sans bruit avec l'habileté de ceux qui sont habitués à vivre tassés les uns contre les autres et à s'éveiller en pleine nuit.

Myles roulait la literie et la cachait sous l'escalier, cependant que Maud précédait le cortège de ceux qui se succéderaient aux cabinets et à la pompe dans le froid qui précède l'aube.

Bessie, Peg et sa fille Deirdre, qui avait commencé à travailler à la fabrique de chemises, déjeunaient d'un hachis de porc et de pommes de terre bouillies. Elles prenaient ce repas, les yeux rougis par le sommeil, dans un état de stupeur, bercées par les ronflements d'Henri Tully, encore ivre depuis la veille. Le mari de Peg restait au lit comme son beau-père, avec les trois plus jeunes enfants, tassés sur un seul matelas.

Le premier service terminé, Maud et Myles s'installaient à table. Deux fois par semaine ils s'offraient le luxe de partager un œuf. Puis elle rangeait dans son cabas son repas de midi : une saucisse, une pomme de terre, une pomme, du thé. Elle allumait sa lanterne et sortait en pleine nuit. Son haleine faisait une petite bouffée de brouillard devant son visage. Myles conduisait toujours sa femme à la manufacture, bien que la forge ouvrît près de deux heures plus tard. Il passait le temps à travailler tout seul s'il restait de l'ouvrage en retard, ou bien dans le bureau de Conor, à étudier le gaélique ou consulter un des nombreux ouvrages de ferronnerie que collectionnait son patron.

Des lanternes brillaient d'un bout à l'autre de la rue. La procession funèbre des femmes s'en allait chez Witherspoon & McNab, d'autres manufactures ou filatures pour la sirène de 6 heures. Deirdre venait d'avoir onze ans et elle participait à ce lamentable défilé, comme des centaines d'autres mômes du Bogside dont l'enfance s'engouffrait dans la gueule noire des bagnes de Londonderry.

Myles prit sa femme par la taille, pour la protéger du froid. Cette journée serait particulièrement pénible parce que l'usine n'était pas chauffée, sauf au deuxième étage où se trouvaient les presses à repasser. Elle en travaillait trop loin pour bénéficier de leur chaleur. L'hiver ajoutait à la cruauté du Bogside parce que Maud ne voyait la lumière du jour que le dimanche : elle allait au travail et en revenait en pleine nuit, comme les mineurs des régions polaires.

Sa grossesse l'épuisait, mais elle refusait de capituler. L'été viendrait comme tous les ans et elle reverrait le soleil. Une année et demie s'écoulerait vite et elle quitterait le Bogside avec Myles, pour toujours. Ils s'arrêtèrent de l'autre côté de la rue et regardèrent la manufacture avaler son fourrage humain. On alluma des rampes de becs papillon à l'intérieur. De vagues lueurs transparurent à travers les vitres jamais nettoyées et répandirent des traînées jaunâtres dans la rue.

— Je déteste cette boîte qui me prive de toi et qui t'épuise, dit Myles. J'userai mes mains jusqu'aux os pour te rendre tout ça.

— Parfois j'ai honte de tant vouloir quitter Derry et de me servir de toi pour ça.

— Allons donc, c'est ta grossesse qui te rend morose. Ça passera, Maud, comme un mauvais rêve. Ce soir nous allons à une conférence du père Pat et dimanche nous prendrons le train pour Convoy, après la messe. Nous verrons la forge à vendre.

— Tu crois que ce forgeron attendra que tu sois prêt ?

— Il l'a promis. Et s'il ne tient pas parole, qu'importe, il y en aura d'autres.

Elle s'écarta d'un pas pour entrer à la manufacture. Il la saisit par les épaules.

— En vingt-trois ans d'existence je n'ai jamais possédé rien d'autre que ton amour, Maudie. Sans toi, je ne suis rien ; avec toi, je suis tout.

— Tais-toi, petit coquin ! dit-elle en lui pinçant la joue. Je ne suis pas tellement malheureuse là-haut parce que je pense à toi toute la journée.

En passant auprès d'eux, les filles ricanaient de les voir s'étreindre et s'embrasser presque tous les matins. On aurait cru à la naissance d'un nouvel amour alors que Maud en était presque à son huitième mois de grossesse. Voir sa femme disparaître dans cette caverne obscure faisait horreur à Myles. Il s'éloigna vivement dans l'ombre qui l'avala. Deirdre rattrapa sa tante au pied de l'escalier. Maud leva la tête vers le cinquième étage et soupira :

— Viens, mignonne, il faut donner notre livre de chair à Sa Seigneurie.

Elle grimpait de plus en plus lentement et péniblement.

Les anciens du Conseil des corporations de Londonderry se demandèrent si Angus Witherspoon et Simon McNab avaient toute leur tête lorsque ces deux messieurs révélèrent leur projet de bâtir une manufacture de chemises Abercorn Road. C'était en 1870. L'affaire démarra bien et ces deux Ecossais firent rapidement fortune. Jusqu'alors la fabrication des chemises se répartissait en petits ateliers d'artisans et travailleurs à domicile. Nombre de paysannes s'y adonnaient à la veillée. Whiterspoon & McNab centralisèrent le travail de la coupe à la finition. Jusqu'à ce que fût votée une législation réglementant le travail dans les usines, nos astucieux Ecossais recoururent à la main-d'œuvre la moins coûteuse fournie par les orphelinats, les maisons de travail, les prisons et les institutions de redressement. En ce temps-là, le lin était le textile le plus apprécié. La guerre de Sécession avait privé l'Europe du coton américain et le lin était roi.

L'idée de rassembler dans un grand bâtiment moderne conçu pour la production en série, tous les petits éléments jusqu'alors dispersés à la campagne et les faubourgs, avait quelque chose de stupéfiant. Le bâtiment lui-même étonna encore plus : monolithe de six étages pointant dans le ciel de Londonderry, c'était le plus gigantesque exploit architectural réalisé dans cette partie de l'Ulster en 1873. La réussite de la construction était fondée sur le recours à des piliers creux en fer. Chacun des six étages était destiné à une phase déterminée de la fabrication des chemises. Whiterspoon & McNab anticipaient sur le travail à la chaîne.

Les bureaux de la société se trouvaient au rez-de-chaussée, Abercorn Road. Au delà et à gauche, s'étendaient les magasins où l'on accueillait les livraisons de tissus. Du côté droit, les chemises terminées étaient présentées aux acheteurs éventuels. Camions traînés par des chevaux, voitures de livraison se succédaient donc dans la ruelle, derrière la manufacture.

Les rouleaux de lin blanc ou teints de diverses couleurs gagnaient le sixième étage par un monte-charge à poulies manœuvré à la main, sur la gauche du bâtiment.

L'étage le plus élevé étant le mieux éclairé, c'est là que se trouvait la salle de coupe. Simon McNab, génie inventif du tandem, avait conçu des tables gigantesques et des ciseaux aux lames de cinquante centimètres, capables de trancher sept épaisseurs de lin. Ces « ciseaux McNab » permettaient donc de couper sept chemises d'un seul coup.

Les coupeurs étaient des hommes parce qu'il fallait une certaine poigne pour atteindre le chiffre fatidique de sept coupes à la fois. L'opération donnait sept paires de manches, plastrons, dos taillés selon les données du patron. Le coupeur les roulait ensemble et les étiquetait en fonction de leur couleur, leur pointure et leur genre.

— Gamine ! criait-il. Gamine des rouleaux !

Des filles de neuf à quatorze ans circulaient constamment des tables de coupe à l'escalier. Elles portaient un rouleau sous chaque bras, soit les éléments de quatorze chemises à coudre. Elles les descendaient par un autre ascenseur aux cinquième, quatrième, troisième étages. A chacun se trouvaient deux cents machines à coudre à pédales et un moins grand nombre d'engins à faire les boutonnières. Débarrassée de ces rouleaux l'apprentie retournait au dernier étage par le monte-charge de gauche en un mouvement circulaire qui ne s'arrêtait pas de la journée.

Les piqueuses, toutes des femmes, repéraient d'abord les étiquettes du rouleau : une par chemise. Elles ajustaient les éléments les uns aux autres à la cadence de trois à cinq par heure et gagnaient un denier par chemise. Ensuite, des ouvrières spécialisées, réparties entre ces trois étages, ourlaient les boutonnières, cousaient les boutons à la main ainsi que les cols. C'était

155

l'élite de l'usine qui touchait un fixe d'une livre et deux shillings par semaine.

Les chemises terminées poursuivaient leur descente jusqu'au deuxième étage : l'enfer du repassage. Vingt-cinq poêles à charbon dispersés dans l'immense salle y faisaient régner une température étouffante. La complication des plis et replis exigeait une main de femme. Les filles qui avaient fait leur apprentissage comme coursières accédaient au grade de repasseuses vers quinze ou seize ans. Cinq jeunes apprentis entretenaient les feux. Il régnait à cet étage une température insupportable aussi bien en hiver qu'en été. Repasseuses et apprentis n'y restaient guère qu'un an ou deux, puis les garçons montaient à la salle de coupe et les filles à une salle de couture lorsqu'une machine était disponible.

Au premier étage, des femmes trop âgées pour pédaler pendant dix heures sur une machine à coudre étiquetaient, conditionnaient et emballaient la marchandise, pour onze shillings par semaine.

C'est ainsi qu'environ trente mille chemises atterrissaient chaque jour sur les quais d'embarquement d'où on les portait à divers entrepôts répartis dans la ville, aux gares, pour livraison dans toutes les agglomérations d'Irlande, ou bien au port d'où elles s'en allaient vers l'Angleterre et le reste du monde.

Quand Simon McNab conçut et fit construire son usine il pensa à tout sauf que les onze cents femmes, trois cents hommes et deux cents enfants qui y travailleraient étaient des êtres humains.

Pendant les premières semaines il suivit pas à pas la production, de bas en haut et de haut en bas, pour perfectionner le système. Mais l'entretien et le nettoyage se limitaient au rez-de-chaussée où travaillaient directeurs, comptables, services de vente, dessinateurs. Pour le reste de l'usine, il espérait que chaque ouvrier et ouvrière veillerait personnellement à la propreté de sa place. C'était impossible. Une crasse visqueuse se répandit sur les planchers, les murs et les piliers, et aveugla les fenêtres.

Les coupeurs étaient les mieux traités parce qu'on nettoyait leurs vitres étant donné que la lumière naturelle activait la production. Partout ailleurs on ne voyait plus depuis longtemps à travers les fenêtres. Il n'y avait qu'un seul cabinet à chaque étage pour quelque deux cents ouvriers et ouvrières. Comme on ne les nettoyait pas, les siphons s'engorgèrent, l'odeur des excréments se répandit jusque dans les ateliers. Hommes et femmes domptaient leurs intestins et leurs vessies pendant des heures plutôt que de risquer l'asphyxie aux cabinets.

McNab ne se soucia guère de contrôler l'arrivée de la matière première, si bien que des rouleaux de tissu s'amoncelaient sur les escaliers, les paliers, dans les couloirs.

En moins d'un an l'épaisseur de la crasse dans les gonds empêcha d'ouvrir les fenêtres. Toute aération des ateliers devint impossible. Les ouvrières aspiraient poussière et débris à pleins poumons.

Hormis la salle de coupe au dernier étage, les ateliers étaient éclairés par des batteries de becs papillon. Par souci d'économie on n'ouvrait jamais tout à fait les robinets de gaz, si bien qu'on y voyait à peine clair. La direction stimulait une rivalité féroce entre les chefs d'étage qui s'acharnaient à tirer le maximum de leurs subordonnés.

Quelques années suffisaient pour transformer la jeune ouvrière en épave. Dix heures par jour, six jours par semaine à pédaler imposait un effort excessif au corps des femmes. Toutes souffraient de vives douleurs dorsales ou de torticolis. Leur vue baissait impitoyablement. Respirer de la poussière provoquait des quintes de toux. La tuberculose ravageait le Bogside. Les longs hivers sans chauffage provoquaient rhumatismes, arthrite, fluxion des jointures.

L'été, c'était encore pire. La température dépassait quarante-cinq degrés dans la salle de repassage. Les piliers de métal conduisaient cette chaleur aux étages supérieurs. Toute la fabrique était une fournaise.

Les couturières devenaient sourdes en quelques années. Le bruit des machines ne s'arrêtait que vingt-cinq minutes par jour pendant la pause du déjeuner. L'embouteillage des escaliers empêchant de sortir, on mangeait sur place.

Néanmoins, les choses allaient mieux qu'avant l'adoption d'un code du travail, quand la main-d'œuvre était fournie par des administrations publiques : prisons et orphelinats. Les salaires ne dépassaient pas alors six deniers par jour. Les filles qui n'habitaient pas le Bogside couchaient en dortoir dans le bâtiment et n'avaient droit de sortir que le dimanche. Oui, en effet, les choses s'amélioraient.

A partir du deuxième étage, Maud s'accrocha à la main courante et s'arrêta à chaque marche, haletant jusqu'à ce que son cœur s'apaise. Peg la prit par la taille, l'aida à se redresser, puis l'attira à l'écart derrière une pile de rouleaux.

— Ne t'inquiète pas, Peg, tout va bien, souffla Maud.

— Tu vas très mal, au contraire. Tu n'as plus que la peau et les os. C'est ton premier enfant et tu ne devrais pas t'épuiser ainsi. (Peg passa la main sur le front moite de sa sœur.) J'en parle à Myles dès ce soir.

— Non, je te le défends, Peg.

— Mais enfin, ton mari gagne sa vie !

— Nous devons épargner au maximum pour quitter le Bogside.

— Encore faut-il être vivant pour le quitter !

— Ne dis rien à Myles. Je te promets d'arrêter dans deux ou trois semaines.

Maud écarta sa sœur et entra dans l'atelier. Sa vue se brouilla. Deux cents femmes et deux cents machines tourbillonnèrent à la lueur des becs papillon. Elle gagna péniblement sa machine comme elle l'avait déjà fait plus de deux mille fois. Encore quelques jours, une semaine ou deux. Et puis l'enfant naîtrait.

Le contremaître allait et venait entre les travées de machines en répétant les mêmes radotages que chaque matin : le cinquième étage était en retard sur les deux autres depuis une semaine ! Si ces dames ne s'y mettaient pas sérieusement on ferait appel à des plus jeunes.

Maud boutonna son chandail parce qu'il faisait froid, mais dans quelque temps la chaleur monterait du deuxième étage dans les piliers de métal. Travailler près d'une de ces colonnes, c'était la bonne place, en hiver ; mais en été, au contraire, c'était l'enfer. Elle avait coupé l'extrémité de ses gants pour en faire des mitaines, ce qui lui permettait de travailler sur sa machine sans se geler les mains. Un paquet de sept pièces attendait à sa place. Elle arracha la ficelle, enleva les étiquettes et les glissa dans la poche de son tablier. Sept deniers pour sept chemises. Sept deniers pour la liberté, sept deniers pour la forge de Convoy. Le cinquième étage n'était pas le plus mauvais, sauf pour l'ascension. Le froid de l'hiver était compensé par le fait qu'à la canicule la chaleur du second étage n'y parvenait qu'atténuée. Peg était à la machine voisine de celle de Maud et Deirdre trotterait toute la journée de leur étage à l'atelier de coupe.

Pauvre Deirdre ! Dans quelques mois elle ferait son terrible stage d'un an ou deux au repassage. Et puis elle toucherait son denier par chemise en pédalant sur la machine, comme sa mère et ses tantes, Maud et Peg. Quant à la mère de ces dernières, épuisée à quarante-quatre ans, elle travaillait à l'emballage, au premier étage.

Deirdre apparut entre Maud et Peg et donna un rouleau à sa mère.

— Le jour se lève, dit-elle. Je crois qu'il va faire beau. Nous pourrons peut-être monter déjeuner sur la terrasse.

La sirène de 6 heures effaça cette charmante perspective et le travail commença immédiatement, tapageur, endiablé.

Après avoir pédalé pendant une heure, le dos endolori, le ventre trop serré par son attitude penchée sur la machine, mordue par le froid, abasourdie par le tinta-marre, Maud ne sentit plus rien et oublia tout : elle était en Donegal, à Convoy, pays charmant aux collines doucement arrondies. Elle était debout sur le seuil de la forge, avec un nourrisson sur les bras et un autre petit enfant accroché à son tablier ; musclé, couvert de sueur et de suie, Myles redressait la tête, essuyait son front, se lavait le visage et les mains avant de l'étreindre, de l'embrasser, et tous deux s'en allaient en se tenant par la taille jusqu'au gros arbre sous lequel elle avait servi le déjeuner entre la maison et l'atelier...

Angus Witherspoon, le commerçant du tandem, discerna une tendance au fléchissement sur le marché du lin lorsque le coton américain reparut en Europe. Simon McNab et lui étaient vieux, n'avaient pas d'héritiers et possédaient plus d'argent qu'ils n'auraient pu en dépenser de leur vivant. Ils pensaient donc à se libérer de leurs soucis lorsqu'un acheteur sérieux se présenta : le comte de Foyle.

MacAdam Rankin, qui représentait le comte Arthur Hubble, fit examiner l'état des lieux par les architectes d'un cabinet des plus respectables. Ils dressèrent une liste terrifiante de défauts, ce qui donna à Rankin un atout pour marchander. Il argua que l'acheteur serait obligé de dépenser au moins deux cent mille livres pour mettre la manufacture en état. Comment ? La charpente entièrement métallique mettait l'immeuble à l'abri de l'incendie... pas du tout ! Au cas où le feu prendrait, les colonnes de métal chaufferaient et si, alors, de l'eau froide les atteignait, elles se briseraient, ce qui provoquerait l'effondrement de toute la bâtisse.

Il faudrait remplacer les colonnes de fer par des colonnes d'acier ou les doubler, installer un système d'arrosage automatique, des escaliers de secours. En outre il faudrait augmenter la capacité des magasins pour ne plus entreposer la marchandise sur les escaliers et dans les couloirs. En fin de compte il s'agissait d'une rénovation complète impliquant le remplacement de la plupart des fenêtres, l'installation d'un système de chauffage et de ventilation. On envisageait même de donner aux piqueuses des tabourets d'une autre forme, pour augmenter la production.

MacAdam Rankin se servit astucieusement de ces

projets pour faire pression sur le prix. Dès que Wither-spoon et McNab eurent vendu, il classa le dossier des architectes et ne s'en soucia plus le moins du monde. Le vieux bâtiment continua à se délabrer, de plus en plus crasseux, de plus en plus puant et toujours plus dangereux aussi.

Quand Lord Roger prit les affaires en main et élimina Rankin, le marché du lin était de nouveau en pleine prospérité et la chemiserie produisait au maximum de sa capacité. Le vicomte visita les lieux une seule fois et ne dépassa plus jamais le rez-de-chaussée.

Le lin poussait sur ses terres. Filage, tissage étaient entre ses mains. Dans de telles conditions, la fabrique de chemises lui rapportait des bénéfices gigantesques : à peu près un demi-million de livres par an. Lord Roger en utilisait une bonne partie pour s'implanter dans les chemins de fer, les lignes de navigation et la construction maritime.

De temps en temps on parlait d'une remise en état de la manufacture. Mais ce n'était que bavardage. A quoi bon faire des frais puisque le cours du lin pouvait s'effondrer de nouveau ? En fin de compte les entreprises Foyle s'en tinrent à l'exploitation à outrance de cette manufacture.

Quand on ne se soucia plus de choisir entre la rénovation de l'ancien bâtiment ou la construction d'un immeuble neuf, on pensa surtout à tenir les organisateurs syndicaux à l'écart de l'entreprise. Maxwell Swan avait révélé sa maestria dans ce domaine aux chantiers Weed de Belfast. Il vint personnellement à Londonderry pour établir un réseau d'espionnage qu'il confia ensuite à son bras droit, Kermit Devine. Bien que catholique, pieux et pratiquant, Devine servait la Couronne fidèle-

162

ment depuis trente ans lorsque Swan l'embaucha au château de Dublin.

Le réseau d'espionnage de Devine était calqué sur celui des chantiers Weed. Il comportait en outre des équipes d'action spéciales, composées d'éléments fanatiquement dévoués au comte. Disponibles d'un instant à l'autre, ces hommes étaient prêts à user de tous les moyens pour maintenir une atmosphère de paix dans le travail chez Whiterspoon et McNab. Or, la paix n'y régnait que rarement car le personnel était presque entièrement catholique, alors qu'à Belfast, Sir Frederick pouvait toujours compter sur les loyaux orangistes. Il s'agissait de veiller vingt-quatre heures par jour aux moindres signes avant-coureurs de désordres ou, au contraire, d'organisation.

Lord Roger arriva à 9 heures précises au siège social de ses entreprises situé dans un hôtel particulier sur la même Abercorn Road que la manufacture de chemises. En ce temps-là cette arrivée était un instant de gaieté parce que son beau-père raffolait d'un jouet tout neuf.

Le téléphone avait posé un problème épineux en Irlande pendant plusieurs années. Le monopole britannique du télégraphe et des postes le considérait comme une menace contre son privilège exclusif. Les débats au Parlement n'aboutissaient pas, des commissions extraordinaires poursuivaient études et enquêtes et le développement du réseau était paralysé. D'innombrables citoyens réclamaient l'installation d'un appareil mais tendre des fils de maison en maison paraissait trop horrible et d'autre part les municipalités n'accordaient pas le droit de creuser des tranchées. Quant aux lignes interurbaines, elles n'existaient pratiquement pas.

Sir Frederick tomba amoureux du téléphone dès qu'il toucha un appareil et il investit largement dans la filiale de la société nationale qui installa le premier standard à Belfast. Comme il était toujours plus facile de se débrouiller hors d'Angleterre, Sir Frederick ne batailla que quelques années pour obtenir l'installation d'une ligne reliant Londonderry à Belfast, sur le parcours de sa voie de chemin de fer transulstérien.

Les communications interurbaines en Ulster commencèrent donc entre le standard des chantiers Weed et le siège social des entreprises Foyle.

Lord Roger allait à son bureau deux fois par semaine, le lundi pour mettre le travail en route et le vendredi pour juger de ses résultats. Il déplorait que, sous le règne de son père, l'absentéisme ait tout livré à des subordonnés et que la valeur de leurs biens eût diminué.

Avec son adjoint Ralph Hastings, Kermit Devine était constamment auprès de Roger. Il lui servait d'estafette quotidiennement entre le manoir et le siège social. Devine ne jouissait pas d'un statut aussi exceptionnel que Swan chez Weed. Mais il était au courant de toutes les affaires inavouables. Quinquagénaire banal, sans aucun trait particulier, ce Devine ordonnait et dirigeait rapts, violences et toutes autres opérations indispensables au maintien de la paix entre employeurs et salariés.

Après une série d'entretiens avec les directeurs des diverses entreprises du groupe — filatures, tissages, chemins de fer, bassin de radoub — et avec les conseillers juridiques, on s'amusait avec le téléphone. Lord Roger bavardait à bâtons rompus avec Sir Frederick deux fois par semaine, en général à l'heure du déjeuner. Caroline avait même une fois amené ses garçons à Londonderry, pour la plus grande joie de leur grand-père. Quelle merveille que ce téléphone ! Quelle merveille !

Ce vendredi-là il était moins 10 quand Lord Roger sonna son beau-père et l'incendie éclata exactement à la même heure.

Terry Devlin venait d'avoir seize ans et terminait ses cinq longues années d'apprentissage au deuxième étage. Il touchait le salaire maximum de sa catégorie : neuf shillings par semaine, et il était le premier sur la liste d'accession à la salle de coupe. A partir de ce jour de gloire il serait homme. Il aurait un emploi et appartiendrait donc à une élite rarissime au Bogside. Qu'est-ce qui l'empêcherait d'aller boire un coup dans un estaminet quand il aurait un ou deux shillings en poche ? Terry travaillait parmi des filles en fleur, des repasseuses qui avaient à peu près son âge. Quelques-unes le faisaient rêver en secret, mais sa situation ne lui permettait pas encore d'exprimer ses sentiments. D'ailleurs, dès qu'il se liait d'amitié avec l'une d'elles il fallait infailliblement qu'elle passe à un étage de machines à coudre. Dès qu'il serait coupeur, il pourrait les courtiser à son gré.

Le dernier été lui avait paru plus long et plus cruel encore que les précédents et il s'était demandé s'il vivrait jusqu'à l'automne. Mais la perspective de sa promotion lui faisait oublier toutes ces souffrances qui n'auraient pas été vaines. Juste avant midi les apprentis du deuxième étage devaient vider les cendriers des poêles qui servaient à chauffer les fers. Terry Devlin s'agenouilla successivement devant chacun des fourneaux confiés à ses soins, ouvrit la petite porte au-dessous de la grille et ramena la cendre mêlée de braise dans ses seaux. Quand les deux seaux furent pleins, il les emporta en grognant sous leur poids.

Arrivé sur le palier il dut s'arrêter net, complètement aveuglé parce que des piles de chemises dissimulaient les becs de gaz. Ce jour-là il y avait au moins deux mille chemises, ce qui laissait à peine la place de poser les pieds. Terry aspira profondément, effrayé. Même quand ses yeux se furent accommodés de l'obscurité quasi totale, il lui fut encore difficile de repérer le monte-charge que rien ne protégeait, ni muret ni rambarde. Depuis que Terry travaillait là bien des gens s'étaient tués en tombant du second au rez-de-chaussée, y compris quelques-uns de ses meilleurs camarades. D'autres étaient restés estropiés. Quelques-uns se tuaient en atteignant le fond, d'autres étaient écrasés entre un étage et la plate-forme du monte-charge.

Il avança prudemment sur la pointe des pieds mais buta contre un paquet de chemises et la cendre des deux seaux se répandit. Terry recula d'un bond, affolé à l'idée d'avoir sali de la marchandise toute neuve. Que faire ? Balayer les cendres et filer sans se faire remarquer ? Chercher à évaluer l'étendue des dégâts ? Ce serait trop long. Quelqu'un le prendrait sur le fait. Et puis, il n'y voyait pas assez clair. En ouvrant la porte de l'atelier peut-être ?... Non, non ! Quelqu'un le verrait sûrement. Sa maladresse pouvait lui coûter le rêve de sa vie : l'empêcher de devenir jamais coupeur.

Tremblant sur place, il se mordait les doigts en couinant. Soudain, ses yeux s'exhorbitèrent lorsqu'il vit une braise rouge mordre dans un tas de chemises. Le cercle incandescent s'élargit dans le tissu ; des petites frisettes de fumée s'en élevèrent. Terry plongea à travers les masses de linge pour atteindre l'étagère près des

166

cabinets sur laquelle se trouvait un seau d'eau. Il s'en saisit. Ce seau était vide : le fond dévoré par la rouille. Il perdit la tête, tourna sur lui-même, affolé, Et, à ce moment, des paquets de chemises lui tombèrent dessus, de plusieurs côtés à la fois, comme des tentacules de pieuvres. Il se débattit en reculant et ses pieds dépassèrent la cage du monte-charge. Terry plongea en hurlant. La sirène de midi étouffa son cri.

Peg et Maud quittèrent leur machine dès qu'elles entendirent la sirène. Deirdre les rejoignit aussitôt. Si tout allait bien, si les escaliers n'étaient pas trop embouteillés, il leur faudrait quatre minutes pour arriver sur la terrasse et quatre minutes pour en redescendre, ce qui leur laisserait dix-sept minutes de plein air.

Les coupeurs qui travaillaient au dernier étage laissaient le libre accès de la terrasse aux filles quand il faisait beau. Ils avaient l'avantage de travailler à la lumière du jour dans une salle bien aérée. Tant d'ouvrières s'efforceraient de gravir les quatre échelles de fer qu'il serait malhonnête de ralentir leur ascension en les utilisant, sauf pour ceux qui avaient une bonne amie dans le nombre et profiteraient de l'heure du déjeuner pour passer quelques minutes avec elle.

Chaque femme poussa le même soupir de joyeux soulagement en atteignant le toit, la lumière et le plein air. Il y en eut bientôt une soixantaine, sinon soixante-dix sur la terrasse. Elles dévorèrent leur repas en considérant la boucle du fleuve.

Seule Maud McCraken regardait vers le Bogside. Elle distinguait presque la forge de Lone Moor Road. Dieu merci la semaine touchait à sa fin. Dimanche elle prendrait le train avec Myles pour aller voir la forge à

Convoy. Elle eut envie de quitter son travail sur-le-champ. Cette semaine l'avait affectée encore plus durement que les précédentes et ça ne s'améliorerait pas. Ce matin-là, elle avait à peine réussi à atteindre son étage. A midi elle était sur le point de s'évanouir quand la sirène avait sonné. Peg avait raison : il était temps d'arrêter. Que gagnerait-elle à s'évanouir sur place ? On serait obligé de la porter chez elle et cela ne ferait qu'affoler Myles. Mais quel beau jour serait le lundi prochain quand, à son réveil, elle se dirait qu'elle n'allait pas au travail et qu'elle n'y retournerait plus jusqu'à ce que le bébé puisse se passer d'elle.

— Peg, dit-elle sans plus réfléchir. Je crois que demain sera mon dernier jour ici.

Sa sœur sourit et lui tapota la main.

Des bruits divers interrompirent constamment les quinze dernières minutes de la conversation interurbaine entre Lord Roger et Sir Frederick. Il y eut d'abord la sirène de midi. Le bureau était au fond de l'immeuble, si bien que Hubble ne sut pas ce qui se passait. Puis la tension baissa encore plus que d'habitude sur la ligne et les deux interlocuteurs s'entendirent à peine. Enfin, à midi 25, le tintamarre des pompiers dévalant Abercorn Road effaça tout espoir de poursuivre la conversation. Roger brailla à son beau-père qu'il le rappellerait plus tard, quand tout serait plus calme autour de lui.

A cet instant Kermit Devine ouvrit la porte.

— Qu'est-ce qui se passe donc, monsieur Devine ? demanda Roger.

— Il y a le feu à l'usine, répondit Devine en ouvrant à deux battants la porte séparant le bureau de la salle de conférences.

Les fenêtres donnaient sur Abercorn Road et la vue s'étendait jusqu'à Witherspoon & McNab. Le patron et son âme damnée virent l'immeuble dégorger des ouvriers par ses deux flancs dans une ambiance animée qui suggérait plus une idée de fête que de catastrophe. Le matériel des pompiers affluait : manches de grosse toile enroulées sur des chars, gros foudres pleins d'eau, échelles de crochets ; enfin la pompe à vapeur, traînée par trois chevaux. Un char de la constabulary débarqua une escouade qui écarta le public et établit un barrage.

— Ça ne me paraît pas très grave, murmura Roger en montrant une mince volute de fumée qui jaillissait du deuxième étage.

— Mais regardez le toit, Monseigneur. Regardez.

— Dieu du ciel ! souffla Roger en s'accrochant aux rideaux.

Il fut sur le point de s'évanouir mais se ressaisit. Une nuée de femmes braillaient sur la terrasse. Si l'affaire tournait mal ce serait une calamité. Roger s'enjoignit de trouver une solution. Il n'y avait pas un instant à perdre.

— Il faut être prêts à faire face, monsieur Devine, dit le patron.

— Bien sûr.

— Vous avez vos hommes sous la main ?

— Certainement, monsieur.

— Bien. Nous aurons peut-être des missions particulières à leur confier si l'incendie n'est pas maîtrisé sur-le-champ. (Roger fit les cent pas dans sa salle de conférences. Il se passa la main dans les cheveux, s'arrêta à la fenêtre pour regarder vers les deux extrémités de la rue de plus en plus bruyante.) Vous êtes au courant des ennuis que nous avons eus avec Kevin O'Garvey au sujet de ce bâtiment ?

— Oui, monsieur. Heureusement qu'il est à Londres pour le moment.

— Dieu merci au moins pour ça ! Descendez, voyez le chef des pompiers et tâchez d'obtenir ses prévisions les plus exactes possible. En sortant arrêtez-vous au standard, demandez qu'on appelle Sir Frederick et que la ligne reste disponible jusqu'à ce qu'on ait mis la main, là-bas, sur mon beau-père.

— Ce sera fait, monsieur, dit Devine en s'en allant.

Roger constata que la colonne de fumée sortant du deuxième étage épaississait. Le personnel continuait à évacuer. Quand le patron leva les yeux vers le toit, le souvenir de Kevin O'Garvey lui crispa les épaules. Si ces femmes périssaient dans l'incendie il n'y aurait plus moyen de retenir O'Garvey et, cette fois, sa crise de conscience pourrait être ruineuse. Roger s'en voulut de ne pas avoir suivi le conseil de Swan lorsque ce dernier lui avait conseillé de se débarrasser du député avant qu'il ne fût trop tard. Désormais il était vraiment trop tard, à n'en pas douter. L'évidence s'imposait avec la luminosité du cristal de roche. Si l'on n'interceptait pas O'Garvey à temps pour le faire taire définitivement, le scandale éclaterait. La direction de Whiterspoon et McNab pourrait même être poursuivie pour homicide. Le parlement aux mains des réformistes aggraverait la catastrophe... Tous ceux qui avaient participé au compromis risquaient le bagne.

Les premières flammes jaillirent sur le flanc de l'immeuble. Roger retourna à son bureau et décrocha le téléphone.

— Ma communication avec Sir Frederick.

— Excusez-moi, monsieur, il y a un certain désordre.

Le vieux Ben Haggarty, ancien chef des coupeurs,

arriva sur le toit par la trappe avec quelques autres hommes, en même temps que les premières bouffées de fumée.

— Mesdames ! Mesdames, s'il vous plaît ! cria-t-il en levant les deux bras pour imposer le silence. Taisez-vous, s'il vous plaît. (Elles s'approchèrent.) Il semble qu'il y ait un petit feu au deuxième étage. Les pompiers sont sur place. Ils en ont pour quelques minutes. Ne vous inquiétez pas, il n'y a pas de danger du tout.

Un murmure de soulagement déferla sur la cohue des ouvrières. De nouveau le vieux Ben leur demanda de se taire.

— Il n'y a pas de danger, mais nous allons évacuer en bon ordre. Pas de bousculade. Il faut à tout prix éviter la panique. Mes gars vont vous conduire jusqu'en bas. Nous avons des lanternes. Vous serez sur le trottoir avant dix minutes. Mais une à la fois seulement. Une à la fois !

Seule Maud perça le calme apparent de Ben Haggarty. Peut-être se laissait-elle emporter par son imagination, mais à cet instant même, elle sut que sa vie était terminée. Ben parlait encore qu'elle poussait déjà Deirdre vers la trappe. En considérant sa nièce, elle eut l'impression de se voir telle qu'elle était huit années plus tôt. Cette pauvre petite crevette de Deirdre n'avait jamais connu le moindre instant de joie. Maud avait un peu vécu, au moins ; des étincelles d'espoir avaient illuminé sa vie à la Ligue gaélique. Et puis il y avait eu quelques moments de folie avec ces gars qui ne réfléchissaient pas. Un éclat de rire ici, un autre là. Enfin, avec Myles elle avait passé des nuits de magie et partagé un rêve.

Deirdre n'avait jamais rien eu. Rien.

Ben Haggarty parvint à maintenir l'ordre et ses gars avaient déjà évacué deux ou trois femmes. Maud poussa sa nièce vers lui.

— Tu descends, chérie, dit-elle. Avec mon gros bidon j'immobiliserais tout le monde.

— J'attends avec toi, tante Maud, dit l'enfant.

Maud la gifla.

— Fais ce que je te dis !

— Obéis à ta tante, intervint Peg. Descends.

— Pourquoi m'as-tu battue ?

— Descends !

Peg serra la main de sa sœur de toutes ses forces. La fillette pivota sur elle-même. Un homme s'empara d'elle et disparut dans la trappe en l'emportant. Le vent changea de direction sur le fleuve et rabattit la fumée sur le toit.

Roger retourna plusieurs fois à son bureau mais revint sans cesse à la salle de conférences d'où il vit les flammes monter inexorablement sur les flancs de l'usine. Il décrocha le téléphone précipitamment, réclama la communication coupée avec son beau-père, et raccrocha sans attendre la réponse. Les cris de la rue s'élevèrent plus violents : il devait donc se passer quelque chose hors de son champ de vision. Enfin Kermit Devine revint, haletant.

— Ça prend mauvaise tournure, dit-il.

— Expliquez-vous.

— Il semble que le feu commença à un étage inférieur et qu'il s'élève dans les cages de monte-charge et dans les escaliers.

— Et les femmes sur le toit ? Combien sont-elles ?

— Nous ne savons pas, monsieur. Deux d'entre elles

ont cédé à la panique et sauté dans la rue. Les pompiers ont tendu leurs filets à temps, mais les malheureuses ont passé à travers.

— Ah, mon Dieu ! Ce chef des pompiers est incompétent ou quoi ? Pourquoi ne dressent-ils pas leurs échelles ?

— Elles n'atteignent que le troisième étage.

Roger s'efforça de reprendre son calme. Les deux hommes n'avaient pas besoin de parler pour se comprendre. Tout à coup Ralph Hastings apparut sur le seuil du bureau.

— Excusez-moi de vous déranger, Monseigneur, mais sans doute faudrait-il évacuer cet immeuble. J'ai parlé personnellement au chef des pompiers. Il assure que le feu ne viendra sans doute pas jusqu'ici, mais que mieux vaut être prudent.

— Très bien, Hastings, très bien. Faites sortir tout le monde. Je partirai dans quelques minutes.

— Je dois insister, monsieur...

— Foutez-moi le camp, Hastings ! vociféra Roger qui repoussa son secrétaire hors de la pièce et claqua la porte. (En revenant à son bureau, il paraissait tout à fait calme.) Alors monsieur Devine, que pensez-vous ?

— Mes gars attendent des ordres. J'en ai envoyé un au commandant de la place pour demander que des troupes soient dirigées sur Hubble Manor afin de protéger la comtesse et vos fils.

— Très bien, Devine.

— J'ai également demandé que le reste de la garnison de Londonderry et toutes les troupes du Donegal prennent position autour du Bogside pour prévenir une émeute. Reste O'Garvey. S'il était ici, mes hommes accompliraient leur tâche.

— La nouvelle de l'incendie ne doit pas quitter Londonderry jusqu'à ce que j'aie repris contact avec Sir Frederick. Je veux qu'on coupe les lignes télégraphiques dès la sortie du bureau de poste et que cessent tous les mouvements de train. Pouvez-vous vous en charger, monsieur Devine ?

— Oui, monsieur.

— Parfait !

Kermit Devine partit sur-le-champ. Roger retourna à sa salle de conférences, juste au moment où les flammes jaillissaient de toutes les fenêtres à la fabrique.

Deirdre reparut au bord de la trappe en appelant sa mère et sa tante. La moitié des femmes pleuraient des prières, à genoux, les autres couraient en tous sens, affolées. La fumée que le vent rabattait sur la trappe devenait de plus en plus dense et les dalles étaient brûlantes.

Maud prit dans ses bras sa nièce qui bredouilla une histoire peu claire d'après laquelle certains étaient descendus jusqu'en bas, mais l'escalier s'était effondré et tous les autres étaient remontés précipitamment.

Dès que les flammes débordèrent la corniche et rampèrent sur le bord du toit, les femmes perdirent la tête. Peg braillait en courant, sans but, et revenait de temps en temps battre le feu à coups de pied, égarée. Une langue de flamme mordit sa jupe et elle sauta par-dessus la balustrade. Maud épargna ce spectacle à la petite Deirdre.

— Je vous salue Marie, dit-elle en s'agenouillant. Bénie sois-tu entre les femmes... Priez pour nous, tout de suite et à l'instant de notre mort.


174

Roger toussa quand la fumée pénétra ses narines. Il brailla dans le téléphone, mais en vain. La chaleur devenait insupportable. Il retira son veston et dénoua son col. Pendant un instant il pensa à fuir, mais quitter l'appareil téléphonique serait capituler et entraîner tous les siens dans son naufrage.

— Allô ! Allô ! dit une voix lointaine, à peine perceptible mais qui pourtant rugissait à l'autre extrémité de l'Ulster.

— Freddie, Dieu merci ! Qui est au standard ?

— Moi, Devine, monsieur.

— Merci d'avoir rappelé, Roger.

— Nous sommes dans une situation extrêmement grave. Ecoutez-moi attentivement.

— Parlez.

— La fabrique de chemises est en feu. Avez-vous entendu ?

— Oui, continuez.

— Il y aura des morts. Vous devinez quelle sera la réaction.

— Ecoutez-moi, Roger. Evacuez immédiatemment Caroline et mes petits-fils.

— Mais non, pas du tout ! Nous ne sommes pas personnellement en danger. La troupe protégera le manoir avant une heure. C'est Kevin O'Garvey qui m'inquiète. Est-ce que vous me comprenez bien, Freddie ?

— Dieu du ciel... C'est vrai !

— Il a déjà menacé de rompre le silence et cette fois il pourrait nous écraser. Allô, Freddie... Allô... Allô. Freddie. Il est à Londres actuellement.

— Je vous comprends parfaitement, Roger. Le général y est aussi, c'est une chance. mais, même si tout va bien il faudra quelques heures pour prendre contact avec Swan et le mettre au courant. Entre-temps la nouvelle de l'incendie se sera répandue dans tout le pays.

Une rafale d'air chaud brisa les vitres des fenêtres. Au même instant la communication fut coupée. La fumée entra dans la pièce. Aveuglé, couvert de sueur, Roger fut pris d'une quinte de toux.

— Allô, Roger ! Allô... Allô !

— Vous voilà revenu, Freddie. Toutes les lignes de télégraphe et de téléphone sont hors d'usage à Londonderry et aucun train ne quittera la ville. Nous avons les coudées franches jusqu'à demain matin.

— Je m'en occupe déjà. Je vous conseille quand même d'envoyer Caroline et les gars au pavillon de...

La voix s'éteignit. Hébété, Roger secoua l'appareil.

— Il faut sortir, monsieur ! dit Hastings qui saisit son patron et l'entraîna hors du bureau.

Arrivé dans le vestibule, Roger cria à Devine d'abandonner le standard et de couper les lignes. Puis les trois hommes sortirent en titubant dans la rue.

Les flammes s'élevaient très haut au-dessus du toit de la fabrique de chemises transformée en bûcher dévorant.

Conor Larkin et Myles McCraken atteignirent le barrage de police quand des dizaines de corps se mirent à pleuvoir devant la façade.

A cet instant l'eau des lances d'incendie, qui n'avait jamais dépassé le deuxième étage, atteignit les piliers de fer forgé qui éclatèrent l'un après l'autre. Avec un bruit lent et sourd d'abord, puis un roulement de tonnerre, le bâtiment se tordit, trembla. Les planchers s'ouvrirent comme si un séisme les secouait. Les étages s'empilèrent les uns sur les autres.

## 15

Le général de brigade Maxwell Swan tenait à jour ses
fiches sur les ennemis, les ennemis possibles, les anarchistes, les concurrents. Telle était la routine de son
existence. C'est ce qui le rendait tellement utile à Sir
Frederick. Les déplacements, les habitudes, toutes les
allées et venues d'un personnage aussi important que
Kevin O'Garvey ne figuraient pas seulement au fichier
mais aussi dans la tête du général.

Quand Sir Frederick l'atteignit au téléphone, la situation présentait un tableau favorable : O'Garvey se trouvait à Londres en même temps que lui et Lord Roger
avait eu assez de présence d'esprit pour empêcher la
nouvelle de se répandre hors de Londonderry.

Swan pouvait à tout instant compter sur un certain
nombre de personnes à Londres : anciens officiers de
l'armée, indicateurs, catholiques irlandais qui avaient
travaillé secrètement pour le château de Dublin et
acquis ainsi une bonne situation en Angleterre. Tous ces
gens étaient ses obligés. Il chercha immédiatement ceux
qui convenaient aux circonstances.

Six heures exactement après que Sir Frederick l'eut
alerté, Swan arriva au Colonial Club qui lui servait
d'adresse à Londres. Tompkins, le maître d'hôtel, l'accueillit dans le vestibule.

— Bonsoir, mon général, chuchota-t-il en débarras-
sant Swan de sa canne et de son haut-de-forme. Avez-
vous appris la nouvelle ?

— Non. J'ai eu beaucoup à faire.

— Un terrible incendie à Londonderry. On craint

qu'il y ait de nombreux morts. Si je ne me trompe pas, il s'agirait d'une manufacture appartenant à Lord Hubble.

— C'est épouvantable ! dit Swan.

— Sir Frederick a essayé de vous atteindre par le câble téléphonique, voilà une quarantaine de minutes. J'ai pris la liberté de vérifier à quelle heure vous comptiez dîner et j'ai demandé une communication pour ce moment-là.

— C'est très bien, Tompkins. Je prendrai mon xérès dans le salon des officiers généraux et j'y attendrai la communication.

— A vos ordres, monsieur.

Ne se liant avec personne, même dans son cercle d'officiers, Swan gagna son fauteuil habituel derrière un pilier et se dissimula derrière un journal en attendant la communication.

— Allô Freddie, ici Max.

— Rien de nouveau à Londres ? demanda Weed.

— On parle d'un incendie à Londonderry. Les premières nouvelles sont arrivées voilà à peu près une demi-heure.

— Est-ce grave ?

— Très grave, hélas ! Plusieurs douzaines de morts. Mais on ne saura pas le nombre exact avant un ou deux jours.

— Epouvantable !

— Avez-vous pu tenir votre rendez-vous, Max ?

— Oui. Tout s'est passé parfaitement bien. Les négociations se sont déroulées sans accroc, l'affaire est faite, le contrat signé. J'ai veillé personnellement à la signature.

— Magnifique. Comment se présente la saison théâtrale ?

## DISPARITION D'UN DEPUTE DU PARTI IRLANDAIS

*Londres, 5 décembre 1899 (Reuters)*

*Scotland Yard annonce que M. Kevin O'Garvey, député à la Chambre des Communes (parti Irlandais — Donegal est) a disparu depuis quatre jours de son domicile londonien, Jamaïca Road, Southwark. A la requête de sa logeuse, Mme Midge Murphy, propriétaire de la pension de famille qu'il habitait, la police a interrogé les parents qu'on lui connaît, a enquêté dans les endroits qu'il fréquente, tant à Londres que chez lui, à Londonderry. Rien n'a révélé aucun indice ni de sa disparition ni de ses causes possibles.*

*La dernière fois qu'on a vu O'Garvey en public, c'était un vendredi soir, à la brasserie Clancy, Neptune Road, Southerwark, fréquentée surtout par des Irlandais : dockers, ouvriers saisonniers et immigrants. M. O'Garvey était bien connu dans cet établissement. Il s'y rendait plusieurs fois par semaine afin de conseiller la clientèle irlandaise. M. Enda Clancy, propriétaire de la brasserie, vit O'Garvey quitter son établissement vers 18 heures en compagnie d'un jeune homme qui était venu l'y chercher. Cette personne était totalement inconnue au café, mais d'après son langage et ses attitudes, M. Clancy et d'autres témoins estiment qu'il s'agit d'un Irlandais. Néanmoins, il entra et sortit si vite qu'il est impossible d'en fournir un signalement exact.*

*Répondant aux questions de l'inspecteur Arnold Sheperd de Scotland Yard, M. Clancy déclare que rien ne lui a paru anormal. « Kevin O'Garvey était presque comme un prêtre ou un médecin, dit-il. Il était toujours prêt à répondre à un appel d'urgence.» La logeuse, Mme Murphy, confirme cette opinion. Elle a constaté elle-même que O'Garvey entrait et sortait fréquemment à la requête de solliciteurs.*

*Interrogé sur la santé et le comportement récent d'O'Garvey, l'inspecteur Sheperd répond: «Personne n'a rien remarqué d'extraordinaire.» M. O'Garvey menait une existence extrêmement rangée, aux habitudes routinières. En général il traversait le parc de Southwark en allant de chez lui à la brasserie Clancy. «Un examen méticuleux du parc n'a rien révélé», dit Sheperd.*

*O'Garvey fut élu aux Communes pour la première fois il y a une quinzaine d'années, lors du raz de marée qui couronna la campagne de Parnell. Il est bien connu pour ses opinions et ses activités «républicaines». Sheperd ajoute: «Sa longue vie de militant fenian est de notoriété publique. Il peut s'être fait d'innombrables ennemis. Etant donné qu'il était facilement accessible aux solliciteurs, nous ne pouvons éliminer l'hypothèse d'un mauvais coup.»*

Lord Roger et Sir Frederick engagèrent toute leur influence. Ils tenaient à une enquête rapide, définitive et aussi discrète que possible, bien que la presse britannique eût envahi Londonderry. Le bruit courut que l'incendie était dû à un acte criminel. La rumeur parla d'anarchistes d'une part, de fenians d'autre part, et les journalistes s'accrochèrent aussitôt à ces hypothèses.

Ouvrant ses travaux sans tapage, mais avec toute la pompe et la solennité qui convenaient, la commission d'enquête récapitula d'abord les lois concernant la sécurité du travail et les précautions contre l'incendie. Il n'y en avait presque pas. On constata donc presque immédiatement qu'aucune loi n'avait été enfreinte. Défilant pour la galerie, des «experts» affirmèrent que l'immeuble n'aurait pu être détruit si l'incendie n'avait pas été allumé volontairement. Ces dépositions corroborèrent l'hypothèse d'un crime anarchiste ou fenian auquel tenait la presse. En outre, la plupart des morts se trouvaient sur le toit au moment de l'incendie. Leur présence sur cette terrasse était contraire aux règlements de sécurité de l'employeur. Aucun expert ne subit un contre-interrogatoire quelconque. Les membres du personnel survivants ne furent pas invités à témoigner, soit parce qu'ils n'auraient pu fournir une opinion de personne qualifiée sur l'incendie, soit parce qu'ils auraient déposé sur des détails dénués d'intérêt. Personne ne demanda pourquoi les ouvrières se trouvaient sur la terrasse en dépit du règlement. A la fin de la première journée d'enquête on conclut qu'au moment de la catastrophe l'immeuble était absolument sûr, tout à fait à l'abri de l'incendie dans des circonstances normales.

Au début du deuxième jour le chef de la constabulary stupéfia les membres de la commission en demandant la permission de lire les aveux d'incendie volontaire d'un certain Martin Mulligan, «républicain et Fenian bien connu».

Devant les trois détenus qui partageaient sa cellule à la prison de Londonderry, Mulligan avait signé une déclaration dans laquelle il s'accusait d'avoir mis le feu à la fabrique de chemises Witherspoon & McNab. La lecture de ce document terminée, le chef de la constabulary ajouta : «Malheureusement on vient de trouver le cadavre de Mulligan qui s'est apparemment pendu dans sa cellule avec sa ceinture depuis qu'il a signé ce document. »

Ces aveux pourtant tout à fait inattendus suscitèrent en quelques minutes de nouveaux témoignages établissant que Mulligan avait travaillé autrefois comme palefrenier pendant quelque temps à la fabrique de chemises et qu'il avait été renvoyé pour ivresse sur les lieux du travail. Par la suite on l'avait souvent entendu répéter dans plusieurs estaminets qu'il allait incendier Whiterspoon & McNab. Il s'était vanté de la même manière d'innombrables exploits illégaux de républicain et de Fenian.

En réalité, Martin Mulligan n'était qu'un pauvre vieux poivrot inoffensif qui n'avait pas dessoûlé depuis des années, qui très souvent avait supplié la police de l'héberger en cellule pendant les nuits d'hiver. Aucun des témoins ne rappela que Martin Mulligan délirait d'une manière à peu près constante, se vantait comme à peu près tous les poivrots qui ont perdu la raison. Personne non plus ne l'avait vu dans les parages de la manufacture le jour de l'incendie et personne ne chercha à expliquer pourquoi, s'il avait vraiment voulu incendier cet immeuble, il ne l'aurait pas fait à la faveur de la nuit plutôt qu'en plein jour ? Enfin, tous ceux qui le connaissaient, c'est-à-dire à peu près tous les habitants de la ville, savaient fort bien qu'il n'avait pas de ceinture, ce qui rendait l'hypothèse du suicide extrêmement douteuse.

Si une seule personne d'autorité était intervenue dans les travaux de la commission, elle n'aurait pu conclure tant les éléments d'appréciation étaient peu sûrs. Kevin O'Garvey, le champion du Bogside, aurait-il été là qu'il l'aurait fait. La farce n'aurait pas été possible parce qu'il avait trop de preuves, lui personnellement, contre le bâtiment et une trop grande expérience des débats. Mais Kevin O'Garvey avait disparu.

Trois hommes donnèrent le coup de grâce à la vérité en jurant solennellement qu'ils avaient entendu Martin Mulligan avouer son crime. Il s'agissait notamment du chef de la constabulary et d'un conseiller juridique de Lord Hubble qui faisait partie du conseil des corporations de Londonderry. Certes, leur témoignage à tous les deux n'était pas à dédaigner, mais leurs mobiles pouvaient prêter au doute. Le troisième témoin emporta donc la partie parce que c'était un des catholiques les plus respectés de Londonderry : le brasseur Frank Carney.

La commission entérina les aveux de Martin Mulligan et l'enquête fut close avant la Noël.


## 16


L'horreur régna sur le Bogside. Dès que les ruines furent assez refroidies, on les fouilla puis on chercha dans les cendres. Le nombre des cadavres augmentait d'heure en heure amenant l'hébétude chez ceux qui attendaient un disparu. On parla longtemps de disparus, en effet, en espérant qu'un saint ou un ange était intervenu. Mais il fallut se rendre à l'évidence : pas de miracles dans l'incendie d'un immeuble vétuste : les manquants étaient morts et bien morts.

Une quarantaine de femmes avaient sauté du toit. Méconnaissables à force d'être disloquées, elles s'alignaient à la morgue où les familles défilaient en hurlant de douleur. Elles identifiaient moins les corps que quelques morceaux de tissu, une bague, un soulier. Les restes déterrés dans la cendre étaient encore en pire état. Finalement on compta une centaine de morts et il y avait une autre centaine de blessés gravement brûlés à l'hôpital.

Les soixante-douze femmes qui avaient dérobé dix-sept minutes de soleil, en enfreignant le règlement de la maison, constituaient le plus gros contingent des victimes. Une vingtaine d'entre elles étaient enceintes.

Dix coupeurs qui, pour la plupart, étaient restés sur le toit pour aider à évacuer les femmes, avaient été écrasés ou asphyxiés lorsque le bâtiment s'était effondré, de même que cinq pompiers, quand les piliers de fer avaient éclaté.

Les autres étaient des enfants, dix-huit en tout, de neuf à quinze ans.

La famille Tully perdait trois femmes ; d'autres plus ; d'autres moins. Les blessés, les mutilés ne recevaient aucune indemnité. L'hôpital soignait les brûlés à ses frais. Tous les débris noircis, carbonisés, non identifiés, furent enterrés dans une seule fosse commune.

Cependant l'enquête se poursuivait à un rythme accéléré et se terminait. Cette année-là Noël fit une apparition sordide. Au seuil du XXe siècle on parlait d'espérance partout au monde sauf au Bogside.

Le quartier délira de chagrin pendant des semaines. Les hommes perdirent le peu d'énergie qui leur restait. Les conclusions de la commission d'enquête n'étonnèrent personne parce que personne ne se rappelait un seul cas où la justice se fût manifestée. Des commissions de la Couronne avaient agi de la même manière aupara-

184

vant à Derry et elles recommenceraient sûrement. De-ci, de-là, quelques-uns, en proie à une bouffée de rage, rêvèrent de représailles mais les larmes noyèrent la colère au bord des tombes et il ne resta plus que l'hébétude. La vieille prostration, la vieille résignation enfoncèrent encore plus profondément les catholiques de Derry dans le charabia de Jésus-Marie-Joseph, l'alcool et l'éther. Le Bogside était le Bogside.

Quatre longs mois s'écoulèrent avant le retour à un semblant de vie normale. Cependant les gens du Bogside étaient trop abasourdis pour remarquer l'absence de Kevin O'Garvey. Personne ne savait où il était, on n'entendait plus parler de lui. Il avait disparu. Quand la douleur du deuil s'estompa, un nouveau sujet d'ahurissement s'imposa : le champion, le protecteur n'était plus. On ne s'en rendait compte que tardivement.

Ces mois-là furent une nuit sans fin pour Conor Larkin. Il était fort et les autres, faibles ; pourtant la lassitude l'accablait, l'abrutissait, lui rougissait les yeux. Son corps puissant perdait sa vigueur, la poésie ne chantait plus dans son cœur et les chansons ne venaient plus à ses lèvres. Il devint pareil à tous les ivrognes du Bogside, ses frères, ne trouva plus que dans l'alcool un sommeil tourmenté de cauchemars. Il traînait dans le quartier, de plus en plus abêti, rendant à peine leur salut à ceux qui l'adoraient et qu'il méprisait précisément pour leur admiration. Je ne suis pas magicien, répondait-il silencieusement à leurs regards avides. Je ne sais que répondre.

Il aurait sombré complètement s'il ne s'était cramponné à un dernier devoir : maintenir en vie Myles McCraken. Il le logea chez lui, écouta ses lamentations pendant des heures, le consola, l'habilla, le fit manger, le raisonna pendant des nuits entières. La plaie ne guérissait pas et devenait même de plus en plus profonde. Myles ne lui appliquait qu'un seul remède : il buvait, passait en un cycle sans fin de l'idiotie à la stupeur. Conor réalisait que l'heure n'était pas encore venue de l'arracher à sa drogue, sans laquelle Myles vociférait en se frappant la poitrine. A ce moment-là il avait autant besoin de boire que de respirer. Plus tard, peut-être, quand l'effet de choc se serait atténué, Conor pourrait-il saisir Myles par les épaules, le secouer, le gifler au besoin, et en refaire un homme. Mais il n'en était pas encore là. Inutile aussi de lui faire la morale. Il fallait attendre qu'un début de guérison se manifeste. Conor priait pour qu'un retour à la raison fût possible plus tard, mais son ami n'était plus alors que poussière.

Quand Conor n'était pas avec Myles, son désespoir reflétait celui de tout le Bogside. L'esprit était en proie à une telle confusion que les idées n'avaient plus de sens. Au réveil chacun n'aspirait plus qu'à se rendormir. Mais le sommeil ne donnait pas de repos. Conor y plongeait dans des cauchemars hideux comme la sanie s'écoulant d'un furoncle. Il voyait des corps en flammes tomber des murs du quartier, d'énormes chaudrons d'huile bouillante se déverser des murailles de Derry et noyer de vieux mendiants, des chats squelettiques arracher les yeux des petits enfants. Il entendait aussi le roulement incessant des tambours ouvrant la voie à des cortèges d'hommes noirs brandissant des croix orange. Il voyait aussi la terre couverte de pommes de terre noircies par la pourriture et des centaines de femmes prises au piège d'une longue salle en flammes, qui s'acharnaient vainement à passer à travers une grille de fer forgé.

Le Bogside dévorait sa volonté, lui arrachait les entrailles. Le Bogside l'emportait.

L'évêque Nugent mourut en sa quatre-vingtième année après un règne de trente ans marqué par la médiocratie. Assez éloquent, aussi astucieux que tous les gens de peu de foi, il avait exercé son sacerdoce en louvoyant entre diverses orientations politiques tant que le chemin le plus sûr ne lui apparaissait pas clairement. Puis il se tenait fermement du côté du manche. La pourriture et la ruine du Bogside ne suscitaient chez lui que la réaction la plus facile : la prière.

Durant les dernières années son attentisme avait tourné à l'immobilisme. Incapable de prononcer un jugement catégorique, il laissait son diocèse tomber dans des espèces de limbes théologiques. Quelques intégristes exerçaient le pouvoir autour de lui et se préparaient à rétablir une discipline implacable.

Même si le primat d'Irlande se souciait peu du Bogside, ce quartier maudit constituait une pomme de discorde dans l'Eglise. Sa misère inspirait des idées nouvelles aux prêtres qui se souciaient de moins en moins de la hiérarchie. L'esprit de l'évêque Nugent s'égarant dans des futilités, un petit groupe de jeunes turcs, inspirés par le père Patrick McShane, manifesta son indépendance et en prit à l'aise avec la discipline afin de répondre aux besoins spirituels de leurs ouailles. Ces prêtres jouèrent un rôle dominant dans la Ligue gaélique, contribuèrent à la résurrection du langage et de la culture irlandaise. Aux yeux des seigneurs britanniques et de l'épiscopat, c'étaient presque des activités subversives.

Quand le vieil archevêque entra en agonie, la garde du

palais serra les rangs et défendit la candidature de Charles Donoghue, auprès du cardinal d'Armagh. Elle l'emporta et Donoghue succéda à Nugent.

En Irlande rien n'égalait la puissance d'un prélat autoritaire pourvu qu'il s'assurât les bonnes grâces des Britanniques. L'évêque Donoghue s'affirma immédiatemment par une série de mesures visant à réduire les jeunes turcs du Bogside. La doctrine avant tout. Telle fut sa règle de conduite. Il imposa à tous, prêtres et laïques, l'interprétation la plus étroite des règles d'humilité. Le libéralisme du Bogside touchait à sa fin.

Durant les quelques semaines qui suivirent l'incendie de la manufacture Witherspoon & McNab, recruteurs syndicalistes, réformateurs, républicains se ruèrent sur Derry. Les jeunes turcs de l'Eglise leur prêtèrent la main. Rien ne pouvait être plus odieux pour l'establishment, qu'il s'agisse d'orangisme, de protestantisme, d'impérialisme britannique, du comte de Foyle et du nouvel évêque Donoghue, qui profita des circonstances pour rétablir l'ordre, énergiquement.


Le père Pat arriva à la forge au moment où on achevait le chargement de la voiture de livraison. Conor était déjà sur le banc du cocher. Le curé constata avec plaisir qu'il était rasé, convenablement vêtu et qu'il avait le regard assez clair. Il grimpa sur le banc. Conor desserra les freins et ils partirent vers l'intérieur de la ville murée où il déchargea ses marchandises.

— Tu pourrais m'accorder un moment ? demanda le prêtre.

Conor acquiesça d'un signe de tête, attacha son cheval à un anneau à l'entrée de la Grand-Parade et les deux amis s'en allèrent à pied vers la muraille d'enceinte. Vu de là, le Bogside n'avait pas tellement mauvaise allure. Les rangées successives de toits d'ardoises montant et descendant, la fumée de tourbe qui s'élevait des cheminées, l'ordre du décor offraient une étrange beauté. L'odeur de la tourbe est toujours chère aux Irlandais. Ils s'assirent au bord de la muraille.

Tout comme Andrew Ingram, le père Pat avait cessé de reprocher à Conor ses crises d'ivrognerie. Ils devinaient l'un et l'autre que leur ami remonterait à la surface lorsqu'il aurait atteint le fond. Apparemment cette résurrection commençait.

— Tu vois, dit le père Pat, la vie reprend là, en bas. Et chez toi aussi.

— Je vivrai parce que je ne veux pas mourir, dit Conor, mais le Bogside est mort. Il l'était bien avant l'incendie et la disparition de Kevin O'Garvey. Désormais c'est fini, il restera la figure dans la boue. C'est Myles qui m'inquiète le plus. Je crains de ne plus pouvoir rien faire pour lui.

— Il faut te résigner à le larguer, Conor, sinon il t'entraînera dans son naufrage.

— Je n'en ai pas le courage.

— Myles McCraken est né perdant, dit le prêtre. Il a osé aimer deux fois dans sa vie et les deux fois son amour a fini en catastrophe. Désormais il n'aimera plus. Il aurait bien trop peur de donner son cœur à qui que ce soit.

— Peut-être. Mais il faut que cet homme se lève et vive !

— Certains sont capables de surmonter la tragédie et même d'en sortir grandis. Mais la plupart des hommes ne le peuvent pas. On le constate dans le Bogside.

— Je comprends ce que tu veux dire parce que j'ai

déjà pensé à tout ça, moi-même... Mais que va-t-il devenir ?

— Il a trop peur pour reculer et encore plus peur d'avancer. Il restera sur place. Le Bogside l'avalera et, d'ici quelque temps, ce ne sera plus qu'un de ces vieux ivrognes inoffensifs que l'alcool protège contre leurs cauchemars.

Si cruel que fût ce jugement, il était exact. Conor s'en rendait d'autant mieux compte qu'il s'était efforcé jusqu'alors de ne pas prononcer exactement ces mêmes mots. Eh bien, c'était ainsi : les faibles se desséchaient, comme toujours en Irlande.

— Je m'en vais, Conor, dit tout à coup le père Pat.

Conor sursauta et ferma les yeux pour retenir ses larmes. Toute l'horreur des derniers mois remonta en lui. Il fit face à son ami, le cœur brûlant de chagrin.

— Les pères Eveny, Keenan, Mallory et moi-même se sont offert une ration excessive de péchés, dit Pat McShane en s'efforçant de sourire.

— Non, mon père, pas en ce moment ! Ça tombe trop mal ! s'exclama Conor.

— Hé, mon ami, c'est comme ça. On ne discute pas avec le patron quand on est au service de Dieu.

— Dieu, mon cul ! Ce n'est pas Dieu qui te chasse d'ici, mais ton salaud d'évêque.

— Je préfère ne pas m'engager dans une discussion de jésuite avec toi au sujet de la répartition des responsabilités entre Dieu et les évêques. Je suis muté. Je m'en vais. Un point, c'est tout.

— Où vas-tu et quand pars-tu ?

— Je passerai d'abord quelques semaines à méditer au séminaire pour me laver de mes péchés et renouveler mes vœux. J'aurai ainsi l'occasion de voir Dary. Et puis... que diable! j'ai toujours eu envie de quitter le Bogside.

— Où vas-tu, mon père?

La flamme du gaz monta dans les lampadaires, repoussant l'ombre du crépuscule. Le père Pat haussa les épaules en riant, mais Conor insista.

— Eh bien, voilà, dit Pat. Il y a un bon vieux curé, le père Clare, qui n'est plus capable de veiller sur sa paroisse. Cette paroisse est trop pauvre pour qu'il ait épargné de quoi prendre sa retraite. Or, comme tu le sais, notre Eglise ne prévoit aucune mesure pour les vieux prêtres.

— Je t'ai demandé où?

— Aux plus lointains confins du diocèse de Charles Donoghue, au nord de Carrigart, au bout de la péninsule de Rosguil.

— Nom de Dieu, non! Tu ne vas tout de même pas chantonner des litanies dans une église à peu près vide, hormis deux ou trois vieux mystiques moribonds?

— Je regrette, Conor, mais ces gens-là ont le droit d'avoir un prêtre, comme les autres. (Le père Pat saisit le bras de Conor.) D'ailleurs, c'est très simple. Ou bien j'obéis, ou bien je pars pour l'Amérique. Tout comme toi, je ne veux pas me laisser chasser d'Irlande. En outre, s'il est une chose dont l'Amérique n'a vraiment pas besoin, c'est d'un curé irlandais de plus.

L'indignation de Conor s'apaisa. Le père Pat lui lâcha le bras et resta un moment silencieux, les yeux mi-clos. Il semblait hésiter.

— J'ai besoin de me confesser, souffla-t-il enfin.

— Je ne te comprends pas.

— J'ai besoin de me confesser. Veux-tu m'écouter, Conor?

Le père Pat fit quelques pas sur le chemin de ronde, jusqu'à un endroit d'où l'on apercevait les ruines de la manufacture.

— Frank Carney et moi avons participé à une conspiration de silence. A peu près à l'époque où tu es venu à Derry, l'Association du Bogside était ruinée. Elle n'existait pratiquement plus. Et voilà que tout à coup, elle disposa de fonds importants, grâce à Kevin O'Garvey. Entre autres, cet argent servit à financer ton atelier. Ni Frank ni moi n'avons jamais cherché la source de ce pactole parce que nous ne voulions rien savoir. Nous avons toujours soupçonné Kevin d'avoir accepté de l'argent impur pour ne pas enquêter au sujet de la manufacture Witherspoon & McNab.

— Ah, mon Dieu, non ! Je ne veux plus rien entendre de ça.

— Il le faut pourtant, mon garçon.

— Non ! Jamais Kevin n'aurait fait une chose pareille. C'est impossible. Non !...

Mais était-ce vraiment impossible ? Les yeux de Conor supplièrent le prêtre de lui laisser une part de doute.

— Nous n'avons aucune preuve, dit le père Pat. Il ne s'agit que d'une supposition. Kevin m'avait confié — pas une fois, mais plus de cent fois — combien il détestait cette manufacture. En fin de compte, quand la commission parlementaire d'enquête allait enquêter à son sujet... elle ne l'a pas fait. Mais tu sais, Conor, nous avons tous traité avec le diable, au Bogside. Frank a cédé au démon devant la commission d'enquête sur l'incendie. Il n'y a pas besoin d'être un génie pour deviner qui a pris contact avec lui et pourquoi il a déposé comme il l'a fait. Il m'est arrivé, à moi aussi, de me compromettre. Kevin a fait comme tout le monde.

— Non !

— Si. Ne serait-ce que pour voir un seul sourire éclairer une seule fois l'âme d'un pauvre diable. On ne peut pas lui reprocher une faute comme celle-là, Conor. Il m'est arrivé de désespérer à tel point que j'ai pensé à abandonner la prêtrise et même à me suicider. Ce qu'a fait Kevin il l'a fait pour d'autres. Et n'oublie pas que tu en as profité toi-même.

— C'est vrai, chuchota Conor. Si l'occasion se présentait, j'en ferais autant pour lui.

— Nous ne sommes que des hommes. Les Hubble, les Britanniques, nous possèdent si complètement qu'ils ne sont pas seulement responsables de nos chagrins, mais même des bribes de joie qu'ils nous accordent parcimonieusement. C'est ce que Kevin a acheté : un moment de bonheur pour quelques-uns d'entre nous. Nos maîtres ont même le pouvoir de diriger, rationner nos espérances.

Le visage de Conor se crispa brusquement.

— Ils l'ont tué, crois-tu ?

— Non. C'est le Bogside qui l'a tué. Peut-être a-t-il appris l'incendie, peut-être pas. Quoi qu'il en soit, il n'avait plus longtemps à vivre après ça.

— J'en suis malade, père Pat. Ça me vide l'âme. J'en crève.

— Voilà un luxe que tu n'as pas les moyens de t'offrir, mon ami. Les gens du Bogside auront de plus en plus besoin de toi.

— Non ! grogna Conor. Non. (Sa silhouette se découpait sur la lueur d'un lampadaire et son ombre s'allongeait sur le chemin de ronde. Les mains enfoncées dans les poches, il scruta le ciel puis se rapprocha de son ami.) Je ne suis pas leur père Pat, ni leur Frank Carney. Je suis incapable de marchander avec les ennemis. Je ne peux pas non plus prier en silence parmi toutes ces âmes perdues. Ni offrir l'autre joue au soufflet. Je suis ce que je suis et je ne peux pas être ce que je ne suis pas. Il faut que je trouve ma voie, moi aussi, mon père. Je m'en vais.

— Où vas-tu, Conor ?

— Le bruit court que les frères s'organisent de nouveau à Belfast et à Dublin.

— Je ne te donne pas ma bénédiction pour ça et tu le sais.

— Je ne te la demande pas.

— Tu t'engages sur une mauvaise voie, je voudrais t'en convaincre, mais c'est impossible.

— Regarde cette ville à tes pieds, mon père. Peux-tu m'affirmer que ta voie et celle de Kevin étaient meilleures ? Une des dernières fois où je l'ai vu, Kevin m'a dit de but en blanc : « En fin de compte, il y aura une insurrection. Impossible de faire autrement. » Nous entrons dans le XX$^e$ siècle, père Pat. Il faut bien qu'un peu de lumière brille sur ce pays. Nous ne pouvons pas continuer à tâtonner dans l'ombre.


Conor se laissa glisser au bas de l'échelle donnant accès à sa chambre et secoua tristement la tête à l'intention du père Pat. Myles était là-haut, dans un état de coma alcoolique.

— Je m'occuperai de lui demain, dit Conor. S'il continue comme ça il faudra le porter à l'hôpital. (Il parcourut l'atelier, se pencha un instant sur le travail en cours puis entra dans son bureau jonché de plans et d'esquisses. Il posa sa lanterne sur la table et l'éteignit.) C'est drôle, dit-il. Je viens de rembourser la dernière échéance de mon emprunt. Désormais cette forge m'appartient.

Les deux amis s'en allèrent, tête basse, mains dans les poches, au long de Bligh Lane, puis s'engagèrent sur le Stanley's Walk. Ils entendaient à peine ceux qui les saluaient : « Bonsoir, père Pat. » « Bonsoir Conor. »

Le père fit une dernière visite. Conor l'attendit devant la porte, puis ils retournèrent sur leurs pas pour aller à la brasserie de Nick Blaney. A leur approche, ils entendirent chanter. Voilà pourtant longtemps qu'on ne chantait plus au Bogside. Ce n'était pas la voix admirable de Myles McCracken, mais une ballade du pays quand même.

*O Danny, mon gars, les binious nous appellent*
*De prairie en prairie, autour de la montagne.*

En général on saluait leur arrivée par des cris de bienvenue. Mais ils avaient l'air tellement sinistres tous les deux qu'on s'écarta sans rien dire devant eux pour leur laisser une place libre à l'extrémité du comptoir.

*Mais reviens quand l'été brillera sur l'herbe*
*Ou quand la neige ouatera la vallée.*

Deux chopes de bière suivies par trois coups d'alcool pour les chasser, puis Conor et le curé montrèrent de nouveau leurs verres vides.

*Alors je serai là, au soleil ou dans l'ombre*
*O Danny mon gars, Danny, je t'aime tant !*

Toute la clientèle de Blaney pleurait comme un seul homme.

— Seriez-vous Conor Larkin en personne ? demanda un dandy.

— Tout juste.

— Eh bien moi, je suis Sammy Meeham. J'arrive de Cleveland, dans l'O-Haï-O. Je suis revenu sur la terre de mon père et de son père avant lui. Me donnerez-vous votre main à serrer et me permettrez-vous de vous offrir à boire ainsi qu'au bon père ?

L'homme de l'Ohio recula, effrayé par les larmes qui coulaient sur les joues de Conor. Le géant tendit ses bras puissants, saisit Sammy Meehan sous les bras, le souleva comme une plume et l'assit sur le comptoir.

— Je vais chanter une petite chanson de révolte en l'honneur de notre ami américain ! brailla Conor d'une voix rauque.

Tout le monde se tut.

*Dis-moi, Sean O'Farrell, où se rassemble-t-on ?*
*Comme d'habitude, au bord du fleuve où tu le sais, comme moi*
*Un seul mot convenu et on se met en marche.*
*La pique sur l'épaule, au lever de la lune*

Conor siffla un autre verre de paddy.

— Alors, je chante tout seul ? cria-t-il en envoyant son verre se briser contre le mur.

Nick Blaney en posa un autre sur le comptoir et le remplit. Tout le monde restait silencieux. Le père Pat fit signe au joueur de flûte et à l'accordéoniste, posa la main sur l'épaule de Conor et chanta avec lui.

*Sur le seuil de bien des masures des yeux perçaient la nuit.*

196

*Bien des cœurs virils battaient en attendant la lumière.*
*Des murmures passaient sur la vallée comme le*
*gémissement de la sorcière esseulée.*
*Mille lames brillèrent* AU LEVER DE LA LUNE.

Des voix s'élevèrent une à une : voix de vaincus, fières,
désespérées, insolentes.

*Ils combattirent pour la pauvre vieille Irlande et leur*
   *sort fut plein d'amertume.*
*Que de gloire, fière et triste, rappelle la date de Qua-*
*tre-vingt-dix-huit !*
*Pourtant, Dieu merci, des cœurs d'hommes battent*
   *encore,*
*Qui suivront leurs pas* AU LEVER DE LA LUNE

# LES CAMPANULES FANÉES

## 1

Je suis né petit et je n'ai jamais beaucoup grandi. Queen's College ne me doit aucune victoire, mais je ne lui ai pas fait perdre de parties non plus. Il y avait tant de O'Neill éparpillés autour de Belfast que je trouvais toujours un lit et quelques croûtons beurrés. Il n'y avait qu'un nombre restreint de catholiques à Queen's College, juste assez pour prouver qu'ils y étaient admis. Néanmoins je trouvai, parmi les étudiants, les petits groupes de libéraux auxquels on peut s'attendre sur un campus. Un peu sorcier de naissance, peut-être, et parce que j'observais attentivement le désordre de la société, je prévis que Queen's deviendrait un foyer d'aspirations républicaines.

La devise de la famille Hubble figurait en latin dans le vitrail de la bibliothèque à Hubble Manor. Elle signifiait : UNE DERNIERE CHARGE POUR LA GLOIRE DE LA COURONNE. Cette formule me paraissait décrire exactement l'ambiance qui régnait dans les milieux dirigeants d'Irlande, à la fin du XIXe siècle. La vieille dame Victoria, au palais de Buckingham, avait passé quatre-vingts ans et donné son nom à la dernière phase, l'apogée, de l'aventure impériale. Ses ministres conservateurs revinrent au pouvoir juste à temps pour célébrer le jubilé de son règne.

Ces festivités répugnaient aux Irlandais. Elles servaient à répéter toutes les trivialités impériales et à nous rappeler une fois de plus que nous étions un peuple asservi, les premiers colonisés de l'Empire. Bien des Irlandais profitèrent des événements pour rappeler que leur amertume ne diminuait pas et que la longue hibernation républicaine ne tarderait pas à se terminer.

L'Association athlétique gaélique et la Ligue gaélique suscitaient le réveil de l'esprit nationaliste et la résurrection de la culture celtique. Tout comme Emmet, Wolfe Tone et Parnell, le Dr Douglas Hyde, fondateur de cette Ligue, était d'ascendance protestante et pourtant celtophile et républicain.

Les noces de diamant de la reine Victoria avec le pouvoir furent boycottées à Londres par les députés du parti irlandais. Les émeutes qui éclatèrent de-ci, de-là, en Irlande, s'assortirent de propos ne laissant aucun doute sur le fait que la « question irlandaise » allait de nouveau se poser.

Depuis quarante-cinq ans, la vieille reine portait le deuil de son mari dont le portrait, tel qu'il était dans son cercueil, était accroché au-dessus du lit conjugal. Chaque matin les serviteurs du palais présentaient, comme de son vivant, les vêtements du défunt prince consort. L'Irlande ressemblait assez au cadavre d'Albert. Le réveil républicain, après les ravages de la grande famine et la répression de la révolte de Fenians, fut presque totalement arrêté par la mort de Parnell. Mais au moment où l'Empire se raidissait en vue d'« une charge de plus pour la gloire de la Couronne », nous nous redressions parmi nos morts en envisageant « une charge de plus pour l'Irlande » !

Le diplôme de fin d'études que je décrochai la première année du XXᵉ siècle ne déclencha pas un afflux torrentiel d'offres d'emploi. Je rejoignis la poignée de catholiques instruits tenus à l'écart par les Anglos et considérés avec méfiance par les leurs, en raison de leur éducation protestante et libérale. Un journal catholique de Belfast désargenté et quelques leçons particulières me permirent de maintenir le contact entre mon âme et mon corps. J'écrivais aussi quelques poèmes, des essais et des pièces de théâtre. Cela satisfaisait mon appétit celtique, mais je dois avouer que ni Britanniques ni Irlandais ne furent impressionnés par la puissance de ma plume.

Les trompettes qui sonnèrent pendant le jubilé exaltèrent jusqu'à l'insolence la plupart des Britanniques et les mirent dans un état d'euphorie délirante. Leur appétit de conquête dépassant toute raison, ils restèrent sourds aux premiers cris de mécontentement et de subversion s'élevant chez les peuples soumis.

L'ivresse du jubilé détermina une nouvelle poussée impérialiste qui devait d'ailleurs marquer un tournant épique de l'histoire. C'est l'appât de l'or qui, en l'occurrence, ouvrit une première brèche dans la suprématie britannique. Cecil Rhodes, héros typique de l'aventure impériale, ne se contentait pas de la corne d'abondance qui déversait diamants, or et autre richesses de la colonie du Cap et autres territoires sud-africains. Il avait envie du Transvaal. Ne s'appuyant que sur la force et sans se soucier de droit le moins du monde, il annexa l'Etat voisin, pour l'associer à une « Union britannique de l'Afrique du Sud ». Le Transvaal était peuplé en majorité de Boers, d'origine hollandaise. Ils ne souhaitaient que vivre en paix. Mais quand on leur fit la guerre, ils recoururent spontanément à des tactiques de guérilla : embuscades, guerre de mouvements rapides. Rompue aux manœuvres de masse et à la stratégie traditionnelle des colonisateurs, l'armée britannique subit une succession de défaites calamiteuses.

Le ministère de la Guerre à Londres constata avec stupéfaction qu'au cours de sa marche vers l'empire mondial, la Grande-Bretagne n'avait pas engagé une seule fois, depuis des dizaines d'années, une armée d'hommes blancs équipés de manière moderne. Il réagit en déversant sur le sud de l'Afrique cinq cent mille soldats ralliés de tous les coins de l'Empire. L'Irlande y participa avec les Royal Irish Fusiliers, les Ulster Rifles, les Inniskillings et le régiment personnel des Hubble : les Coleraine Rifles. Une fois de plus, les Irlandais restaient soumis à la fatalité de leur destin : ils démontraient leurs aptitudes de combattants sous des uniformes étrangers, sur des champs de bataille lointains et dans une guerre qui n'était pas la leur.

Partout où se battaient des Britanniques, une petite force symbolique irlandaise apparaissait en général dans le camp adverse. Il en alla ainsi dans la guerre des Boers. Quelques soldats de fortune, pour la plupart des Américains d'origine irlandaise, des vétérans du mouvement Fenian et une poignée de jeunes républicains constituèrent une brigade irlandaise qui combattit avec les Boers. Il n'y en eut jamais que quelques centaines, mais leur présence eut une grande valeur de propagande. Depuis la famine, la conscience irlandaise n'avait jamais été aussi émue à Baltimore, Boston, Philadelphie et New York. Un Comité du Transvaal se constitua à Dublin même, au cœur de la ville. Il groupait quelques républicains de la nouvelle génération et s'échauffait à la flamme de la résurrection culturelle celtique.

Voici venue l'heure où ma petite pomme entre en scène.

De ma plume enfiévrée, je stimulais une filiale tapageuse du Comité du Transvaal à Belfast. Au début de l'été 1901, un groupement de journaux irlando-américains m'offrit d'être son correspondant en Afrique du Sud.

Lorsque j'arrivai au Transvaal, la guerre avait presque cessé. Par son seul poids, l'énorme armée britannique était venue à bout de la vaillance et de la ténacité des Boers. Ils continuaient à résister mais n'engageaient plus que des opérations minimes et peu efficaces.

Toutefois, au moment même où j'arrivais, quelque chose de choquant et de répugnant transformait l'annexion britannique en victoire à la Pyrrhus : plus de cent mille Boers — hommes, femmes, enfants — étaient rassemblés et enfermés dans ce que les Britanniques eux-mêmes appelaient des « camps de concentration ». Il y avait en outre trente mille soldats boers dans des camps de prisonniers de guerre ! Cependant on confisquait leurs terres, on incendiait leurs maisons et leurs récoltes.

Au moment où le Parlement britannique leur imposait un « acte d'union » pareil à celui qui asservissait l'Irlande depuis un siècle, des milliers de Boers mouraient derrière les fils de fer barbelés. On compta même trente mille morts dans ces camps de concentration, dont vingt mille enfants.

En graissant certaines pattes, je parvins à visiter quelques-uns des camps de concentration les plus connus, près de Bloemfontein, et j'écrivis une série de vingt dépêches sur la vie des détenus. Mes articles étaient destinés à l'origine aux journaux qui m'avaient envoyé sur place. Ils furent reproduits non seulement en Irlande, mais sur le continent européen et même en Angleterre. Quelques confrères journalistes et une dame quaker, Emily Hobhouse, m'aidèrent à dénoncer les abominations britanniques.

Les généraux anglais enrageaient, mais l'opinion publique, enivrée par l'esprit de conquête peu de temps auparavant, lors du jubilé, recouvrait soudain la raison en apprenant la vérité. Un demi-siècle auparavant la grande famine d'Irlande n'avait guère ému les Anglais. Leur propre attitude envers les Boers les indigna.

Je suis convaincu qu'une graine germa au Transvaal. Un arbre en naquit, grandit et porta des fruits qui empoisonnèrent les projets impériaux dès ce moment-là et par la suite. Quelque chose de superbement humain se dressait contre les usages anciens de la conquête et de l'asservissement. Décidément le XXe siècle ne serait pas pareil aux autres. On y assisterait au renversement de l'ordre des choses traditionnel.

Je pressentais que l'Irlande et le peuple irlandais seraient les premiers à lancer ce défi.

Mon papa, Fergus O'Neill, mourut pendant mon séjour au Transvaal. Je ne l'avais plus revu depuis la veillée de Tomas Larkin. La mort de son vieil ami l'affectait tellement qu'il n'avait plus longtemps à vivre.

Ils avaient cultivé leurs champs ensemble, partagé joies et souffrances pendant un demi-siècle et ils ne pouvaient pas vivre l'un sans l'autre. Ayant suivi Tomas pendant toute son existence, Fergus devait le suivre aussi à Saint-Colomban.

Il ne restait plus que les veuves au village, Finola et ma maman, Mairead, avec les spécimens les plus faibles de nos familles : Brigide et Colm.

Mes articles sur les camps de concentration de Bloemfontein ne me valurent aucune popularité dans la presse britannique, mais à certains points de vue, nos ennemis sont honnêtes. Ils respectèrent leurs lois qui ne leur permettaient pas de poursuivre un journaliste pour avoir accompli légitimement sa tâche. A mon retour en Irlande je figurais évidemment sur la liste des suspects au château de Dublin, mais le mouvement républicain naissant ne fit pourtant pas grand cas de moi.

En ce temps-là, Dublin vibrait. Les plumes irlandaises répandaient des mots d'espérance par millions. On venait de fonder un théâtre national. Les écrivains pullulaient. On se serait cru à l'apogée de la civilisation athénienne. Je me lançai furieusement dans le mouvement.

Mes recherches au sujet de Conor Larkin ne donnaient aucun résultat. Il avait quitté Derry peu après l'incendie de la fabrique de chemises et la disparition de Kevin O'Garvey. Quelques-uns disaient l'avoir rencontré de-ci, de-là, en Irlande, circulant comme une âme en peine. Puis, plus rien. J'en avais le cœur gros.

L'Irlande manquait de tout, sauf de poètes et d'auteurs dramatiques. Pourtant je ne pouvais me libérer de mon chagrin qu'en prenant ma plume au sérieux.

J'écrivis des nouvelles sur notre jeunesse commune à Ballyutogue et une pièce sur l'été passé ensemble à la cabane de l'alpage. Chaque ligne que j'écrivais était un cri lancé vers lui dans la nuit.

Enfin un jour ma prière fut exaucée. Liam m'écrivit de Nouvelle-Zélande. A bord d'un bateau qui se rendait à Christchurch, Conor avait fait escale à Changhaï d'où il avait annoncé par télégraphe sa prochaine arrivée à son frère.

## 2

Les cloches de Belfast carillonnèrent et cette ville pieuse se mit en mouvement pour fêter le jour du Seigneur. Au Shankill, le long de Sandy Row, à Belfast-est et dans toutes les autres places fortes de Calvin, Luther et Knox, on ferma amèrement les portes des pubs et on ouvrit celles des temples avec tout autant d'amertume. Des psaumes lugubres, pareils aux chants funéraires d'une symphonie tragique, jaillirent de tous ces navires amiraux de la Réforme. Des mains calleuses brandissaient des psautiers écornés ; des voix, plus fausses l'une que l'autre, chantaient à qui mieux mieux, au-dessus, au-dessous du chœur, et même à contre-temps.

*Viens, pécheur, pauvre et besogneux*
*Faible et vexé, malade et affligé*
*Jésus t'offre le salut.*
*Puissant, pitoyable et plein d'amour*

*Il le peut, il le veut*
*Ne doute plus*

Là-bas, à Andersontown, près de la cascade, et à Ballymurphy, les catholiques réglaient leurs affaires avec Dieu et Marie, au cours de messes basses, par équipes de quarante minutes.

Les Anglos et leurs frères écossais de Belfast prenaient la religion beaucoup plus au sérieux car ils se voyaient assiégés, aussi proclamaient-ils plus glorieusement que n'importe où ailleurs leur zèle pour Lui et pour Son fils.

Lucy MacLeod s'éveilla en tremblant. Après avoir compté les mois et les semaines, elle comptait les jours et bientôt ce ne serait plus qu'une affaire d'heures. Un dimanche de plus et, quand elle se réveillerait au son des cloches, son Robin serait de nouveau auprès d'elle, tiède, ensommeillé, plein d'amour.

Il serait de retour après sa tournée de douze semaines dans les Midlands, avec son équipe de rugby. C'était la septième fois qu'il quittait ainsi sa femme mais elle ne s'en était jamais plainte. Son homme appartenait aux Chaudronniers de Belfast-est, situation de haut prestige dont le revenu épargnait à Lucy le travail en usine.

En s'habillant, elle caressa et admira son corps de femme. Ce n'était pas une poupée gracieuse et pâlotte, mais une solide femelle dont raffolait Robin. Les seins volumineux aux mamelons roses conservaient toute leur fermeté. Elle s'assit devant son miroir, comme elle l'aurait fait devant lui s'il était assis dans le lit, le dos contre les oreillers, les yeux brillants. Elle récapitula exactement ce qu'elle arborerait, quel parfum elle emploierait, quelles surprises elle lui offrirait.

Le tic-tac implacable de l'horloge ramena Lucy à la raison. Elle se vêtit à regret. Enfin, étroitement corsetée, boutonnée du cou aux chevilles, elle s'adressa un dernier compliment devant la glace, se coiffa d'un chapeau à large bord orné de plumes, de fleurs et d'où tombait une voilette.

— Matthew ! cria-t-elle.

Son fils arriva aussitôt, portant comme un damné le poids de ses dix ans d'âge. Elle l'examina, le jugea prêt pour l'église.

— Quand arrive le bateau de papa ? demanda-t-il.

— Vendredi à midi, répondit-elle. Tu le sais aussi bien que moi.

— Je pourrai quitter l'école ?

Elle lui tordit l'oreille, doucement mais avec fermeté.

Leur maisonnette de Tobergill Street était rigoureusement identique à celle d'à côté qui appartenait au grand-père Morgan et à la grand-mère Nell. Ils s'y rendirent, comme ils le faisaient tous les dimanches, en échangeant des salutations dominicales avec les passants et en se félicitant du prochain retour de Robin.

Personnage aussi redoutable et majestueux que les portraits de la reine, le grand-père Morgan portait une redingote grise, un haut-de-forme en soie, et des gants blancs dissimulaient ses mains calleuses. Il tira son gros oignon d'or de la poche de son gilet et l'ouvrit en appuyant sur le remontoir. Morgan MacLeod travaillait aux chantiers Weed depuis le jour de leur ouverture en 1878 et en vingt-cinq ans il n'avait pas perdu une seule journée de travail. On disait de lui qu'il travaillerait jusqu'au jour de son enterrement. Connu et respecté d'un bout à l'autre du Shankill et dans bien d'autres quartiers de Belfast, diacre de son église, grand maître de sa loge d'Orange, il était chef des charpentiers de marine du bassin Big Mabel.

Dans cette famille d'une piété parfaite, seule la tante Shelley du petit Matthew osait tenir tête au grand-père Morgan, à tous les révérends (et Dieu sait s'il y en avait !), aux voisins les plus indiscrets et à quiconque aurait porté atteinte à son indépendance.

Aux yeux du gamin c'était une MacLeod aussi puissante que son papa et son grand-papa : un sujet d'admiration. Robin lui-même s'inclinait devant Morgan. Tante Shelley ne cachait pas qu'il lui arrivait de fumer la cigarette et de lire des livres interdits. Elle disparaissait durant de longs week-ends sans se soucier d'expliquer à qui que ce fût où elle allait, ni avec qui. Matt la voyait encore plus belle que sa maman. Grand-père Morgan paraissait se résigner mais revenait de temps en temps à la charge dans l'espoir qu'un peu de la piété familiale finirait par déteindre sur sa fille.

Morgan caressa la tête de Matt comme il le faisait tous les dimanches et parfois aussi en semaine. Mais la caresse du dimanche était plus solennelle. Il exhiba de nouveau sa montre pour manifester son impatience car grand-maman Nell était en retard. Elle descendit enfin l'escalier, aussi corsetée de la taille et fleurie de la tête que sa bru.

Les MacLeod sortirent pour se joindre au cortège des fidèles.

On aurait cru que Belfast s'était vidé de son sang pour un embaumement dominical. La sainteté pénétrait tout : les vêtements, la barbe du grand-père, les souliers neufs du gamin. En croisant des voisins tous hochaient sèchement la tête à l'unisson et les autres familles répondaient avec une unanimité aussi rigide. Le poids de leur

209

religion leur pesait sur les épaules comme les ailes géantes sur le dos de l'albatros à terre. Il creusait des rides dans leurs visages amers.

> *Il y a une fontaine pleine de sang*
> *Le sang des veines d'Emmanuel ;*
> *Et les pécheurs plongèrent dans cette bénédiction*
> *Lavés de toutes leurs souillures.*
> *Je crois et je croirai*
> *Que Jésus mourut pour moi,*
> *Que sur la croix Il versa son sang*
> *Pour me libérer du péché*

Le révérend Bannerman s'acquittait raisonnablement de son devoir. Ses ouailles l'écoutaient plus ou moins attentivement. Débité par un homme sans autre qualification que sa vertu, l'Evangile perdait son éloquence. Compte tenu de la médiocrité du révérend Bannerman et des autres prédicateurs, il est permis de dire que les fidèles s'entassaient dans les églises, chantonnaient les cantiques et somnolaient pendant le sermon, par crainte de se trouver ailleurs à l'heure où ils devaient être à l'église.

Coincé dans une petite cellule de bois verni, foncé, le petit Matthew MacLeod avait mal aux fesses parce que le coussin de son siège était trop mince et il devait exécrer jusqu'à la fin de ses jours la couleur vert petit pois de ce coussin. Au-dessus de lui flottaient des nuages de chapeaux à fleurs, de moustaches cirées, de cols blancs.

— Ne sois pas parmi les buveurs de vin, marmonnait sans conviction le pasteur. Ne regarde pas le vin quand il est rouge... (Il toussota, sembla avoir envie de cracher mais s'en retint.) Il pique comme un serpent et empoisonne comme une vipère.

Matthew compta les fleurs sur les chapeaux, puis les volutes sculptées dans les piliers de bois. Il remarqua ensuite que son image se réflétait sur le dossier de son voisin d'en face et se fit des grimaces, imita le renard, le clown et s'imagina coiffé d'un chapeau à fleurs.

Le révérend Bannerman s'était mis en train et atteignait le maximum de colère en dénonçant les intempérants, quels qu'ils fussent !

Matt se pencha prudemment en avant. Son regard passa devant des rangées de poitrines et de barbes opulentes. La tête d'une fillette, couverte de rubans, se pencha de la même manière, à l'extrémité de la rangée. Matt la menaça de l'index. Elle en fit autant. Il lui fit la grimace. Elle la lui rendit. Il tira la langue. Elle fit de même. A cet instant la lourde main de l'autorité s'appuya sur la nuque du gamin et le ramena dans le droit chemin.

*Précieux, précieux sang de Jésus*
*Versé sur le calvaire*
*Versé pour les rebelles, versé pour les pécheurs*
*Versé pour moi !*

Et les fidèles de grogner les vers ! Le souffle leur manquait à la fin de chaque couplet. Matthew entendit des gamins chanter dehors *Les Campanules fanées*.

Le pasteur rappela ensuite les noms de ceux qu'il ne fallait pas oublier, les ventes de charité qui auraient lieu dans la semaine, les événements qui donneraient lieu à des cérémonies religieuses particulières, les loteries, les réunions de clubs, de dames auxiliatrices, les malades à visiter, les tenues de loges orangistes.

L'orgue se déchaîna. S'ensuivit un solo horrifique par l'épouse du plus généreux bienfaiteur de la congrégation : pot-pourri saugrenu en l'honneur du Christ, sur un air populaire de Londonderry. Matt se gratta un coude, puis l'autre coude. Il lui sembla qu'un courant électrique lui parcourait l'avant-bras. Il se tordit sur lui-même, exaspéré. Grand-père Morgan le foudroya du regard.

— L'ivrogne sera réduit à la misère, à la somnolence qui le couvrira de haillons... chacun recevra le salaire de sa peine.

Variations sur le thème favori de l'Ulster : les bienfaits du travail. Dès l'âge de dix ans, Matthew MacLeod savait que les protestants sont plus industrieux que les catholiques ; les presbytériens plus que les anglicans ou les baptistes. La Bible se présentait comme un véritable catalogue des récompenses accordées aux laborieux et des châtiments infligés aux pécheurs, aux corrompus, aux paresseux, aux malheurs que la boisson apporte aux catholiques. Elle indiquait clairement qui était dans le camp de Dieu et quel camp Dieu favorisait.

Vers la fin de la deuxième heure, un coup de coude réveilla Matthew qui se leva d'un bond, ahuri.

> *Qu'est-ce qui peut laver ma souillure ?*
> *Rien que le sang de Jésus.*
> *Qu'est-ce qui peut me rendre à moi-même ?*
> *Rien que le sang de Jésus !*
> *Qu'il est précieux le flux*
> *Qui me rend blanc comme neige.*

Les conversations sur le parvis allaient beaucoup plus

loin que de banales mondanités car Morgan MacLeod était un grand personnage. Ce jour-là on parla surtout du proche retour de Robin. La main dans celle de son grand-père, Matthew dut subir encore maintes caresses sur la tête et pincements de joue. « C'est Robin tout craché, celui-là. »

Cinq ou six solliciteurs successivement attirèrent Morgan à l'écart pour lui demander discrètement de préserver tel emploi au chantier ou de dire un mot en faveur de telle promotion. En qualité de grand maître d'une loge d'Orange, Morgan était investi de pouvoirs particuliers dans la répartition du travail à Belfast.

Le soleil, enfin !

Toujours tenu fermement par la main, Matthew jalousait les petits voyous qui jouaient au football sur la chaussée avec des boîtes de conserve vides ou sautaient à la corde en chantant *Les Campanules fanées*.

Pour que le message évangélique du révérend Bannerman ne sombre pas dans l'oubli, grand-père Morgan répéta et commenta les propos du pasteur pendant le déjeuner dominical.

Plus rien n'avait de goût pour le gamin. On lui reprocha de ne pas manger. On lui recommanda de ne pas se salir car la journée n'était pas terminée.

Le second round avec le Seigneur donna lieu à une longue discussion entre le grand-père et la grand-mère. Elle préférait le service du soir à l'église toute neuve du Sauveur où officiait le révérend Olivier Cromwell Mac-Ivor. Avec celui-là au moins on ne s'ennuie pas ! pensa Matt, que ce prédicateur effrayait quand même un peu : quand il écumait, certains fidèles tombaient en syncope dans tous les coins de l'église ; d'autres se levaient en braillant, d'autres encore se jetaient à plat ventre au pied de la chaire.

MacIvor inspirait de graves soupçons au grand-père qui céda pourtant ce dimanche-là. Il emmena Matthew chercher le cheval de la famille à l'écurie située à quelques centaines de mètres de là. Il l'attela au break. On coinça fermement le gamin entre les corsets de sa mère et de sa grand-mère et l'on partit au long du fleuve vers les faubourgs de la ville. La ferveur religieuse y soufflait en tempête sous des chapiteaux. Les prédicateurs y tonitruaient des sottises, vociféraient des damnations, réclamaient un retour à la pureté évangélique.

Ces prêcheurs arrivaient et repartaient en saintes et inintelligibles marées. Il suffisait d'avoir la langue bien pendue et de posséder quelques shillings pour s'adjuger un diplôme de théologie et s'établir à son compte. Il s'agissait de pêcher les néophytes qui en recrutaient d'autres pour assurer une résurrection permanente du protestantisme.

Après le dîner, grand-père Morgan lut un chapitre de la Bible. Puis Lucy retourna chez elle avec son petit garçon. Le dimanche suivant son papa serait là. Les églises de Belfast offraient une grande variété de services dominicaux. Papa Robin en fréquentait une où le sermon ne durait guère et les fidèles y étaient aussi nombreux qu'ailleurs. Ensuite, on s'amuserait. Mais évidemment papa repartirait en tournée avec son équipe.

Avant de se mettre au lit, Matthew MacLeod s'agenouilla par terre et pria enfin avec ferveur : « Mon Père qui es aux cieux, accorde-moi de passer le dimanche matin en prison quand papa est en Angleterre. Epargne-moi toute cette piété. »

## 3

## Christchurch, Nouvelle-Zélande, 1904

Le train ralentit avant de passer le pont de Christchurch et fit le tour du jardin botanique. Conor les vit de
loin sur le quai : les Larkin de Nouvelle-Zélande. Liam
s'était mis en vain sur son trente et un ; Mildred, une
bonne mémère, aussi élégante que lui, offrait le plus
large des sourires ; leurs quatre lardons, deux gars, deux
filles, brandissaient des bouquets. Il étaient tous raides
d'émotion.

La poignée de main maladroite se termina en
étreinte. Puis la tension disparut quand Conor prit ses
nièces dans ses bras et les invita à fouiller ses poches.
Des colliers en pierres rares, achetés à Hong Kong ; deux
vraies montres pour les garçons. C'est une famille
heureuse qui s'installa en jacassant dans la salle d'attente pour attendre le train conduisant à l'intérieur des
terres.

Liam remarqua des mèches grises aux tempes de son
aîné.

— Tu as beaucoup voyagé, dit-il. Reste avec nous et
repose-toi un moment.

— D'accord, murmura Conor. C'est une bonne idée.

Ballyutogue, le domaine de Mildred et Liam Larkin, se
trouvait à quelque quatre-vingts kilomètres de la côte, à
peu près au milieu de la partie la plus étroite de l'île. Le
train les laissa à Kowi Bush d'où ils poursuivirent leur
trajet en voiture jusqu'au pied des Alpes du Sud, à

l'endroit où la Waimakariri plonge vers la mer. Le décor offrait toute la gamme de teintes allant du vert iridescent à l'outremer. Les Larkin n'habitaient pas une masure mais une belle maison de rondins à un étage, plus belle que celle du plus riche cultivateur protestant d'Inishowen. Leur fief s'étendait sur quatre cents hectares de prairies et de terre arable couverte d'un humus épais. Ils n'employaient pas moins de deux valets à temps complet.

Pendant une semaine Spring et Madge, les filles, Tomas et le petit Rory, les garçons, apprirent des ballades d'Irlande et écoutèrent des aventures épiques de marin. Mildred et les filles à marier du voisinage, de même que les hommes, d'ailleurs, n'en avaient jamais autant entendu.

Restés seuls, les deux frères passaient la moitié de la nuit à parler de tout, sauf de Ballyutogue, de Kevin O'Garvey, de Finola et d'Irlande. Si bien qu'en fin de compte, ils ne se disaient rien. Liam apprit seulement que son frère naviguait depuis plusieurs années et avait passé quinze mois en Australie.


Liam se laissa tomber devant la lourde table de chêne. Mildred lui servit un bol de bouillie, en posa un devant sa place, s'assit à son tour. Tous deux remuèrent à l'unisson leur cuillère.

— Tu lui as parlé ? demanda-t-elle.

— Non, pas encore.

— Il est là depuis quinze jours, chéri.

Liam étudia le dessin de la nappe et passa le doigt sur un accroc. Sa femme lui tapota la main. Ils mangèrent leur bouillie en faisant le même bruit de déglutition à chaque gorgée.

— Ne traîne pas plus longtemps, dit-elle résolument. Cent vingt hectares de la meilleure terre que l'on trouve dans les environs et les Smith s'en déferaient pour presque rien. S'il n'a pas d'argent nous pourrons lui en avancer.

— Je ne suis pas sûr qu'il y tienne, Mildred.

— Allons donc ! Tu ne l'as pas vu regarder les collines des environs. Je lis la faim de terre dans ses yeux.

— Nous avions tous ce regard en arrivant, dit Liam. Le paysage nous rappelle notre pays.

— Tu ne trouves quand même pas normal qu'un beau gars comme ton frère vadrouille de par le monde pendant cinq ans sans donner de ses nouvelles !

— Si. C'est assez normal pour un homme comme mon frère. Il n'est pas comme les autres, Milly. Il a des traits bizarres que personne n'a jamais compris. Quand j'ai appris qu'il arrivait j'ai d'abord eu peur. Tant que nous étions ensemble, je vivais dans son ombre. Maintenant que je le vois malheureux, j'ai pitié de lui, mais je ne suis pas sûr qu'il apprécierait un bonheur comme le nôtre.

Mildred retourna à la cuisinière à bois, tisonna le foyer, souleva le couvercle d'une marmite, considéra avec satisfaction le ragoût qui cuisait. Les deux frères ne se ressemblaient guère. Tout en leur distribuant du soleil, Conor avait révélé bien des coins d'ombre dans sa propre personne. Il semblait avoir passé cinq ans sur un gril. Que devient un homme après avoir mené une telle existence ? Mildred retourna à la table. Par son sourire Liam s'excusait de ne pouvoir persuader son frère.

— Quand il aura passé quelque temps ici, peut-être, reprit Mildred, plus optimiste que raisonnable. La beauté de ce pays fera le même effet sur lui que sur tous les autres gars arrivés d'Irlande.

— Ne fais pas trop de projets pour lui, dit Liam en secouant la tête.

Une semaine passa, puis une autre. Un soir Conor annonça qu'il se rendrait à Christchurch pour chercher de l'embauche sur un bateau. On avait toujours besoin de forgerons à bord et l'ouvrage ne lui manquerait pas. La famille s'attrista.

Liam arrêta son cheval sous un chêne gigantesque au sommet d'une colline d'où la vue s'étendait sur des terres opulentes. Il était venu là plus de cinq cents fois quand il travaillait à la journée pour payer ses dettes, quand il courtisait encore Mildred et, plus tard, avec ses enfants. Il descendit vers un vallon au fond duquel il avait souvent pêché sans jamais oser rêver que tous les environs lui appartiendraient un jour. Et pourtant... Il attacha son cheval et examina la glène de Conor. Elle était vide.

— Tu ne te donnes pas trop de mal, dit Liam.

— Les poissons de par ici sont plus malins que ceux de chez nous.

— Tu ne trouverais pas un ruisseau plus riche en truites, même en Irlande, dit Liam. (Il considéra les mouches dont s'était servi son frère.) Tiens, voilà la taihape. A cette heure-ci, elle est infaillible.

Il remonta les cuissards de ses bottes, avança dans l'eau et ferra presque aussitôt une truite arc-en-ciel. Il l'attira lentement vers le bord, à la manière du pays, glissa un pied dessous et l'envoya à terre.

218

— Bravo ! dit Conor.

Liam eut un rire heureux. Les deux frères s'assirent, adossés à un tronc d'arbre.

— Tiens, bois un coup, dit le plus jeune en tendant une bouteille à son aîné.

Liam offrait le vivant tableau de l'homme heureux. Conor sourit en le constatant.

— Je peux enfin te dire des choses qui me restaient autrefois en travers de la gorge, dit Liam. J'étais jaloux de toi et de Seamus O'Neill quand je vous voyais assis tous les deux avec papa sous un arbre comme celui-ci. Maintenant l'arbre, le ruisseau, tout est à moi. Je sais combien c'est réconfortant. Il me semble que la situation s'est inversée entre nous.

— Oui. Et je suis heureux de voir ce que tu es devenu, Liam.

— Il ne faut pas nous quitter, Conor. Mildred veut te garder autant que moi. J'étais jaloux autrefois, oui, c'est vrai, mais je ne le suis plus du tout. Je voudrais que tu sois aussi heureux que nous. Reste ici.

— Je ne crois pas que cette vie me convienne, murmura Conor.

— Où iras-tu ? Vers quoi retournes-tu ?

Conor ne répondit pas mais son silence était lourd de sens.

— Ce domaine m'appartient entièrement, reprit Liam. Oui, ma femme est anglaise et mes gosses néo-zélandais. Oui, je fête l'anniversaire du roi. Et après ? J'adore ce pays et je sens qu'il m'aime. C'est drôle, mais tout le monde aime les Irlandais, partout sauf en Irlande et en Angleterre.

— Oui, c'est le destin de notre peuple.

— Si tu veux savoir la vérité, Conor, je me fous de

l'Irlande. Nous ne lui devons rien que des chagrins, l'un comme l'autre.

Une lueur de colère passa dans le regard de Conor et disparut aussitôt. Son frère disait vrai. Tous les Irlandais émigrés pensaient la même chose et à juste titre. Mais l'exil n'avait pas donné le même résultat pour Conor. Pendant cinq ans il avait cherché à se purger de l'Irlande et n'y était pas parvenu.

Conor se leva lentement, infiniment las. Liam resta bouche bée, désolé et un peu effrayé.

— J'en ai dit plus que je ne pense, souffla-t-il en souriant.

— C'est le destin de notre peuple, répéta Conor.

— Ne t'en va pas encore, Conor. J'ai un poids sur la conscience. Depuis des années Seamus O'Neill me tient au courant de ses recherches à ton sujet. Je lui ai promis que je lui annoncerais ton arrivée si jamais tu venais par ici. J'ai tenu parole quand j'ai reçu ton. télégramme. Cette lettre est arrivée avant toi. Quand nous t'avons vu, quand nous avons constaté combien tu avais besoin de repos et de paix, Mildred et moi avons décidé de ne pas te la donner tout de suite par crainte qu'elle t'apporte du tourment ou du chagrin. Nous espérions surtout que tu consentirais à rester parmi nous. Mais puisque tu vas chercher de l'embauche sur un bateau... (Il lui tendit l'enveloppe.) Pardonne-moi.

Conor ne l'ouvrit pas. Devinant ce qu'elle contenait, Liam détacha son cheval, l'enfourcha et s'éloigna.

*... la vie de l'esprit palpite de plus en plus à Dublin. Théâtre, réunions, associations, publications. C'est une vague qui enfle. On la voit à l'œil nu. Je suis en plein dans le bain, mais pas seul parce que bien des gens*

*brillants et dévoués se manifestent de plus en plus nombreux. Pour la première fois de ma vie je peux enfin dire que je suis fier d'être irlandais en Irlande...*

*... Ça vient, Conor. Ça demandera peut-être quelques années, voire une décennie, mais rien n'arrêtera cette marche...*

*... Je me rappelle la cabane de l'alpage et les milliers d'heures que nous avons passées à parler du Moment. Ah ! ce Moment ! Se pourrait-il que tu sois loin quand il arrivera ?*

*... la Fraternité a ressuscité. Elle est encore faible, mais elle grandit. Conor, prononce ces mots à haute voix : la fraternité des républicains irlandais. Ça ne te donne pas le frisson ?*

*... Pour l'amour du ciel, Conor, reviens au pays...*


## 4


La nuit s'était passée en bavardages mais Conor ne m'avait raconté que des bribes de son odyssée. On marqua une pause quand les premières lueurs du jour glissèrent sur les toits plats du Dublin georgien.

J'habitais Cornmarket High Street, un quartier d'écrivains et d'acteurs, situé entre l'infâme château de Dublin, la célèbre brasserie de la Porte-Saint-Jacques, appartenant à Guinness, en bordure des Liberties, un des pires cloaques urbains d'Europe et aussi un vieux foyer d'insurrection. J'étais admirablement placé pour faire face à tous les événements, dans un triangle bordé par l'omniprésence de la Couronne, la source de la révolution et une chaîne ininterrompue de barils de bière.

Conor laissa le rideau retomber devant la fenêtre. J'avais attendu patiemment qu'il vide son sac. Une journée et une nuit de beuveries et de tâtonnements le ramenaient au seuil des confidences. L'aurore le rendait lucide et il craignait moins d'entendre le récit de ses propres épreuves.

— Après l'incendie, quand le père Pat me révéla la combine qu'avait sans doute acceptée Kevin O'Garvey, je ne pouvais plus rester à Derry. Pendant toute sa vie, Kevin s'était acharné à jouer le jeu selon les règles de l'ennemi, devant ses tribunaux, dans son parlement, tout comme Parnell et O'Connell. En fin de compte, les Britanniques l'avaient roulé comme ils nous roulent tous. Oh, certes, ce sont des tricheurs grandiloquents, qui affectent une grande largeur de vues, mais des tricheurs quand même. L'évidence fit explosion devant mes yeux : les O'Garvey et les Parnell ne peuvent nous conduire que sur un court trajet ; seule l'insurrection armée imposera la raison aux Britanniques. Je quittai donc Derry en quête du coin d'Irlande où la fraternité républicaine aurait survécu.

» Pendant un an je parcourus le pays à pied, de Donegal à Cork, de Galway à Dublin, de Belfast à Kerry, de Wexford à Sligo. Il n'y avait de Fraternité irlandaise nulle part.

» Le souvenir de la grande famine pesait encore comme un grand nuage noir sur la seconde génération. Il nous privait de notre virilité et de nos espérances. J'ai vu le peuple irlandais brisé, dénué de volonté, incapable de protester, soumis, docile, piteux jusqu'au comique. J'avais envie de prendre mes concitoyens à la gorge, de les secouer en leur enjoignant de se conduire en hommes, mais c'étaient des chiens. Ils jouaient à des jeux de chien, proclamaient un courage fallacieux en glapissant, se contentaient de fouir leurs champs du bout de leur museau pour en tirer leur subsistance et d'envoyer leurs enfants mendier dans les villes. Ils s'interdisaient de s'instruire, de s'indigner, de faire le moindre effort et vivaient dans des visions brumeuses.

» Parfaitement, Seamus, il n'y avait pas de Fraternité. Rien pour donner quelque valeur à ma rage. Alors, par dépit, j'ai fait ce que j'avais juré de ne jamais faire : j'ai fui mon pays. Ce ne sont pas les Britanniques qui m'en ont chassé, mais l'apathie de notre peuple.

Conor s'était affaissé au bord de ma couchette, les épaules basses, le regard au plancher. Pendant un bref moment, il leva la tête et parcourut la pièce du regard, comme s'il espérait encore quelque apparition miraculeuse.

— Toute l'Irlande n'était qu'un vaste Bogside. Je ne pouvais continuer à brailler dans le désert ou à l'usage de sourds, alors je devais partir. Tu comprends, j'espère, pourquoi je suis parti.

— Oui.

— Et j'ai retrouvé notre peuple... là-bas, très loin... Les égoutiers du monde entier, les éternels errants, les mercenaires qui combattent pour d'autres, et puis des miséreux rassemblés dans des petits Bogside sur toute la surface de notre mère la terre ; ces gens bizarres, une race d'hommes et de femmes maudits, si gentils, si chers à mon cœur, si précieux, mais aussi tellement épuisés, tellement brisés !

» J'ai vu des Bogside, créés par les colonisateurs, partout au monde : les Bogside noirs d'Afrique, les Bogside rouges des Antilles, les Bogside jaunes d'Extrême-Orient, les Bogside marron des Indes. Ils sont pareils aux nôtres et le nôtre est pareil aux leurs. Combien de temps l'insolence britannique pourra-t-elle nous broyer dans ses serres ? Chaque fois que j'avais fait connaissance avec un de ces pays de misère, l'indignation et la fièvre me ramenaient sur mer.

»Je m'arrêtai quelque temps en Australie. C'est un pays assez convenable. Mais partout où je trouvai un rien de confort et de paix, je sentais la fumée des feux de tourbe et j'entendais les mêmes chansons que chez Dooley McCluskey ; je me réveillais en sueur au milieu de la nuit. Je me suis acharné de toutes mes forces, Seamus, je me suis efforcé d'oublier l'Irlande, d'en purger mon âme. Mais le monde n'est pas assez vaste et le bien-être me donnait l'impression de me trahir moi-même, alors je reprenais la mer.

»Quand mon tour de quart venait en pleine nuit, j'étais enfin seul. J'éprouvais la sensation de regarder en moi-même, au milieu d'un monde de folie qui s'étendait jusqu'à l'horizon.

Il retourna à la fenêtre, écarta les rideaux et battit des paupières. Je préparai le petit déjeuner.

— Je déteste ce pays, reprit-il. Je le déteste de bien des façons, je dois l'avouer, mais je ne le quitterai plus jamais.

— La Fraternité est encore si faible qu'on la voit à peine, mais elle se compose d'hommes dont les sentiments sont aussi profonds que les tiens. Ça prendra peut-être des années, Conor, mais ils s'envoleront sur les ailes d'un phœnix d'or, je te le jure.

Barrymore était venu du comté de Cork ; Butler, de

Clare ; O'Bourne et Nolan étaient des gens de Dublin ; Gannon venait de Kerry ; Madigan, du comté Kildare ; enfin, Larkin et moi, d'Ulster. On nous avait choisis à grand-peine et rassemblé dans une pièce au-dessus de la boulangerie de Marrowbone Lane, au cœur des Liberties. Le dénuement de notre local sentait la révolution.

L'homme qui se dressait devant nous était un ancien géant, un héros mineur, une relique du soulèvement Fenian. En 1867, à l'âge de seize ans, il avait été arrêté lors de l'attaque d'une caserne de la constabulary. Malgré son jeune âge, il avait d'abord passé plusieurs années à la prison de Brixton, en Angleterre. Evadé et repris, il avait vécu dans une demi-douzaine de geôles, en qualité d'hôte de la Couronne et, pendant vingt ans, il avait subi toutes les humiliations que les Britanniques sont capables d'imaginer. Je me rappelais avoir vu, quand j'étais étudiant à Queen's, des dessins le représentant à genoux, les mains liées derrière le dos, obligé de manger en lapant comme un chien.

Libéré et exilé, il était apparu partout où deux, trois, cinq vieux Fenians pouvaient l'écouter : au Canada, en Australie et, enfin, aux Etats-Unis, parmi les deux millions de citoyens nés en Irlande.

C'était un pur-sang de la révolution, qui ne s'était jamais intéressé aux femmes et aucune ne s'était intéressée à lui. Il ne buvait jamais car il tenait à garder l'esprit clair pour manipuler hommes et explosifs. Les réalités de la prison et des refuges d'évadés comme cette pièce-là le rendaient réfractaire aux mots d'ordre comme aux banalités. Un crucifix était pourtant accroché à la tête de son lit, comme s'il tenait à maintenir un dernier lien avec la religion de son enfance qui l'avait pourtant renié. Son arrivée sur la scène de Dublin détermina la première tentative de remise sur pied d'une Fraternité républicaine irlandaise.

Il s'appelait Dan Sweeney, on le surnommait Le Long.

Depuis l'âge de vingt-cinq ans, il avait les cheveux blancs. Sa peau avait la pâleur rougeâtre de ceux à qui on a refusé la lumière du soleil. Son visage n'était que failles et crevasses. Le temps et les Britanniques l'avaient tellement maltraité qu'il tombait parfois dans des radotages cyniques. Nous l'écoutions quand même avec ferveur parce qu'à nos yeux il représentait la révolution.

— J'espère que vous n'êtes pas pressés, dit-il, d'une voix neutre. Le peuple irlandais ne va pas descendre dans la rue et s'insurger parce que notre frère O'Neill, ici présent, quelques autres écrivains et politiciens soufflent des mots aussi vigoureusement qu'une tempête sur l'île d'Aran. (Sa voix exprima enfin quelque chose : un mépris indiscutable.) Le peuple d'Irlande nous est presque aussi hostile que les Britanniques. Il est soumis depuis trop longtemps. Quand vous sortirez d'ici, sachez que la plupart des Irlandais vous détesteront, vous et tout ce que vous essaierez de faire. Les Britanniques sont passés maîtres dans l'art d'opposer les Irlandais aux Irlandais. (Il glissa la main sous son oreiller, en tira un revolver Webley qu'il nous agita sous le nez, comme pour nous le faire flairer.) Les délateurs sont la plaie de notre pays. Apprenez à bien vous connaître les uns les autres et ne vous fiez à personne d'autre.

Clic ! Le chien du revolver claqua. Nous baissâmes tous la tête en gémissant, mais l'arme n'était pas chargée.

— Nous exécuterons les indicateurs sans pitié, dit-il. (Il jeta le revolver sur la table.) Sans pitié ! répéta-t-il.

Nous sommes très courageux devant les comptoirs de bistrots. Les autres, là-bas, de l'autre côté de l'océan, se croient irlandais parce qu'ils arborent du vert le jour de la Saint-Patrice et défilent prompeusement sur toutes les avenues du monde. Personne n'est capable de débiter autant de conneries que nous sur notre amour du sol natal. Mais ceux qui ont quitté le pays s'en foutent. Il y en a sûrement parmi vous qui ont des frères à l'étranger. Croyez-vous qu'ils se soucient de l'Irlande, sauf lorsqu'ils versent leur petite larme annuelle ? Nous sommes seuls, vous et moi. Seuls. Seuls ici. Seuls partout au monde.

Dan Sweeney ne soufflait ni le chaud ni le froid, ni l'amertume ni l'enthousiasme, il disait tout simplement la vérité.

— Nous pouvons quand même attendre quelque soutien d'Amérique. Une poignée de fidèles nous financera. Sans eux, nous n'aurions aucun espoir. Grâce à eux, nous pouvons atteindre certains buts. Que faut-il faire ? Nous organiser d'une manière ou d'une autre et dresser un plan d'action pour le jour où le peuple irlandais estimera qu'il en a assez. Quelques-uns d'entre vous vivront encore ce jour-là, mais ne l'espérez pas trop. Ne pétez pas non plus plus haut que le trou de votre cul. Aujourd'hui nous constituons un groupement totalement inefficace, représentant un peuple tout aussi totalement inefficace. Rien n'est moins organisé que l'Irlande. Exécuter le plan le plus simple est une affaire à s'arracher les cheveux chez nous.

» Alors, vous vous demandez sans doute pourquoi nous perdons notre temps, qu'est-ce que nous espérons, nous, gens faibles, soumis, déloyaux, incapables de nous organiser ? Eh bien, nous possédons quand même une chose :

la haine des Britanniques. Ils nous craignent autant qu'ils nous détestent car, tant qu'un seul Fenian continue à s'agiter, tant que trois hommes comme nous se réunissent dans une pièce comme celle-ci, l'Empire britannique n'est pas tout à fait en sûreté. Les Britanniques savent que les Irlandais seront les premiers à se soulever contre eux et qu'ils doivent donc faire face à la rébellion chez nous d'abord. Nous, vous, moi, la Fraternité républicaine irlandaise, sommes la pointe d'une flèche empoisonnée. Si elle crève la peau des Britanniques, nos idées se répandront dans leurs colonies du monde entier. Voilà ce qu'ils redoutent et c'est cela qui fait notre force.

Alors que nous titubions mentalement sous le choc de ces pensées puissantes, il se frotta les mains. Elles étaient prématurément ridées de même que ses cheveux avaient blanchi trop tôt, mais elles avaient encore les dimensions légendaires de ce géant et mesuraient près de vingt-cinq centimètres du début de la paume à l'extrémité du médius.

— Confortablemnt installé dans des salles lambrissées d'acajou, notre ennemi édicte des règles en vertu desquelles il aurait le droit de coloniser des pays dont les habitants ne veulent pas être colonisés, selon lesquelles il aurait le droit de faire la guerre, de faire crever de faim légalement une population entière, enfin des règles qui lui permettent d'agir à sa guise. Avec un orgueil monstrueux, il rappelle que ces lois sont décidées par le père de tous les parlements et que, par conséquent, elles ne peuvent être que justes, donc que ceux qui s'y opposent doivent forcément avoir tort. En vertu de ces règles, nous devons lui obéir et combattre pour lui. Nous n'avons ni armes ni armée ; nous ne pouvons donc pas faire la guerre selon ces mêmes règles. Le combat évoluant, nous serons obligés d'établir nos propres règles. Actuellement, d'après ses lois, nous sommes des assassins, des fanatiques dépravés, des anarchistes, des tueurs, et il a donc le droit de nous éliminer légalement.

« Non seulement les Anglais sont maîtres du code, mais ils possèdent aussi la presse et les journalistes qui nous dénoncent dans le monde entier, nous font passer pour des aliénés et nous n'avons aucun moyen de faire entendre notre voix. Nous sommes donc forcés de subir ses dénonciations et la colère du monde en général, comme celle de notre propre peuple. Leur presse nous traquera furieusement et méticuleusement. Elle braillera que nous ne respectons pas les règles du combat qui sont leurs règles.

Le Long se pencha au-dessus de la table qu'il frappa de son poing, donnant pour la première fois libre cours à son émotion.

— Même si vous oubliez tout le reste, rappelez-vous toujours ceci : aucun crime commis par un homme qui aspire à sa liberté ne peut être aussi vil que ceux des gens qui lui refusent la liberté. Nous ne ferons pas périr les Anglais par la famine, nous ne les chasserons pas jusqu'au bout de la terre, nous ne leur contesterons pas la propriété de la terre anglaise. Nos armées ne patrouilleront pas dans les rues de Londres, nos tribunaux ne les feront pas pendre chez eux.

» En engageant le combat nous savons que nous sommes vulnérables à la propagande éhontée de nos adversaires et que même les nôtres ne nous aiment pas. Mais Dieu, et Dieu seul, décidera en fin de compte quel camp défendait des aspirations justes et quel camp combattait pour le mal.

» Bien sûr nous ne vivrons pas assez vieux pour voir le jour où nous leur ferons ouvertement la guerre en opposant fusil à fusil. Ils nous accuseront donc de lâcheté. D'ailleurs nous aussi nous avons des armes. Les Britanniques ne possèdent rien dans tous les arsenaux de leur Empire qui puisse vaincre l'homme seul décidé à ne pas se laisser briser. L'éloquence irlandaise, les sacrifices des Irlandais, et, finalement, le martyre de l'Irlande... voilà nos armes. Nous devons être capables de souffrir au delà de leur aptitude à nous tourmenter. Voilà ce qui finira par venir à bout de nos tyrans ; le martyre.

Je devinais que tout en parlant ainsi il nous jaugeait, cherchant à discerner lequel craquerait, lequel trahirait, lequel se contenterait de se vanter sans agir, lequel avait l'étoffe du martyr. Il nous stupéfia par un sourire et s'assit derrière la table.

— Voilà le premier discours que vous entendez, et le dernier, dit-il. Vous avez envie de savoir ce qu'il y a de vrai dans la rumeur selon laquelle nous avons caché des armes en Angleterre. Eh bien, c'est vrai.

Dan Le Long nous raconta l'histoire des bateaux qui ramenaient troupes et armes de l'Afrique du Sud après la guerre des Boers. La plupart abordaient à Liverpool. L'un d'eux, en particulier, arriva lors d'une grève de dockers. Le ministère de la Guerre fit appel à la troupe pour décharger fusils et autres armes individuelles et les porter dans des wagons de marchandises alignés sur les quais. Les bureaucrates du ministère n'imaginèrent rien de mieux que de confier cette tâche aux Irish fusiliers. Quelques-uns passèrent le mot à la Fraternité, en Angleterre.

Le train quitta Liverpool pour un arsenal de l'intérieur, sous la garde d'effectifs minimes. Il dérailla en rase campagne. Mécanicien, chauffeur, sentinelles furent proprement éliminés. La cargaison passa dans des chars qui attendaient à proximité. Quand les wagons furent vides, on les dynamita pour faire croire à un accident. On transporta les armes jusqu'à des galeries de mine abandonnées. Plus tard on les transféra dans d'autres mines. Pour couvrir sa faute, le ministère de la Guerre donna le minimum de publicité à l'affaire. Etant donné qu'il ne restait plus rien du convoi, personne ne sut jamais si les Britanniques savaient que les armes avaient disparu.

— C'est une des rares fois où nous avons tenté quelque chose de hardi sans tout bousiller, dit Dan Sweeney avec son sourire en biais.

» Maintenant notre mission la plus urgente consiste à amener ces armes d'Angleterre ici et à les cacher. Dans deux ou trois ans, quand la Fraternité aura constitué des unités combattantes, les Britanniques ouvriront l'œil et la contrebande d'armes ne sera pas facile. Mais en ce moment ils ne se méfient pas. C'est donc maintenant qu'il faut cacher ces fusils sur le sol irlandais. Chacun de nous doit étudier la situation qui se présente dans sa région et élaborer un projet.

Dan reprit son pistolet.

— Et n'oubliez pas ce que je vous ai dit au sujet des délateurs.

**5**

Nous n'avions rien à opposer aux Britanniques sur un

champ de bataille. Nos armes étaient celles des vaincus : l'opiniâtreté, la fermeté avec laquelle nous subissions tous les revers, l'entêtement à ne pas laisser périr notre culture, notre sens de l'humour et surtout notre éloquence. Jamais à court de mots, nous pérorâmes à feu roulant dans l'euphorie de la résurrection gaélique.

C'est l'époque où parurent à Dublin la *République des Travailleurs* de Connoly et l'*Irlandais uni* d'Arthur Griffith, qui rappelait l'insurrection de cent ans plus tôt. Griffith était allé au Transvaal et en revenait avec des visions de gloire. Beauté légendaire de vieille souche, Maud Gonne constitua l'association des Filles de l'Irlande et parcourut le pays en défendant aussi bien les cultivateurs que les habitants des bas quartiers urbains. Des sociétés de la Jeune Irlande et des clubs Wolfe Tone se répandaient comme feux de brousse. En Amérique, le Clan des Gaëls émergeait de son hibernation. Sur le front politique, la question de la Home Rule était tombée en sommeil depuis plus de dix ans, sous les gouvernements conservateurs. John Redmond, héritier de Parnell, avait laissé le parti irlandais patauger. Ecœuré, Arthur Griffith fonda un nouveau parti, Sinn Fein (Nous Seuls). A ce moment-là le Sinn Fein était aussi faible que la Fraternité à peine renaissante. Mais il attirait bon nombre des meilleurs cerveaux irlandais et devenait le principal porte-parole des aspirations républicaines. Je devinais que le Sinn Fein était destiné à mener la guerre des mots, tout comme la Fraternité combattrait avec des balles.

En ces années de fièvre, William Butler Yeats, Lady Gregory et un certain Edward Martyn publièrent un manifeste exposant les buts essentiels de notre résurrection culturelle :

*Nous nous proposons de faire jouer à Dublin, au printemps de chaque année, certaines pièces celtiques et irlandaises, quel que soit leur degré d'excellence. Leurs auteurs nourriront la haute ambition de bâtir une école de littérature dramatique celtique et irlandaise... Nous démontrerons que l'Irlande n'est pas un foyer de la bouffonnerie ni des sentiments vulgaires, comme on essaie de le faire croire, mais la patrie d'un vieil idéalisme. Nous avons foi dans le soutien de tout le peuple d'Irlande, las des représentations mensongères de notre caractère. Il nous aidera à accomplir notre tâche, étrangère à toutes les questions politiques qui nous divisent.*

Ainsi naquit notre théâtre national. Des Irlandais donnèrent le meilleur d'eux-mêmes en faisant ce qu'ils savent faire le mieux, en nous donnant une tribune puissante dont nous pouvions être fiers. L'auteur dramatique contre la Couronne, l'acteur contre la Couronne. Telles étaient notre artillerie et nos baïonnettes.

Au printemps de 1905, ma pièce, *La Cabane de l'alpage*, fut jouée au théâtre de l'Institut de mécanique, rue de l'Abbaye. Elle fut accueillie avec respect. Plus tard cette salle prit le nom de théâtre de l'Abbaye et devint le théâtre national d'Irlande : une des plus belles réalisations de notre peuple.

Le lendemain de la première représentation, la Fraternité républicaine irlandaise envoya Conor Larkin à Belfast, la région la plus obscure du pays. Il lui était enjoint de mener une existence normale en se tenant à l'écart de toute activité républicaine, d'écouter, d'observer pour se faire une idée précise de la ville, de fréquenter les bars, d'épier. Plus tard seulement il devrait contacter quelques solides survivants du mouvement fenian, recruter quelques nouveaux partisans sûrs, repérer des refuges et des itinéraires d'évasion.

Sa tâche la plus urgente consistait à voir si Belfast offrait un port d'entrée possible pour nos armes cachées en Angleterre.

Depuis mon passage à Queen's College, je savais que Belfast fait une tache étrange sur la carte d'Irlande. La résurrection de la culture celtique dans le Sud n'avait guère d'influence dans cette ville. A peine pourrait-on citer une activité minime sur le front du travail et quelques publications, telles que *Shan Van Vocht* (la Vieille Irlandaise). Mais elles étaient peu lues. L'esprit républicain ne vivotait que dans des comités restreints sans rayonnement ni ressources.

Belfast et sa région étaient en effet le noyau de la colonisation protestante. Les comtés Down et Antrim n'avaient jamais joué un rôle important chez les indigènes catholiques. Quand les presbytériens s'y installèrent en 1600, ils bâtirent Belfast et asséchèrent des marais pour les cultiver. Puis la population des campagnes des deux comtés voisins se porta sur la ville. Les traditions rurales survécurent à Belfast qui prit à l'origine l'aspect d'un groupe de villages plus ou moins reliés les uns aux autres.

Les propriétaires terriens accompagnèrent cette urbanisation et Lord Donegal devint un des plus grands propriétaires d'immeubles des îles Britanniques. On lui doit la monotonie des quartiers pauvres aux maisons de brique rouge, toutes identiques. Le Seigneur lui infligea le châtiment qu'il méritait car il mourut ruiné par le jeu.

Belfast s'engagea dans la révolution industrielle avec un demi-siècle de retard, en 1800. Ses filatures et tissages comptèrent immédiatement parmi les plus affreux du royaume. La puanteur de la ville s'écoulait dans des égouts à ciel ouvert et rayonnait d'énormes tas d'ordures, de tanneries, de petites brasseries ; l'urine coulait le long des murs dans des cours intérieures aux entrées de deux mètres de large. La crasse y était enfermée ; l'air et le soleil tenus à l'écart. Des familles comptant plus d'une douzaine de personnes s'entassaient dans des taudis obscurs sans apport ni évacuation d'eau. Quelques établissements de bains publics ne suffisaient pas pour le nombre des habitants. Plaies purulentes, chevelures feutrées, enfants noués, tel était le spectacle que donnaient les miséreux de ces quartiers.

Cependant les métiers à tisser ronflaient sans arrêt. Ils traitèrent d'abord le coton, puis le lin. Les patrons n'employaient guère que des femmes et des enfants, comme à Derry. L'instabilité du marché anglais du lin provoqua une succession de crises et de reprises. Les salaires de quelques deniers par semaine n'étaient même pas sûrs. Des milliers d'ouvriers de filature et de tissage partirent pour l'Amérique.

De 1600 à 1800 la proportion de catholiques resta infime dans la population de Belfast. Animés par un esprit libéral, les presbytériens écossais accueillirent d'abord convenablement ces intrus. Mais les catholiques affluèrent par poussées massives en raison de la saisie des terres, du chômage rural et surtout de la famine. Alors l'attitude des premiers occupants changea du tout au tout.

Les catholiques s'installèrent dans leur propres « villages » autour du clocher de leur église. Trop nombreux, ils n'étaient plus les bienvenus. Ne participant pas à l'ordre établi, ils n'avaient guère voix au chapitre. A Belfast on les considérait comme des étrangers, voire des envahisseurs. Leur nombre s'accrut néanmoins. Leurs « villages » s'étendirent, certains se rejoignirent à l'ouest de la ville, d'autres formèrent des enclaves isolées dans le monde protestant. Belfast, qui offrait à l'origine l'aspect d'un groupe de villages ruraux, devint en grandissant un damier de repaires occupés par des tribus hostiles les unes aux autres.

La machine à vapeur donna une impulsion explosive à l'expansion industrielle. A Belfast, au bord de l'estuaire et dans toutes les agglomérations situées immédiatement au sud, des centaines de tissages naquirent au long des cours d'eau. La guerre de Sécession privant l'Europe du coton américain, Belfast connut une prospérité sans précédent grâce au lin d'Irlande et devint la capitale mondiale du textile.

Dès 1878, Frederick Weed avait commencé à bâtir ses chantiers titaniques de constructions navales. Les hommes de Belfast trouvèrent enfin à s'employer dans son entreprise et chez ses concurrents. Les ouvriers étaient presque tous des protestants de Belfast-est et du Shankill. Ces deux quartiers devinrent ses fiefs.

L'industrie se diversifia à Belfast : fonderies, fabriques de grosses machines et d'armes, corderies, distilleries, traitement du tabac, minoteries, bassins de radoub. Parallèlement le port prit de l'importance.

A partir de ce moment la putréfaction se répandit dans le fleuve et l'estuaire ; elle y subsiste encore de nos jours. En 1870, elle atteignait un tel degré d'abomination qu'une commission d'enquête exprima des craintes sérieuses sur l'effet débilitant de la pollution de l'air et de l'eau à Belfastt. Ces mises en garde n'eurent aucun effet car rien ne pouvait arrêter les métiers à tisser, les marteaux-pilons ni les chantiers de rivetage.

Le crime régnait en maître dans les taudis protestants et sur le front de mer dont la population menait une existence inhumaine. Il régnait une telle anarchie dans les quartiers catholiques que les autorités n'osaient pas s'y risquer, ni même le clergé. Les derniers vestiges de civilisation occidentale disparurent. Des épidémies de choléra et de typhoïde ravagèrent les quartiers pauvres de la ville. La proportion de tuberculeux dépassait de cent pour cent celle du reste des îles Britanniques. Résidus scrofuleux, privés de toute instruction, les habitants de ces quartiers constituaient une lèpre sociale qui pataugeait dans l'ordure et la puanteur. On oubliait tout souvenir d'idées morales. Maisons de travail forcé, hospices pour mendiants, prostituées, souteneurs, vols, famine, folie, batailles au couteau, alcool, éther, drogue, tel était le décor. Quand il n'y avait plus de chiens ni de coqs pour organiser des combats sur lesquels on pariait les derniers centimes, les mères jetaient leurs misérables fils dans les fosses où ils s'affrontaient en combats sanglants.

Au delà de ces ghettos on bâtissait d'énormes immeubles sans grâce de style victorien, pour donner une façade de grandeur et dissimuler tant de turpitude. Des bâtiments destinés au commerce, à l'industrie, à l'administration s'alignèrent au centre de l'agglomération et l'on vit apparaître le long de la mer les hôtels particuliers d'une nouvelle Côte de l'Or.

Vinrent les prédicateurs protestants dont les sermons enflammés mirent en pelote les nerfs des presbytériens pauvres et ce fut l'âge d'or des émeutes à Belfast. Au cours de services religieux en plein air groupant des milliers de fidèles, les révérends Drew, Cooke, Hanna et autres furieux provoquèrent des désordres sanglants en 1813, 1832, 1835, 1843, 1852, 1864, 1872, 1880, 1884, 1886 et 1898. Ces émeutes de Belfast n'étaient donc pas une nouveauté du XXe siècle. Elles succédaient aux soulèvements antérieurs en Irlande, mais désormais des prédicateurs haranguaient les miséreux pour les pousser à combattre d'autres êtres plus démunis qu'eux. C'est ainsi que les tribus protestantes de Sandy Row, du Shankill et de Belfast-est envahissaient Falls, Pound et Divis pour casser la tête des indigènes catholiques.

Le pouvoir était entre les mains du parti pour la préservation de l'Union, de l'ordre d'Orange et de certains éléments du clergé protestant. Il s'agissait de maintenir la classe laborieuse dans un état de division et d'hostilité. Police, appareil d'Etat s'y employaient diligemment.

Après Drew, Cooke et Hanna, Olivier Cromwell MacIvor prit sa place dans ce canevas. Ce fut un des prêcheurs les plus effrayants de Belfast. Officiant dans sa superbe église toute neuve du Sauveur au Shankill, il exerçait un pouvoir exorbitant.

Largement subventionné par Frederick Weed, MacIvor donna le ton au début de notre siècle. Au gré de ses sermons, il plongeait la population du Shankill dans le désespoir ou bien l'exaltait jusqu'à la frénésie et donnait à ses processions un rythme de croisade. Voué à transmettre aux masses les ordres de leurs maîtres, il jouait un rôle évident. C'était le gardien du mythe orangiste. Nulle part ailleurs sur notre terre un personnage politique ne conservait autant de puissance deux cents ans après sa mort que Guillaume d'Orange en Ulster. Et MacIvor était son prophète.

Pour assurer le pouvoir spirituel du révérend MacIvor, Weed et ses semblables se chargeaient du côté pratique de ses affaires. Etant donné son prestige parmi les orangistes, MacIvor possédait le droit d'embauche aux chantiers Weed ainsi que dans la plupart des autres entreprises. Il lui suffisait de dire un seul mot pour qu'un homme ait un emploi et qu'un autre soit rejeté parmi les parias. Grâce à lui, Sir Frederick était totalement maître du Shankill. Sous le règne du général Maxwell Swan et de l'église du Sauveur, les hommes perdaient toute aspiration à se libérer de leur servitude industrielle. MacIvor et sa « Réforme » oblitéraient toute culture, toute beauté et toute liberté d'esprit. L'église du Sauveur était le bastion de l'ulstérisme.

Au début du XXe siècle, Belfast jouait un rôle capital dans l'économie britannique. Cette ville fournissait des revenus aux industriels et permettait de répartir quelques miettes parmi les fidèles et les dociles. En fait de colonie, c'était une perfection qui éliminait elle-même ses propres dissidents, faisait la fortune de l'élite colonisatrice et accordait un minimum de prospérité à une partie de la population. Son commerce et son industrie dépendaient de l'Acte d'Union qui en faisait une ville britannique. Toute idée de Home Rule, toute propagande républicaine provoquaient une réaction de peur et de fureur.

A part cela, Belfast était en retard de deux siècles sur

son époque. Elle vivait encore sous le régime féodal. Les indigènes « infidèles » continuaient à être châtiés et n'avaient droit qu'à une part infime de biens, de travail et de pouvoir.

La division de la classe ouvrière était le principe essentiel grâce auquel l'élite s'enrichissait en supprimant toute idée de progrès et de liberté.

A Derry, les colonisateurs s'étaient retranchés derrière les murailles de leur forteresse, dans un avant-poste constamment assiégé par une population catholique hostile. Il n'en allait pas de même à Belfast, qui, née protestante, était devenue l'enfant mongolien de l'impérialisme britannique.

Longtemps auparavant, Andrew Ingram avait dit à Conor qu'il était destiné à lutter dans un combat douteux. La mission que lui confiait Dan Sweeney Le Long en faisait, en effet, un soldat dans un combat douteux. Il le constata dès son arrivée dans ces rues monotones de brique rouge qui suggéraient précisément l'idée d'un champ de bataille incertaine.

## 6

Conor quitta son antre de la rue du Lin dans l'Ardoyne, un des petits secteurs catholiques séparés de leur principale implantation de Belfast-ouest par les quartiers protestants de Woodvale, Cliftonville et Shankill. Il suivit Crumlin Road. C'était un samedi, soir de bar avant le jour du Seigneur. Les costauds des chantiers maritimes et les autres bagnards de l'industrie s'alignaient sur plusieurs rangées devant les comptoirs. Ils entonnaient la Guinness en échangeant quelques mots du ton sec propre aux gens de Belfast : langage dur de gens d'humeur dure. La dureté était leur état permanent, leur médaille d'honneur, leur vantardise constante. Les durs flairent le dur et le respectent, aussi Conor suivit-il Crumlin Road sans emcombre jusqu'à la Nouvelle Loge.

C'était encore une autre enclave catholique isolée en territoire protestant. Conor passa devant un poste de la constabulary où l'on se préparait à la guérilla du samedi soir, tant contre les habitants du quartier que les tribus avoisinantes. Il obliqua dans Shandon Lane et s'arrêta au milieu d'un alignement de petites maisons de brique rouge dont les linteaux au-dessus des portes et des fenêtres avaient la forme de sourcils. Il frappa. On le conduisit sans le saluer jusqu'à la chambre où Dan Sweeney l'attendait devant une carte de la ville étalée sur une table carrée. Ils échangèrent quelques nouvelles. Dan remonta la mèche de la lampe pour mieux éclairer la carte. Il ne se passait pas grand-chose à Belfast. L'un et l'autre erraient au hasard dans les secteurs catholiques, d'un bistrot à l'autre, d'une église à l'autre, en cherchant le contact avec quelque « Frère » ou sympathisant d'autrefois. Conor et ses semblables flottaient dans le marécage de Belfast, comme d'infimes cellules sans forme définie en quête d'une bulle autour de laquelle elles se solidifieraient.

L'avenir du mouvement républicain gîtait alors dans l'esprit de quelques hommes. Cependant que l'agitation publique et les discours visaient leur but et le rataient souvent, les meneurs de la Fraternité se tapissaient dans l'ombre. Conor avait appris que la patience est le nerf de la révolution. Il n'est pas d'éloquence qui poussera à l'insurrection l'être humain au ventre plein. Aucune loi non plus n'empêchera un affamé de descendre dans la rue. Sweeney Le Long n'était pas pressé. Trop de déceptions avaient effacé chez lui l'espérance des miracles étincelants. Il agissait désormais avec une prudence de chirurgien.

La population catholique de Belfast en arriverait fatalement à s'engager dans une espèce de guerre de rues. La tactique des Boers n'était pas oubliée. On pensait à des petites unités extrêmement mobiles qui paralyseraient des effectifs conventionnels beaucoup plus importants, grâce au soutien de la population catholique. Certes, ce genre d'opérations militaires n'avait rien de commun avec celles qu'on élabore dans les salles de conférence d'état-major, mais elles permettraient d'égaliser les chances, de harceler, harasser et épuiser la patience des gros bataillons.

L'heure viendrait, mais quand ? Encore deux élections générales, trois peut-être, et les conservateurs perdraient le pouvoir en Angleterre. On poserait de nouveau la question de la Home Rule. Mais John Redmond et le parti irlandais avaient perdu la confiance des électeurs. Redmond ferait de son mieux et il échouerait. Alors les Irlandais rallieraient le Sinn Fein d'Arthur Griffith. Encore une mauvaise récolte, une crise économique de plus, une tricherie britannique et les Irlandais exaspérés chercheraient le contact avec la Fraternité qui serait prête, peu nombreuse mais bien organisée en petites unités cohérentes, pour mettre en œuvre des projets simples.

La vie à Belfast incitait à la réflexion. Dan grogna

que la population de cette ville était toujours au seuil du délire. Il savait que la tâche de Larkin n'était pas aisée. Partout ailleurs, à Cork, à Dublin, à Galway, dans la campagne, la population était en grande majorité catholique. La Fraternité y trouvait toujours quelque sympathisant dans une position clé. En cas de règlement de comptes, la plupart des gens soutiendraient les Frères. A Belfast, au contraire, tout était entre les mains des protestants et des ultra-Britanniques : l'administration, les quais, les transports, la constabulary, tout ! Lors d'un soulèvement, les républicains auraient constitué quelques bonnes unités combattantes dans les bas quartiers catholiques, mais le reste de la population resterait fidèle à la Couronne. La Fraternité n'accrocherait que difficilement des sympathisants jouissant d'un minimum d'autorité.

Dan Sweeney plia le plan de la ville et rangea dans sa mémoire les renseignements que Conor lui avait donnés. Il ne lui accorda ni commentaires ni compliments.

— J'ai une idée au sujet de la contrebande d'armes, dit Conor.

Dan hocha la tête.

— J'espère décrocher un emploi aux chantiers Weed, précisa Conor.

Dan fronça les sourcils, intrigué.

— Il y a moins de deux cents catholiques parmi les dix mille ouvriers des chantiers, dit-il. Tu n'as pas plus de chance d'y trouver un emploi qu'une bouteille de gin de rester pleine dans un bistrot de Tipperary. En admettant même que tu y entres, à quoi ça servirait ?

— Weed a ses propres quais.

— Et après ?

— Je ne sais pas dans quelle mesure les ports sont

surveillés ailleurs en Irlande. Ici, à Belfast, la douane est très active et tous les douaniers sont protestants.

— Comme partout ailleurs.

— Les chantiers Weed bénéficient de certains privilèges. Des cargos accostent presque chaque jour à leurs quais pour apporter de la marchandise ou en emporter. Les mesures de sécurité sont à peu près nulles. Les douaniers sont des vétérans qui ne vérifient à peu près rien. Il me semble donc que ces chantiers pourraient nous offrir une porte dérobée. Je ne sais pas encore si nous pourrons en profiter, ni quand ni comment, mais je voudrais me rendre compte.

Le Long n'avait qu'une faiblesse : le tabac. Dès qu'il fumait, l'intensité de ses pensées ridait son visage. Quelle idée ! Passer des fusils en contrebande par la plus puissante forteresse protestante de toute l'Irlande, les chantiers et fonderies Weed ! C'était de la démence, mais aussi d'une simplicité admirable.

— Tu ne risques rien à essayer, dit-il. Mais sais-tu comment tu te ferais embaucher ?

— J'ai une vague idée, répondit Conor.

L'expression de cynisme s'effaça sur le visage de Sweeney qui demanda :

— Laquelle ?

— Je compte sur une ou deux anciennes relations.

Le vieux rebelle réfléchit en hochant la tête.

— Tente le coup, dit-il.

— D'accord.


La saison avait été dure pour les Chaudronniers de Belfast-est qui filaient droit vers la catastrophe. Après les défaites de Batley, de Rochdale, de Wigam, leur directeur, Derek Crawford, ne se nourrissait plus guère que de biscuits au charbon, d'élixir Lavalle contre la goutte et d'autres spécialités pharmaceutiques pour apaiser sa colite chronique. Il restait encore sept ou huit matches à jouer à Belfast avant la tournée dans les Midlands et on entendait grogner de Rathweed Hall jusque dans les pubs fréquentés par les supporters.

Dans son bureau sous les gradins du stade des Chaudronniers, Crawford faisait craquer les jointures de ses doigts en étudiant une fois de plus les listes de joueurs des clubs d'amateurs des comtés avoisinants. Apparemment il n'avait rien à en espérer.

On frappa à sa porte.

— Entrez ! grogna-t-il.

Conor pénétra dans le bureau et dit en approchant de Crawford :

— Vous m'avez sans doute oublié. Nous avons bu un verre ensemble à Derry, il y a quelques années. Vous m'avez invité à tenter ma chance dans votre club. Je suis Larkin. Conor Larkin.

Crawford plissa les paupières et secoua lentement la tête.

— C'était au Bogside, dit Conor.

— Diable ! Il doit y avoir un siècle de ça.

— Pas tout à fait, mais longtemps quand même. J'ai navigué. J'envisage de m'installer à Belfast. Je cherche un boulot et une équipe.

— Le Bogsdide... Vous pratiquiez le football gaélique ?

— C'est vrai. Mais depuis, j'ai joué au rugby en Australie pendant les deux dernières saisons, dans l'équipe des Outbacks de Melbourne.

Crawford considéra les taches grises aux tempes du marin et son visage marqué par les intempéries.

— Quel âge avez-vous, Larkin ?

— Trente et un ans.

Une poussée de gaz dans le côlon fit grimacer Crawford.

— Je connais la réputation des Outbacks. Des types qui jouent d'une seule fesse. Trois de mes gars ont lâché le peloton cette année et ils étaient plus jeunes que vous. C'est un jeu trop dur pour des hommes de votre âge.

— Je suis aussi dur que le jeu, répliqua tranquillement Conor.

Crawford appréciait la crânerie. Il fouilla dans les brumes de sa mémoire et se rappela confusément que Larkin l'avait impressionné par sa vigueur. Il le toisa de bas en haut et de haut en bas. Rien n'indiquait qu'il eût perdu la forme. D'autre part, après avoir joué, entraîné et dirigé une équipe pendant vingt-cinq ans, il était convaincu qu'on ne se qualifie pas du jour au lendemain dans une équipe, en débarquant d'un bateau.

— Qu'est-ce que vous jouez ?

— Avant première ligne.

Dieu du ciel ! pensa Crawford. Exactement le point faible de son équipe. Bart Wilson avait fait merveille à ce poste pendant neuf ans et s'était effondré tout à coup. Depuis, les Chaudronniers manquaient de vigueur en première ligne. Mais... on ne connaît pas d'avant-centre qui vienne de débarquer d'un bateau.

— Vous croyez vraiment pouvoir faire l'affaire ?

Conor haussa les épaules.

— Si je ne le croyais pas, je ne serais pas ici. A ce moment de la saison, vous ne perdez rien à m'essayer.

— Très bien, Larkin. Je vous accorde un essai, dit Crawford, magnanime. Mais ne vous faites pas d'illusions.

— Les membres de l'équipe ont droit à un boulot, non ?

— Vous l'aurez si vous jouez pour le club.

— Je suis forgeron.

— Ah, oui ? dit Crawford qui vociféra : Doxie !

Un petit gros au ventre gonflé de bière apparut sur le seuil, en culotte de rugby. Son visage rond comme la pleine lune d'Irlande était couturé de cicatrices rappelant ses loyaux services envers le sport et il avait le nez cassé.

— Voici Doxie O'Brien, entraîneur des juniors et mon bras droit, dit Crawford. Doxie, Conor Larkin vient de Londonderry comme toi. Il veut tenter sa chance. Il a joué le gaélique autrefois et le rugby en Australie, dans les Outhouses de Sydney, ou quelque chose dans ce genre-là. Qu'est-ce que tu en dis ?

Crawford demanda à Conor d'attendre dehors, ouvrit un tiroir de son bureau et en tira une bouteille.

— Glougloute donc un peu moins dans l'état où sont tes entrailles, dit Doxie.

Crawford n'en tint pas compte, but une longue gorgée et passa la bouteille à son adjoint qui l'interrogea du regard.

— Eh bien, l'allant de ce type me plaît, dit-il. Je me le rappelle. Aussi solide qu'une chaudière d'acier.

— Merde ! Les affaires vont si mal qu'il te suffit de voir un débardeur ou un livreur de glace un peu musclé pour perdre la tête. Tous les joueurs de gaélique sont des crevards. Il pouvait faire parmi eux, mais de là à jouer le vrai rugby !

— Mais précisément il y a joué chez les Outcasts, en Australie.

— Qu'est-ce qu'ils connaissent en fait de rugby, ces gens-là ?

— Suffisamment pour que Sir Frederick pense à une tournée chez eux. Tel que je te le dis ! Alors, essaie ce type.

— Mais, ma parole...

— Taille-toi et fais ce que je te dis.


Le stade des Chaudronniers, bijou de dix-huit mille places assises, et une des premières structures d'acier, comptait parmi les exploits personnels de Frederick Weed. Il raffolait du rugby qu'il avait joué comme demi de mêlée dans l'équipe de Cambridge. Ensuite il avait gagné huit casquettes d'honneur au cours de matches internationaux comme membre de l'équipe nationale écossaise. Enfin, quand il s'était installé en Ulster, il en avait encore gagné deux dans l'équipe nationale d'Irlande.

Peu après avoir ouvert son premier chantier, il avait constitué l'équipe des Chaudronniers de Belfast-est qu'il considérait comme les héritiers de ses prouesses passées. Encore assez jeune, il les entraînait, jouait avec des ajusteurs, des riveteurs. Puis les exigences de son empire industriel l'obligèrent à abandonner, mais il continua à s'intéresser aussi passionnément à ce sport. Son club était une des gloires de l'Ulster, la terreur des équipes irlandaises et on le considérait avec respect de l'autre côté de l'eau. Ceux qui en faisaient partie bénéficiaient de privilèges exceptionnels parmi ses ouvriers. Cela lui valut des ennuis au sujet du faux amateurisme des Chaudronniers.

Sir Frederick n'était pas le seul qui, dès cette époque, ne prenait pas au sérieux les prétentions de certaines équipes au parfait amateurisme. Dans celles des Midlands en Angleterre, les industriels payaient généreuse-

248

ment, de la main à la main, mineurs et manœuvres qui jouaient dans leurs équipes. Menacés d'être exclus de la fédération, ils la quittèrent de leur propre chef, pour constituer la Ligue de rugby professionnel du Nord. Les Chaudronniers la rallièrent et devinrent ainsi la première et unique équipe professionnelle d'Irlande.

Entraîneur et copropriétaire des Rangers de Brighouse, Derek Crawford se laissa séduire par l'appât d'un haut salaire, l'usage gratuit d'un cottage à Bangor et la jouissance saisonnière d'un pavillon de chasse en Ecosse. C'est à cette époque que Sir Frederick fit bâtir son stade d'acier, contigu aux chantiers, dans le décor ulstérien de jetées, docks de lancement, bassins à flot et de radoub, hauts fourneaux, ainsi que les quatre hautes cheminées. Au delà s'étendait le bleu de l'estuaire. Sir Frederick s'était réservé une loge et un appartement personnel au sommet des gradins. Il y jouissait d'une vue unique sur le stade et les environs, en avait fait le musée de ses trophées sportifs et y traitait ses invités à son bar ainsi qu'à sa table.

Dans aucun théâtre de Grande-Bretagne les acteurs ne disposaient de loges comparables au confort offert aux équipiers. Chacun avait sa chambre, sa douche. Savon et serviettes étaient fournis par le club. Le salon de l'équipe était meublé de fauteuils de cuir, avec billard, jeu de fléchettes. Les robinets de Guinness à la pression étaient intarissables.

On ne s'étonnera pas si tous les adolescents de Belfast rêvaient de se classer parmi les Chaudronniers, ce qui assurait la célébrité locale, une tournée annuelle dans les Midlands, en Angleterre, une bonne situation payée au double du tarif normal.

Conor et Doxie O'Brien empruntèrent le passage

souterrain pour gagner le centre du terrain quand retentit la sirène du chantier. La horde des ouvriers défila aussitôt le long du canal du Roi-Guillaume. Gamelle au poing, le visage encore couvert de poussière et de suie, ils ralentirent et quelques-uns s'arrêtèrent même pour admirer leurs champions à l'entraînement.

— Te fais pas trop d'illusions, fit Doxie sans desserrer les dents.

— On m'a déjà dit ça aujourd'hui.

— Ecoute mon gars. Ni Sir Frederick ni Crawford n'ont rien contre toi. Et moi qui suis catholique, encore moins. Si ça va, tu feras partie du club. Mais fais attention. Nous avons déjà plus de catholiques que d'habitude et on ne t'enrôlera que si tu es nettement meilleur que tous les autres.

— Eh bien, précisément, je le suis, dit Conor.

Les autres joueurs jaillissaient du passage souterrain. Chacun à son tour jeta en passant un coup d'œil haineux à Conor. Il comprit qu'on le jugeait, que pendant les prochaines heures, les prochains jours et les prochaines semaines, tous s'acharneraient à le démolir et qu'il lui faudrait se montrer digne de compter parmi eux. Quelques-uns grognèrent un mot de salutation, aucun ne lui tendit la main.

— Mais j'y pense ! dit Conor à Doxie. Un certain Mick McGrath, de Derry, a tenté sa chance chez vous, il y a à peu près huit ans. Ces temps derniers j'ai regardé quelques photos de votre équipe dans les journaux et je ne l'ai pas trouvé.

— McGrath, de Derry ? Encore un Romain ?

— Oui.

— Ça me dit quelque chose. Oui... oui, je me souviens. Il n'a jamais dépassé les juniors. Une mauvaise

250

blessure et puis... il a travaillé aux chantiers. Je crois avoir entendu dire qu'il nous a quittés. Interroge les curés de Belfast. Tu finiras peut-être par le retrouver.

Une voix juvénile cria :

— Conor ! Conor Larkin !

— Eh, parbleu ! Qui vois-je ici paraître ? Jeremy Hubble en personne ! Comment vas-tu, trognon ?

A dix-neuf ans le vicomte Coleraine n'était ni un homme ni un gamin, mais quelque chose d'intermédiaire : une espèce de poireau dégingandé.

— Approche, que je te voie de près, Jeremy. T'a-t-on offert un rasoir ?

— Conor ! Je suis fou de joie.

— Et moi, donc ! Comment va ta ravissante mère ?

— A merveille. Elle sera enchantée d'apprendre que je t'ai rencontré.

— Et ton frère Christopher ?

— Oh, lui, c'est l'homme sérieux. Il suit les cours de l'école d'économie et de la faculté de droit, à Londres. La loi, les affaires, tout...

— Et toi, tu travailles pour ton grand-père ?

Le sourire de Jeremy rappela à Conor celui de Dame Caroline.

— Mes études feront de moi la brebis galeuse de la famille. J'entre à Trinity de Dublin, à l'automne. Mais grand-père et moi conspirons ensemble pour que je participe à la tournée de l'équipe, cet été. Je suis titulaire chez les juniors, tu sais. (Jeremy s'arrêta net en constatant que Conor portait une tenue d'entraînement. Son sourire s'accentua.) Tu vas jouer chez les Chaudronniers ?

— C'est très vraisemblable, dit Conor en posant la main sur l'épaule du jeune homme. J'aurais honte de chercher à tirer parti de notre vieille amitié, mais au cas où je me qualifierais, je travaillerais aux chantiers de ton grand-père, alors, dans ce cas-là, peut-être pourrais-tu dire un mot à ta charmante mère. Peut-être seulement.

— Quoi, Conor ?

— Bah ! une bêtise, n'en parlons plus !

— Non, dis-moi, j'y tiens.

— Ecoute. Je n'avais pas encore ton âge que je rêvais déjà de travailler dans un chantier de constructions de locomotives. Je n'espère rien de mieux dans la vie.

Jeremy sourit de nouveau, cligna de l'œil et fonça vers le passage souterrain pour aller se changer. Ce coup de chance inespéré fit rougir Conor. S'il parvenait à s'imposer dans ce foutu club, Jeremy lui assurerait l'accès à l'endroit même des chantiers où il pourrait atteindre son but.

Chaque soir Conor se demandait à la fin de l'entraînement si on l'inviterait à revenir le lendemain, et tout se passait bien. Ses camarades d'équipe l'avaient surnommé « Le Forgeron », mais sans cordialité. Ils s'acharnaient même à le dégoûter du jeu. Ça leur coûtait cher...

Au cours de chaque mêlée Conor s'emparait infailliblement du ballon et s'enfuyait. On se jetait à ses trousses, on essayait de le plaquer. Les corps tombaient autour de lui avec des bruits retentissants. On ne lui passait le ballon que lentement ou de travers, pour permettre au pack de converger sur lui. Il se démenait, frappait de la hanche, du coude, du genou.

Il se gardait de répondre aux brutalités excessives et jouait strictement selon la règle ; il enjambait ses adversaires les plus petits allongés sur le sol et parfois laissait les plus vigoureux évanouis. Au bout d'un certain temps l'instinct de conservation fit place au besoin de détruire.

Quand Conor eut démontré son aptitude à subir les plus durs assauts, la qualité de son jeu apparut plus nettement. C'était un shooter formidable, adroit à passer le ballon et à s'en saisir. Il marquait habilement ses adversaires, les interceptait au meilleur point de leur trajet et excellait surtout à porter le ballon au plus près des buts adverses où il franchissait la ligne de défense avec une puissance terrifiante.

En dépit de ses réussites spectaculaires, l'expérience lui manquait et il lui arrivait de commettre des erreurs cuisantes. Après quelques jours d'essai, Derek Crawford et Doxie O'Brien estimèrent que la solution la plus logique consistait à le faire jouer chez les juniors en espérant qu'il se perfectionnerait plus vite qu'il ne vieillirait.

Toute convocation au bureau de Sir Frederick mettait à rude épreuve l'équilibre précaire des entrailles de Dereck Crawford. En s'y rendant il eut ce jour-là l'impression de gravir une longue passerelle débouchant sur le vide. Toutefois il s'étonna de ne pas retrouver à son patron un visage aussi sévère que ces temps derniers et encore plus de voir Lady Caroline auprès de lui.

Sir Frederick entra aussitôt dans le vif du sujet.

— Ma fille, Lady Caroline, s'intéresse personnellement au nommé Larkin.

— Très bien, monsieur, répondit Crawford avec un soupir de soulagement. Lord Jeremy m'en avait déjà parlé. Il aurait travaillé à Hubble Manor il y a un certain temps ?

— C'est exact, dit Caroline.

— Comment s'en tire-t-il ? demanda Sir Frederick.

Crawford se gratta la mâchoire.

— Cet homme a l'étoffe d'un champion. Il est fort comme un putain... excusez-moi, madame. Fort comme un taureau : poignets solides, coup de pied précis... c'est prometteur mais il s'agit des Chaudronniers et ce Larkin a plus de trente ans. Je ne peux pas m'imaginer comment il supportera des semaines et des semaines d'effort. Et puis, il y a les finesses du jeu. On ne les apprend jamais qu'à longueur de temps et à force d'expérience.

— Larkin est un homme extrêmement intelligent, dit Caroline en simplifiant à l'excès les données du problème. Il comprendra très vite.

— Peut-être. Mais je ne peux pas me permettre de perdre des matches rien que pour favoriser son instruction.

Sir Frederick tambourina du bout des doigts sur sa table de travail en consultant sa fille du regard.

— Eh bien, Derek, que diriez-vous de le prendre comme remplaçant ?

Jusqu'alors Weed s'était montré plutôt accommodant et peu exigeant, mais Crawford saisit que cette suggestion équivalait à un ordre.

— Si je pouvais lui faire subir un entraînement accéléré...

— Qu'est-ce qu'il faudrait faire pour ça, Derek ?

Crawford hésita.

— Ma foi... disons qu'il lui faudrait des espèces de leçons particulières. A mon avis, Robin MacLeod est le plus qualifié pour lui enseigner les subtilités du jeu. Si vous permettez à MacLeod de quitter le travail plus tôt pour lui consacrer deux ou trois heures par jour, avant la séance quotidienne d'entraînement...

— D'accord. Occupez-vous-en vous-même.

Crawford soupira de nouveau pour étouffer un borborygme.

— Autre chose m'inquiète, dit-il. Nous avons déjà six catholiques romains au club et nous n'en avons jamais eu sept. Si Larkin se qualifie, il remplacera Bart Wilson. Eh bien... Bart est un vieux de la vieille, son élimination ne plaira pas à l'équipe. Et ce n'est pas tout. Bart est aussi un notable chez les orangistes. Son remplacement au milieu de la saison par un catholique fera grogner tout Belfast-est.

— Des conneries ! s'exclama Weed. (Il donna un vigoureux coup de dent à l'extrémité de son cigare, l'arracha et l'écrasa entre ses doigts en méditant.) J'en parlerai personnellement à Bart et je lui conseillerai de démissionner pour le bien du club. Pour la peine il sera nommé contremaître, ce qui compensera la perte de salaire.

— Dans ces conditions, répondit Crawford, il se sacrifiera volontiers pour le bien du club, et c'est lui qui fera taire les rouspéteurs.

Crawford s'en alla, visiblement soulagé.

Weed leva les deux bras pour indiquer à sa fille qu'il avait capitulé devant ses caprices. Elle lui pinça la joue et l'appela grand chéri.

— Au fait, dit-elle, notre Larkin travaillera à l'atelier de charronnerie.

— Je n'y ai pas encore pensé... oui, c'est sans doute ça. Il est maréchal-ferrant, je crois.

— C'est peu dire, Freddie. Tu as vu ce qu'il a fait au manoir. Employer un maître ferronnier à ferrer des chevaux serait ridicule... En bavardant avec Jeremy, Larkin lui a laissé entendre qu'il aimerait travailler à la forge proche du chantier de locomotives.

— Eh là, Caroline ! Attention ! Nos ferronniers font grand cas de leur ancienneté. Je ne peux pas semer le désordre dans mon entreprise.

— Eh bien, j'ai une idée : tu pourrais charger Larkin de forger un cadeau que tu offrirais au nouvel hôtel de ville. Ce serait épatant. Investi d'une mission particulière, il ne susciterait pas de jalousies mesquines, ni de tracas au sujet de l'ancienneté.

— Dieu du ciel ! Tu penses à tout, ma fille. Eh bien, ça va. Je ne t'en avais pas promis autant, mais je t'accorde encore ça. Maintenant, à ton tour de me faire plaisir : Jeremy participera à la tournée de l'équipe.

— Moi, je n'ai rien promis, Freddie.

— Tu viens de m'arracher jusqu'à ma chemise. J'ai bien droit à une compensation.

— Ecoute, ce gamin te mène par le bout du nez. Pour entrer à Trinity cet automne, il doit rattraper le temps perdu. J'ai déjà retenu deux précepteurs. Il n'est pas question de l'envoyer trotter dans les Midlands.

— Mais si, ma chérie !

— Christopher a un an de moins que Jeremy et plus de trois ans d'avance dans ses études.

— Donnant donnant, Caroline chérie. Donnant donnant ! J'ai tout bouleversé au club et aux chantiers pour ton Larkin, accorde-moi ça.

— Tu es un salaud. Roger sera fou de rage.

Sir Frederick rugit un gros rire.

— Tes affaires conjugales ne me regardent pas, ma chère. D'ailleurs la présence de ton papiste dans l'équipe te donne un bon argument.

— Je ne comprends pas.

— Ton Larkin et Jeremy s'entendent comme larrons en foire, me semble-t-il. Personne ne peut l'empêcher de faire des bêtises mieux que ce ferronnier.

Caroline considéra le sourire malicieux de son père et comprit qu'elle devait céder.

— Très bien, soupira-t-elle. Mais laisse-moi annoncer ça à Roger à un moment propice.

## 7

Avec une bande de galopins de son âge Matthew MacLeod colla son visage à la vitre de la cuisine où se trouvait son papa avec Conor Larkin. La pièce était si petite que les deux hommes avaient à peine la place de s'y tenir.

— C'est lui ! s'écria Matt. Conor Larkin !

— Bigle ses pieds. Il resterait debout huit jours après qu'on l'aurait fusillé !

— Mon papa m'a dit qu'il est capable de traverser un mur de brique. Hier, à l'entraînement, il a marqué un essai avec trois hommes sur le dos.

Les deux maisons contiguës des MacLeod, rue Tobergill, imposaient leur influence dans le quartier. Morgan, le patriarche, était contremaître du bassin de radoub Big Mabel, doyen dans l'ordre d'Orange et diacre de sa congrégation. Son fils, Robin, comptait parmi les meilleurs joueurs de rugby de Belfast. Chaque fois qu'il amenait chez lui un camarade d'équipe, c'était un événement dans le voisinage.

Dès la première fois où leurs têtes avaient sonné l'une contre l'autre sur le terrain de jeu, Robin MacLeod avait trouvé Conor Larkin à son goût. Quant à Conor, Robin lui rappelait Mick McGrath à bien des points de vue : même carrure, même vivacité, mêmes cheveux ondulés blond cendré. Sur le terrain Robin était l'âme de l'équipe des Chaudronniers. Dès le premier jour où on lui avait confié la mission d'accélérer l'entraînement de Conor, ils s'étaient liés d'amitié.

Ce soir-là la cuisine était interdite à Matt, mais Lucy y entrait et en sortait à tout instant. Au moment où les deux hommes s'installaient pour étudier sérieusement ce qui les intéressait, Morgan entra.

Il serra vigoureusement la main à Conor en déclarant d'un ton solennel :

— Je suis enchanté, en vérité. Nous n'avons pas souvent des plaisirs aussi rares que celui de vous recevoir, monsieur Larkin.

Après ces politesses, Nell salua à son tour, puis entrèrent à la file indienne quelques voisins avides de se renseigner sur le nouveau Chaudronnier afin d'en parler au comptoir de leur pub. Le rôle d'avant de première ligne échappait aux préjugés religieux. Seule comptait l'équipe. On acceptait donc Conor comme un échantillon exceptionnel du catholicisme et d'autant plus qu'il exerçait une profession hautement qualifiée.

— Pour l'amour du ciel, élimine tous ces gens-là. Nous voulons travailler en paix ! cria Robin à Lucy après une dernière intrusion.

— Nous serions peut-être plus tranquilles dans mon antre, suggéra Conor.

— Non. Même si cette soirée est gâchée, ils se calmeront dans un jour ou deux.

Robin posa sur la table les notes qu'il avait prises pour renseigner Conor sur toutes les équipes que devrait affronter la leur avant la tournée dans les Midlands. Il lui parla de chaque joueur, de ses astuces favorites, et lui apprit des règles qu'ignorent bien des joueurs. Conor assimila cet enseignement avec une facilité dénotant une intelligence qui impressionna son mentor. Robin était décidé à former un joueur capable de tenir sa place dans l'équipe et de participer à la tournée. Au cours de cette saison les Chaudronniers n'avaient guère enflammé que les entrailles de Derek Crawford.

Au bout d'une semaine les supporters fréquentant tous les bistrots proches de la rue Tobergill avaient fait connaissance avec le nouveau venu. Seule Shelley MacLeod ne l'avait pas encore vu. On laissa entendre en souriant à Conor que la sœur de Robin était un peu excentrique, voire assez crâneuse.

Sachant que son frère mettait au courant un nouveau joueur, Shelley évitait, en effet, de fréquenter sa famille. C'était une vraie fille du Shankill et elle participait volontiers de temps à autre aux beuveries de bière du samedi soir. Mais il lui arrivait aussi de suivre son propre chemin pendant plusieurs semaines et de se conduire en étrangère vis-à-vis des siens. Si convenables qu'ils fussent, les amis de Robin ne l'intéressaient guère. Elle ne voyait en eux que des primates aux désirs de primates. Un de plus ne l'attirait guère.

Malgré la froideur de Shelley, les fréquentes visites de Conor intéressaient encore tout le monde. La famille MacLeod semblait l'adopter. Sa présence donnait aux deux maisons contiguës une animation perceptible à l'extérieur. Après l'avoir soigneusement évité pendant une quinzaine, Shelley sentit naître sa curiosité et jugea bon de la satisfaire.

Elle annonça donc qu'elle dînerait chez ses parents le samedi soir où ils avaient invité Conor Larkin. Dès le premier instant elle constata qu'au point de vue strictement physique il ne manquait pas d'attraits. Il avait une demi-tête de plus que Robin et une bonne tête de plus qu'elle-même. Il lui garda longtemps la main dans la sienne. Elle bredouilla gauchement une formule de salutation banale. Il admira sa longue chevelure rousse, ses yeux d'un vert incroyable. et éprouva alors une étrange impression de faim : pas de désir, mais l'appétit d'un collectionneur qui se trouve inopinément en présence d'une rareté. Sans échanger un mot de plus, ils restèrent face à face, les yeux dans les yeux. Cette sorte de transe prit fin lorsque Lucy cueillit Matthew sur le trottoir. Shelley s'empressa de le conduire chez lui afin de le débarbouiller avant le repas. On l'entendit brailler sous l'éponge jusque dans la maison voisine.

En l'honneur de cet invité de marque, Morgan rompit avec son abstinence habituelle et but un verre avec les jeunes hommes. Puis il reprit son attitude la plus pompeuse pour s'asseoir au bout de la table. Il ajusta ses lunettes dont il n'avait d'ailleurs pas besoin parce qu'il connaissait la Bible par cœur. Il ouvrait solennellement le livre saint qui faisait partie du patrimoine des MacLeod depuis cinq générations. Il s'éclaircit la gorge pour enjoindre aux convives de baisser la tête.

« Voici les choses que tu dois faire. Ne dis que la vérité à ton prochain ; obéis au jugement de la sagesse et maintiens la paix dans ton domaine ; ne laisse personne soupçonner que ton cœur nourrit des idées mauvaises envers ton voisin ; ne prononce pas de faux serments car, toutes ces choses, je les déteste, dit le Seigneur. »

Ayant ainsi signifié qu'il admettait Conor Larkin à sa table, il referma la Bible et baissa la tête à son tour. A cet instant il avisa sa fille et Conor médusés l'un par l'autre. Se rappelant sa jeunesse, il constata que la plus vieille des flammes s'allumait à son foyer. Il n'avait encore jamais vu sa fille aussi troublée et n'avait même jamais supposé qu'elle était capable de l'être car Shelley jusqu'alors semblait toujours maîtresse d'elle-même.

« Merci Seigneur pour Tes dons abondants et pour la présence d'un nouvel ami qui honore notre maison. » Morgan leva la tête en pensant que Conor désirerait peut-être se signer ou ajouter un mot. Faute de réaction, il conclut par un tonitruant « Amen ! ».

Après le dîner la compagnie passa au salon et forma le cercle autour du calorifère qui ronronnait. Lucy se percha sur le tabouret du piano pour accompagner la voix de son beau-père, tellement vibrante qu'il entraîna tous les autres à chanter. Après le quatrième air, les derniers restes de gêne se dissipèrent. Conor galvanisa l'assistance en chantant, avec plus de douceur qu'on ne l'aurait imaginé, une très vieille ballade du Donegal.

Matt jeta un froid en réclamant un des hymnes orangistes les plus provocants. *Passant à travers le champ de seigle,* ancienne rengaine de moissonneurs, ramena la sérénité.

Matthew s'endormit. Robin l'emmena chez lui. Puis les autres s'éclipsèrent un à un. Conor et Shelley se trouvèrent seuls. Ils en furent aussi déconcertés qu'à l'instant de leur rencontre.

— J'ai passé une bonne soirée, dit Conor.

Il sortit du salon, prit sa casquette au portemanteau dans le vestibule et s'en alla.

Une longue semaine plus tard, Shelley frappa à la porte de la cuisine chez Lucy et entra. Seul devant la table, Conor rassemblait ses notes.

— Lucy et Matt sont à côté, dit-il. Robin est allé chercher de la bière au pub.

— Je le sais. J'ai attendu qu'il s'éloigne, dit-elle. (Elle parut pétrifiée, outrée contre elle-même de se laisser aller à une telle franchise.)

— Je vous ai attendue tous les soirs, reprit Conor. Vous avez bien fait de ne pas tarder plus longtemps.

Shelley avait souvent évincé les voyous du Shankill d'un seul regard. Elle eut envie d'en faire autant à Conor mais n'y parvint pas car il avait dit la vérité : elle l'avait fui. Il l'avait attendue. Désormais elle ne pouvait plus l'éviter. Pendant la semaine l'attrait du jeune homme était devenu irrésistible et la mettait mal à l'aise.

— Alors ? demanda Conor.

— Eh bien, oui... alors ? répondit Shelley étonnée par son propre comportement.

— Nous reverrons-nous, Shelley ? demanda-t-il tout de go.

— Vous pourrez attendre jusqu'à demain soir ? demanda-t-elle.

## 8

A la réflexion Sir Frederick s'enthousiasma pour le projet de don à l'hôtel de ville. Il envoya Larkin visiter le bâtiment dont la construction s'achevait, afin de lui proposer un plan en connaissance de cause.

La structure du monument était d'une telle lourdeur qu'on l'aurait cru destiné à abriter le gouvernement de l'Irlande tout entière ou au moins d'une province, alors que c'était simplement la mairie d'une ville de quatre cent mille habitants. Cette énormité occupait l'emplacement de l'ancienne halle au lin. Le dôme qui la coiffait avait cinquante et un mètres de haut et semblait proclamer le succès industriel de Belfast.

Si ce symbole plaisait à Frederick Weed, il faisait horreur à Conor, mais il étouffa sa haine car l'affaire pouvait le conduire exactement où il voulait à l'intérieur des chantiers Weed. Comme on lui donnait carte blanche, il décida de suggérer l'idée d'un portail à deux battants entre le vestibule et la salle des pas perdus qui s'étendait sur toute la façade est.

Considérant Belfast comme le bastion de la pieuse lourdeur ulstérienne, Conor comprit qu'une dentelle à la Tijou où dans le style italien ne conviendrait pas. Il entreprit d'esquisser plutôt une grille massive d'un baroque quasi allemand exprimant la Réforme militante. La lourdeur du style lui permettrait de parsemer sa grille d'emblèmes héraldiques et d'allégories propres à faire bouillir le sang de l'Ulster.

D'autre part, Conor savait que Sir Frederick était un collectionneur avisé et un homme de bon goût qu'il ne fallait pas offenser. Mais comme le portail devait être en harmonie avec le bâtiment, la mentalité du pays et les gens qui le gouvernaient, il conçut une œuvre qui planait subtilement entre la majesté et la bouffonnerie.

Un mois plus tard, il soumit personnellement ses esquisses à Sir Frederick qui alluma comme d'habitude un cigare, étala les plans devant lui et parut aussitôt amusé et intrigué à la fois. Les grandes lignes du portail le séduisaient, mais quelque chose n'accrochait pas. Son ferronnier laissait une trop large part au mauvais goût.

Weed releva la tête, considéra Larkin, revint aux dessins et fut tout à coup pris d'admiration devant un homme capable de concevoir un tel portail en sachant exactement ce qu'il faisaitt.

— Dites donc, Larkin... est-ce que vous vous payez ma tête ?

— Avez-vous visité l'intérieur du bâtiment ?

— Heu... avant qu'il soit terminé.

— Vous feriez peut-être bien d'y retourner.

— C'est l'Ulster, je vous l'accorde.

— Puis-je vous conseiller de présenter ce projet aux édiles et de juger selon leurs réactions ? demanda Conor.

C'est ce que fit Weed. Les conseillers municipaux s'enthousiasmèrent. Larkin avait tapé dans le mille. On approuva son projet.


On pouvait toujours s'attendre à des criailleries quand un catholique violait un domaine strictement protestant des chantiers Weed. Mais elles furent réduites au minimum lorsque Bart Wilson, que Conor remplaçait chez les Chaudronniers, fut promu chef d'un chantier de rivetage. Les vagues s'apaisèrent aussitôt. C'est lui-même qui présenta Conor à la ronde. On accepta donc tacitement sa présence. Les membres du club de rugby de Sir Frederick jouissaient d'un statut spécial, en outre Larkin ne menaçait l'emploi de personne puisqu'il était chargé d'une tâche exceptionnelle pour le compte du patron. Chacun restant froidement sur son quant-à-soi, tout se passa bien.

Le chantier des locomotives s'étendait sur la rive sud du canal du Roi-Guillaume jusqu'au pied des hauts fourneaux. Une succession d'annexes prolongeait l'atelier principal où Conor s'installa à une des forges. On l'accueillit d'aussi mauvaise grâce que s'il avait la lèpre, mais sans le tracasser.

Libre de circuler à sa guise, il releva mentalement le plan du gigantesque complexe industriel. Quelque part dans cette immensité devait se trouver la porte dérobée de l'Ulster par laquelle la Fraternité introduirait les armes cachées en Angleterre. Il inventoria les chantiers, secteur par secteur, en cherchant la clé de cette porte, mais elle lui échappa. Toutes les perspectives prometteuses le déçurent l'une après l'autre. Ce qui lui paraissait à première vue assez facile, ne tarda pas à se révéler impossible. Même si on parvenait à apporter les fusils d'Angleterre aux quais privés des chantiers Weed, qu'en résulterait-il ? Comment les décharger et les emporter ? Au bout d'un certain temps Conor en vint à douter de son projet. Pourtant il était dans la place et la solution devait être là, quelque part.

Il alla de la fonderie aux bassins, dressant mentalement des cartes, pied par pied, qu'il dessinait chez lui le soir. Ses yeux se mirent à fonctionner comme des engins de topographe. A force de fouiner ainsi, il se demanda s'il était vraiment aussi libre de ses mouvements qu'il l'avait cru. Si on le voyait trop souvent à ne rien faire au même endroit, on finirait forcément par s'interroger à son sujet.

Au début il souhaitait travailler près du chantier de locomotives pour se trouver au centre de l'entreprise, mais il ne s'y était pas intéressé particulièrement. Et puis, sans s'expliquer pourquoi, il sentit que la solution devait se trouver là. La situation de sa forge lui permettait d'entrer et sortir plusieurs fois par jour et il se lia d'amitié avec Duffy O'Hurley, conducteur du train privé de Sir Frederick.

Ce mécanicien, qui conduisait l'express Main Rouge lorsqu'il avait franchi la barrière des cent miles à l'heure, venait du comté Tipperary, de même que son beau-frère Calhoun Hanly, le chauffeur. Duffy survivait à tous les premiers périls de la locomotion à vapeur : rupture de freins, erreurs d'aiguillages, déraillements et même une collision monumentale. C'était un fonceur dont la machine crachait toujours une fumée noire. Sa consommation de charbon et d'eau clamait la vitesse. Le tandem O'Hurley-Hanly jouissait d'un prestige légendaire dans une profession alors féconde en légendes. Bien qu'ils fussent catholiques l'un et l'autre, Sir Frederick les gardait à son service par reconnaissance. Après maints échecs c'est eux qui avaient conduit sa dernière Main Rouge à cent six miles à l'heure, sur la voie d'essai de Newtonabbay, dès sa première sortie. Depuis lors, Lady Caroline avait beau se plaindre de la conduite brutale de O'Hurley, Sir Frederick répétait qu'ils conduiraient son train jusqu'à la fin de leurs jours.

La Main Rouge conservait son prestige grâce à des améliorations incessantes. Weed raffolait de la publicité que ce train faisait à ses chantiers et à lui-même. Le tapage qui accompagnait la tournée des Chaudronniers chaque année dans les Midlands contribuait à son prestige.

L'entreprise Weed ne manquait jamais de mettre en relief les améliorations apportées à la Main Rouge. Dans les régions industrielles de l'Angleterre on accueillait son arrivée avec autant d'enthousiasme qu'une troupe de nomades à la foire du canton. Locomotive, tender, wagons étaient peints aux couleurs de l'Ulster, depuis les roues jusqu'à la cheminée sur laquelle flottaient des panoplies de drapeaux. Sir Frederick choyait les acheteurs éventuels et les journalistes en leur offrant des promenades en train, arrosées de vin de Champagne. Quelques jours auparavant on organisait des concours entre les enfants de chaque ville et les gagnants faisaient un trajet dans la locomotive, à côté de O'Hurley en personne ! La presse britannique ne manquait jamais de publier des photos du dernier bijou de Sir Frederick. Certaines personnes proches de la Cour chuchotaient que ses extravagances lui interdiraient l'élévation à la pairie. Elle n'en était pas moins conforme aux usages de pionniers coruscants de l'industrie à une époque où ils se chargeaient eux-mêmes de vendre les produits de leur imagination.

Duffy O'Hurley jouait son rôle à merveille. Acteur-né, prompt à imaginer quelques bons mots, à parier, à se lier avec le premier venu et à offrir à boire, c'était l'Irlandais type, tel qu'on le représentait sur les scènes anglaises.

Lorsqu'il ne roulait pas sur la locomotive privée de Sir Frederick, il se tenait en permanence dans le principal atelier d'assemblage des locomotives comme s'il prétendait avoir la haute main sur la construction du modèle suivant. Il veillait aux moindres détails de la machine comme le futur papa veille à l'installation de son épouse sur le lit où elle fera ses couches.

Il ne quittait guère ce chantier que pour le stade des Chaudronniers car, s'il n'eût été le plus grand mécanicien d'Irlande, il en eût certes été le meilleur joueur de rugby. Gaillard bourru, audacieux et intrépide, il y était admis en égal par les membres du club et lui seul avait accès à leur salon. Son intimité avec l'équipe lui donnait un prestige quasi sacerdotal dans tous les bars qu'il daignait fréquenter.

Conor Larkin et Duffy O'Hurley étaient faits pour s'entendre et se lier. Proche du chantier des locomotives, la forge de Larkin éveilla la curiosité de Duffy. Il vit en Conor un homme de la même trempe que lui, un artisan de qualité, comme lui-même était artiste en fait de mécanique. En outre, ils étaient tous deux catholiques romains et, de temps en temps, se sentaient esseulés dans l'entreprise. On pourrait ajouter qu'ils se considéraient l'un et l'autre comme Chaudronniers.

Conor décela aussitôt en O'Hurley un allié possible. Il lui rendit ses visites et fit ainsi connaissance avec le sanctuaire où naissaient les Main Rouge. Duffy en était si fier qu'il ne tarissait pas d'explications. Conor prit grand soin de maintenir leurs relations sur un plan de cordialité banale et se garda de sonder Duffy sur ses sympathies, ses habitudes ou son passé.

Ce n'est pas tellement la locomotive elle-même qui l'intéressait, mais le tender à charbon et le réservoir d'eau, ainsi que les allées et venues du convoi durant l'année.

Un jour, après l'entraînement, il trouva O'Hurley à sa place habituelle, dans le salon des joueurs, bouillonnant d'enthousiasme car il devait essayer sa nouvelle Main Rouge dans le courant de la semaine.

— Que devient la locomotive après la tournée en Angleterre ? demanda Conor.

— Elle reste au service personnel de Sir Frederick pendant un an, jusqu'à la sortie du nouveau modèle.

— Tu voyages beaucoup ?

— Pas trop pour un célibataire. Quelques aller et retour jusqu'à Derry, un ou deux à Kinsale pendant l'été, quelques-uns à Dublin et puis, quatre ou cinq fois par an en Angleterre. Tout ça, c'est du travail facile.

— Et que devient la vieille machine quand on la remplace par une nouvelle ?

— Tu n'imaginerais pas combien il y a de clients pour l'acheter. Tous les maharadjahs de l'Inde, depuis le plus riche jusqu'au dernier petit tordu de rien du tout, et tous les propriétaires de mines d'or d'Afrique du Sud en veulent, même usagée. Nous avons quatre généraux sud-américains sur notre carnet de commandes. Tu aurais envie de l'acheter, toi aussi, Conor ?

— Pourquoi pas ? répondit Conor en souriant.

La porte dérobée de l'Ulster s'était entrouverte.

## 9

Petite enclave catholique, Markets était cernée par le Lagan, l'usine à gaz, des entrepôts et quelques usines. Plus que délabrées, les maisons qui la constituaient, remontant au XVIIIe siècle, tombaient littéralement en ruine. Les pavés irréguliers des rues étaient jonchés d'ordures. Conor s'y engagea sur la pointe des pieds, comme s'il marchait sur des œufs. Il arriva à l'entrée d'une impasse. La plaque indiquant le nom de la rue était illisible depuis longtemps. Quatre fillettes qui sautaient à la corde lui barrèrent la route.

*Les campanules arrivent fraîches*
*Les campanules s'en vont fanées.*
*Vont et viennent et meurent les campanules*
*Je serai ton maître.*

*Suis-moi à Londonderry*
*Suis-moi à Cork et Kerry*
*Suis-moi, léger et docile*
*Car je serai ton maître*

*Tipper-ipper-rapper sur l'épaule à main gauche*
*Tipper-ipper-rapper sur l'épaule à main gauche*
*Tipper-ipper-rapper sur l'épaule à main gauche*
*Je serai ton maître.*

— Bonjour, les mignonnes, dit Conor quand la corde cessa de tourner. La cour Cyril, ce ne serait pas ici ?

— C'est bien ça, monsieur.

— Savez-vous où habite Mick McGrath ?

Les gamines se turent aussitôt. Tous les habitants du quartier avaient la phobie des créanciers. Conor sourit.

— N'ayez pas peur, je ne suis pas un encaisseur, mais un vieil ami de Mick que j'ai connu à Derry.

Les quatre fillettes échangèrent des regards inquiets et parurent sur le point de s'enfuir. Mais la plus petite fit un pas en avant, prit Conor par la main, le conduisit au fond de l'impasse, lui montra une porte et prit aussitôt ses jambes à son cou.

Conor réprima un soupir écœuré en considérant le décor. L'immense gazomètre était si proche et si élevé que le soleil ne pénétrait jamais dans l'impasse. Il frappa à la porte et entendit un bruit confus de mouvements rapides. Il frappa plus fort et vit du coin de l'œil quelqu'un soulever légèrement le rideau d'une fenêtre.

— Ouvrez. Je suis un ami.

Il cogna de toutes ses forces. Un bébé cria à l'intérieur. Conor s'acharna contre la porte qui s'entrouvrit. Sous l'assaut de la lumière, les paupières de Mick McGrath battirent. Ce n'était plus le gaillard qu'avait connu Conor. Il semblait s'être étiolé.

— Qui est là ? demanda-t-il d'une voix de rogomme.

— Conor Larkin, de Derry.

La porte s'ouvrit un peu plus, révélant le délabrement de Mick McGrath qui parut se souvenir à regret.

— Dieu me bénisse, dit-il. C'est bien toi.

Conor repoussa complètement la porte. Un remugle de moisissure, de sueur et d'excréments le saisit à la gorge.

— Excuse-moi d'avoir pas répondu plus vite, dit Mick. Les encaisseurs me mènent la vie dure. Des cœurs de pierre qui ne pensent qu'à l'argent.

Conor entra dans la pièce. Quand ses yeux s'accoutumèrent à la pénombre il distingua une vieille grand-mère qui se balançait d'avant en arrière en parlant toute seule, visiblement démente.

Une femme squelettique, au regard vitreux, était assise de travers au bord d'une couchette, le dos appuyé au mur.

— Ma femme, Elva. Elle est malade.

Le bébé poussa un cri aigu. Avec des gestes d'automate, la femme s'en empara, le posa sur ses genoux et lui fourra dans la bouche le mamelon d'un sein flasque. Elle toussa. La quinte se prolongea, comme si en tétant l'enfant lui ravageait la poitrine. Enfin elle repoussa le nourrisson, cracha devant elle, saisit une bouteille de poteen, but à la régalade. Le bébé s'était remis à brailler.

— Ça... Ça va pas, ce matin... ma putain de blessure se rouvre, dit Mick.

Conor recula jusqu'au seuil.

— Prends ton temps et viens me retrouver au pub du coin de la rue du Petit-Mai.

Lorsqu'il referma la porte derrière lui, les quatre gramines l'entourèrent, médusées. Il devina la présence d'yeux qui l'épiaient à toutes les fenêtres de l'impasse.

— Sauvez-vous ! cria-t-il.

Il avait déjà bu plusieurs chopes de guinness qu'il faisait descendre dans ses entrailles à coups de petits verres lorsque Mick se glissa auprès de lui devant le comptoir. Conor poussa la bouteille vers lui sans se retourner. Mick but deux bons coups. Ses mains tremblaient tellement qu'une bonne part de l'alcool coula sur son menton.

— Comment m'as-tu retrouvé ? demanda-t-il.

— Je ne sais plus qui m'a renseigné. J'ai interrogé tant de monde !

— Tu avais vraiment besoin de fourrer ton tarin dans mes affaires ?

— Excuse-moi, dit Conor, en descendant de son tabouret. La bouteille est à toi.

Mick lui saisit le bras.

— T'en va pas.

Ils burent sans rien dire. Puis Mick s'épancha.

— Je me suis classé facilement dans l'équipe des juniors. Ça marchait, Conor. Tout allait bien. On me suivait à l'entraînement et j'étais à deux doigts d'entrer dans la grande équipe. Je n'ai jamais été aussi à l'aise de ma vie. Je gagnais plus d'une livre par semaine à la forge du chantier. J'avais du fric dans les fouilles et j'allais passer aux Chaudronniers. Et puis, merde ! à quoi ça sert de raconter ça ?

Conor lui posa la main sur l'épaule. Il se rappelait leurs heures de gloire dans l'équipe du Bogside. Avisant son reflet dans le miroir derrière le comptoir, il eut l'impression d'avoir les yeux voilés et détourna la tête.

— Je créchais avec Elva et sa vieille maman, reprit Mick. C'est la grand-mère que tu as vue chez moi. Au quatrième match, c'était peut-être le cinquième, je ne me rappelle pas... Je vois encore Doxie O'Brien qui observait chacun de mes gestes parce qu'il pensait à moi pour la grande équipe...

— Eh bien, qu'est-ce qui s'est passé ? demanda Conor.

— Ma rotule ! On l'a entendue claquer d'un bout à l'autre du terrain. J'avais tellement mal que j'ai braillé tout le long du chemin jusqu'à l'hôpital. Les chirurgiens m'ont découpé férocement. C'est surtout le moral qui m'a perdu. A me répéter nuit et jour que je ne jouerais plus jamais, je me suis mis dans la tête qu'ils allaient me couper la jambe. C'est la douleur, tu comprends, je souffrais tant que je ne dormais plus et je devenais dingue. J'ai foutu le camp de l'hôpital.

— Merde alors ! Quand le Bon Dieu a distribué des cerveaux tu étais derrière la porte ! grogna Conor.

— C'est la douleur, je te dis. Elva et sa vieille ont été chouettes pour moi. Elles se sont débrouillées pour me fournir assez d'alcool sinon j'aurais pas pu supporter tant de souffrance. Au bout d'un moment, elle a diminué... c'est pas fini, je la sens encore. On m'a tellement charcuté ! Et toi, Conor ?

— J'ai vadrouillé.

— Oui. J'ai entendu dire que tu avais quitté Derry.

— C'est vrai.

— Tu fais toujours du football ?

— Oui. Je compte rester un moment à Belfast et je fais mon trou chez les Chaudronniers.

— Alors, tu connais Doxie O'Brien ?

— Bien sûr.

— Puisqu'il est catholique comme nous, je suis allé le voir dès que j'ai tenu debout pour qu'on me rende mon boulot à la forge. Il a fait de son mieux, ce brave Doxie. Mais nous, les catholiques, on nous tolère aux chantiers tant qu'on fait partie du club ; sinon, que la Sainte Vierge protège tes burnes ! M'être estropié en jouant pour leur saloperie d'équipe ne m'a servi à rien. Tu t'imagines ce qu'il arrive à celui qu'on n'aime pas dans une forge où il y a tant de métal en fusion ?

Mick releva sa manche pour montrer une épouvantable cicatrice de brûlure.

— J'en ai une pire sur le dos. On m'a laissé tomber dessus, du haut d'un échafaudage du bassin de radoub, un rivet rougi à blanc.

— Mais bon Dieu ! Il y a des centaines de petites forges à Belfast !

Des larmes coulèrent des yeux de Mick. Il trembla tant que Conor lui servit à boire.

— Je le sais, dit-il. On m'a foutu à la porte de la moitié de ces forges. J'ai jamais pu me tirer de la merde. Quand la maman d'Elva a eu sa première attaque, j'ai estimé que je devais prendre soin d'elles.

— Qu'est-ce qu'elle a, ta femme ? demanda Conor.

— Elle a peigné le lin depuis l'âge de douze ans. Il faut les voir, ces filatures ! Certains ateliers sont tellement vastes qu'ils couvriraient la moitié du Bogside. Les machines lâchent tellement de vapeur qu'on n'y voit pas clair parce que les vitres sont couvertes de buée. Les ouvrières travaillent pieds nus, sur la terre battue, humide, pendant douze heures d'affilée. D'abord le bruit les rend sourdes et leur ramollit le cerveau. Ensuite l'humidité leur grimpe dans les os, jusqu'aux jointures et les estropie. Enfin, au bout d'un certain temps, la poussière du lin leur ronge les poumons. Ses deux sœurs aînées ont travaillé avant elle et sont mortes avant d'avoir trente ans. Les peigneuses ne tiennent le coup qu'en buvant.

Conor commanda une seconde bouteille et tapota le comptoir du poing.

— Si tu veux essayer de t'en tirer, Mick, je t'aiderai.

Cette proposition ne fit aucun effet sur son ami qui avait perdu tout espoir.

— Tu n'as rien compris, mon pauvre vieux, dit-il. Tu nous as vus dans notre taudis. Nous n'en avons plus pour longtemps. (Puis Mick éclata d'un rire qui fit perdre tout espoir à Conor.) Alors, comme ça, tu joues au rugby, Conor Larkin ? demanda-t-il.

— J'espère tenir quelques saisons.

— Tu es dans les juniors ?

— Je serai dans la grande équipe avant le début de la tournée des Midlands.

Le visage de Mick s'éclaira enfin.

— La tournée ! dit-il, aussi émerveillé que si la Sainte Vierge lui était apparue. C'est formidable, il paraît. Dès qu'on porte le maillot de son club, Sir Frederick ne lésine plus : logement de première classe, filet de bœuf comac ! dans l'assiette tous les soirs, autant de paddy et de guinness qu'on peut en siffler. D'après ce que j'ai entendu dire, il fait la tournée dans son train personnel avec les joueurs et, à chaque match, il mise vingt livres sur l'équipe qui se partage le fade en cas de victoire. La tournée ! C'est la seule chose que je regrette. J'aurais tout donné pour y participer, au moins une saison.

— Je comprends ça, chuchota Conor qui descendit de son tabouret.

Sa main fermée pointa vers la poche de Mick qui recula et leva les deux mains pour refuser le secours dont il avait pourtant bien besoin.

— T'occupe plus de nous, Conor, dit-il. Oublie-moi, c'est tout. Je livre du charbon pour un cousin d'Elva qui ne me paie pas lourd mais on n'a pas besoin de grand-chose.

— Au revoir, Mick, dit Conor.

— Adieu, Conor.


## 10


Leur sortie du dimanche vers l'amont du lough de Belfast se termina à la Vieille Auberge de Crawfords-burn, rendez-vous d'une discrétion charmante depuis plusieurs générations, au plafond bas et aux murs de brique nue. Ils prirent l'apéritif sur la véranda, devant un jardin où s'épanouissaient des roses d'Ulster. Le maître d'hôtel vint prendre la commande du dîner.

— Merci, monsieur. C'est ça, monsieur. Très bien, monsieur. (Le petit bonhomme hochait la tête et deman-dait des précisions. Enfin il s'inclina et dit :) Votre table sera prête dans un instant, monsieur.

Shelley MacLeod était éblouissante. Elle travaillait dans une maison de haute couture et savait en tirer parti. Selon la tradition elle avait débuté chez une petite couturière et depuis elle faisait merveille. Elle harmonisait les soies vertes à son teint délicat en mesurant avec art décolleté et drapés. Lorsqu'ils étaient arrivés ensemble, tout le monde s'était tu à l'auberge. Conor se surprit à l'admirer comme il l'avait fait souvent au cours de la journée et bien des fois aussi lors de leurs rencontres précédentes.

Shelley s'en aperçut et lui dit :

— Je vais me prendre pour un trésor, Conor Larkin.

— Mais tu es un trésor, répondit-il.

Alors qu'au cours de leurs premiers rendez-vous Shelley était tout à fait à l'aise, elle avait eu ce jour-là de longues périodes de silence, comme si elle était gênée. Le soir venu, elle avait les nerfs en pelote. Elle eut envie d'allumer une cigarette mais garda les mains sur les genoux, par crainte de les voir trembler. Au soleil couchant, la lumière pénétra plus brillante sur la véranda, ce qui fit étinceler son profil. Quelle belle journée ! Elle se rappela l'instant exquis où elle avait ouvert la porte, son panier de pique-nique à la main. Rayonnants ils avaient soupiré de joie en se trouvant face à face. Puis ils avaient pris le train pour Helen's Bay, avaient navigué à la voile sur le clapotis du lough, écouté un concert en plein air à Bangor. Ils en arrivaient à l'instant d'intimité le plus agréable. Pourtant, après plusieurs journées passées ensemble, Shelley sentait qu'il leur manquait quelque chose. Ils se connaissaient de mieux en mieux, étaient de plus en plus à l'aise l'un avec l'autre, bavardaient en toute confiance mais... Dieu sait qu'elle n'avait aucune envie de le brusquer, mais si un secret devait les séparer, elle entendait tirer l'affaire au clair sans attendre plus longtemps.

Conor perçut son état d'esprit et se réfugia également dans le silence. Ils burent leur apéritif en prenant leur temps. Enfin, en posant son verre elle dit d'un ton décidé :

— Conor !

— Oui ?

— Quelque chose ne tourne pas rond entre nous deux. Ça se voit de plus en plus.

— Quoi ?

— Il nous manque quelque chose : des baisers, des étreintes, de nous rouler dans l'herbe. A quoi bon le nier, je suis mordue. En un mois nous avons passé quinze soirées et journées ensemble et je suis perplexe. C'est à peine si nous nous frôlons l'un l'autre et tu me regardes avec des yeux affamés. Comment se fait-il que tu ne fasses rien d'autre, mon bonhomme ?

— J'ai essayé de m'y décider et je ne sais pas ce qui me retient. Je ne voudrais peut-être pas que tu me prennes pour un voyou du Shankill comme tu en as tant connu.

— Tu sais très bien qu'il n'en est rien.

— Eh bien, je vais te dire... tu me fais un peu peur. D'abord, je n'ai jamais rien vu d'aussi beau que toi.

— Allons donc !... Voilà longtemps que tu es sorti de ton trou, que tu as parcouru le monde. Tu as fait des tas de choses et aimé bien des femmes !

Conor leva son verre dans la direction d'un garçon qui vint le prendre pour aller le remplir.

— Ne te fie pas à ma bonne apparence, dit-il avec un sourire penaud. Nous sommes des arriérés, tu sais. Dans mon village certains hommes ne se marient pas avant la

278

cinquantaine bien sonnée et quelques-uns restent célibataires toute leur vie en ignorant tout de l'amour. Nous n'obéissons pas aux mêmes règles que vous autres. Parmi les Irlandais, je suis peut-être une exception parce que je préfère les femmes à la boisson, mais ça n'empêche pas qu'une bonne part de nos vieilles traditions a déteint sur moi.

Elle ne doutait pas qu'il avait déjà aimé, mais elle savait aussi qu'en dépit de leur virilité évidente, bien des gaillards comme lui manquaient de hardiesse au dernier instant.

Elle devina qu'il fouillait dans sa mémoire, en quête de bribes secrètes à lui jeter, et le trouva à cet instant plus beau que jamais.

Il releva la tête, l'air un peu triste.

— J'étais encore tout jeune quand un jour j'ai aperçu une dame superbe. C'était une comtesse et j'aurais voulu la détester mais je n'ai pas pu. De temps en temps je me cachais derrière une haie pour la regarder passer. Et puis, nous avons fait connaissance. Je peux même dire que nous sommes devenus amis. Je voyais en elle la perfection faite femme. Alors, au cours de mes voyages à travers le monde, chaque fois que je regardais les yeux d'une femme, je pensais à la comtesse et aucune ne la valait. Shelley, tu vaux mieux que la comtesse pour moi. Ça me confond. Je ne sais plus...

— Je ne suis pas en porcelaine, Conor, souffla-t-elle. Sous ma robe de soie il y a un corps de fille comme tous les autres.

Ils s'observèrent pendant un moment et, pour la première fois de sa vie, Conor flancha devant une femme. S'étant confié, il était décontenancé.

— Je t'avoue franchement que j'ai peur, Shelley. Si

nous nous unissons, ce ne sera pas comme avec les autres. Nous ne nous arrêterons pas à des relations superficielles. Je voudrais te pénétrer, te dévorer. Jusqu'ici j'ai évité toute liaison aussi profonde et je ne suis pas sûr...

— En ce qui nous concerne tous les deux, dit-elle tout de go, tu n'as à craindre que toi.

— Ecoute, ma fille, dit-il, brusquement sur la défensive. Tu ne sais pas tout à mon sujet.

— Tu ignores bien des choses au mien.

Shelley comprit que cet échange de reparties ne les mènerait à rien. Elle le désirait, sans crainte, sans que sa vanité y fût pour rien. Ses yeux verts étincelèrent. Elle se pencha vers lui et lui prit la main.

— Tu me dis que tu as navigué en quête de quelque chose. Est-ce que tu cherchais une chose vivante ou bien à pénétrer quelque coin secret de ton âme ?

Conor secoua la tête.

— Je t'ai dit que nous n'obéissons pas aux mêmes règles, bredouilla-t-il. Pourrais-tu croire qu'au cours de tant de recherches je ne me suis jamais soucié des femmes ?

— Détends-toi, Conor.

— Je ne demande que ça.

— A mon tour de parler franchement et simplement. Ma vie non plus n'a pas toujours été facile. Je n'ai jamais eu affaire à un homme comme toi et je ne te laisserai pas échapper par timidité. J'entends te saisir et te retenir, ne serait-ce que pour voir s'il y a quelque chose de bon en ce monde et s'il y en a une miette pour nous.

Conor porta la main de Shelley à ses lèvres et lui baisa le bout des doigts. Le maître d'hôtel apparut sur le seuil de la véranda et s'inclina. Conor prit le manteau de Shelley sur le dossier d'une chaise et le lui posa sur les épaules. Ils pénétrèrent dans la grande salle décorée de trophées de chasse et de cuivres rutilants.

Le trajet du retour à Belfast fut une torture parce qu'un désir physique était né chez Conor qui ne parvenait plus à le maîtriser. Elle l'avait arraché au piédestal sur lequel il prétendait jusqu'alors trôner, au-dessus des jeux propres aux faibles et aux médiocres, en se croyant trop fort pour de telles vétilles. Lorsqu'un homme se fait de telles illusions sur lui-même, l'impact de la réalité le ravage.

Il tenait Shelley par la taille. Elle s'appuyait contre lui, lasse et tendre. Elle jouait du bout des doigts avec les boutons de sa chemise. Tant d'autres hommes l'avaient sollicitée ! mais celui-là avait longtemps gardé son sang-froid.

Conor sentait la peau sous la soie de la robe et voyait la passion dans les yeux ensommeillés de Shelley. Il en était bouleversé. Il ferma les yeux et appuya sa nuque à la vitre froide qui tressautait aux cahots du train. Ils paraissaient tout simplement fatigués par une journée de plein air. Le rythme de leur respiration s'accorda l'un à l'autre, comme s'ils s'élevaient ensemble vers un paroxysme de plaisir. Ils se serrèrent plus étroitement l'un contre l'autre. Il lui caressa les cheveux, passa le bout de ses doigts sur les poils follets de la nuque et lui caressa les cils.

Le train ralentit. Ils se séparèrent et rectifièrent leur tenue. Il regarda par la fenêtre du wagon et constata, abasourdi, que le convoi longeait les Weed Ship and Iron Works.

« Belfast ! Belfast ! Gare du Quai de la Reine ! Terminus, tout le monde descend ! »

Tous aussi fatigués, les pique-niqueurs débarquèrent.

Le fiacre gagna une Shankill Street endormie. Shelley et Conor haletaient. La voiture bifurqua vers des rues étroites bordées de maisons collées les unes aux autres. Quelques rares amoureux s'étreignaient encore sur le seuil des portes. Plus rien d'autre ne vivait.

Shelley ouvrit en tremblant, saisit la main de Conor et l'attira dans le vestibule. Ils s'étreignirent furieusement, avec un abandon complet.

— Conor, souffla-t-elle, emmène-moi quelque part où nous serons seuls.

Il l'entraînait déjà vers la porte lorsqu'une réalité épouvantable fracassa son euphorie. A une heure aussi tardive, il n'aurait pu l'emmener que chez lui. Or, sa chambre était jonchée d'esquisses du chantier et de l'atelier de locomotives.

Il se reprit, étreignit de nouveau Shelley.

— J'ai failli oublier, dit-il. Un copain de Dublin couche chez moi cette nuit. Il faudra attendre jusqu'à demain.

— Demain ! haleta-t-elle. Ce sera vraiment demain ?

— Oui.


Depuis qu'il connaissait Shelley quelque chose se passait en lui sans qu'il en réalise l'importance et qui s'imposait soudain à l'évidence. Il avait horreur de la quitter. Le retour de Tobergill Road à Ardoyne devenait un chemin de croix. Arrivé chez lui il montait très lentement l'escalier. Jusqu'alors pourtant, il avait toujours accepté la solitude allégrement. Un livre, puis un autre, parfois une bouteille, ça lui suffisait. Ses propres pensées lui tenaient compagnie. Mais sa solitude devenait une ennemie et ce soir-là il l'exécrait. Il considéra son lit vide et eut furieusement envie de Shelley.

Captivé, il avait perdu sa liberté.

A longueur de journée Shelley avait envahi son esprit, l'avait arraché à ses préoccupations et surtout à sa mission. Elle pénétrait désormais ses domaines les plus secrets.

Il retira brusquement son veston, releva les manches de sa chemise et fit appel à l'opiniâtreté qui ne lui avait jamais failli. Il étala plans et cartes sur sa table et chercha à concentrer son attention.

*Le corps qu'il devinait sous la robe, comment était-il en réalité ?*

Il rangea ses papiers, agacé, marcha de sa table à la fenêtre, pénétra dans le placard-cuisine et déboucha une bouteille de paddy.

*Et les seins ? Comment réagiraient-ils à ses caresses ?*

Conor se jeta sur son lit, chercha à s'immobiliser mais ne tint pas en place. Il se rappela d'autres couches, dans d'autres chambres, éprouva une sensation de parenté pour toutes les femmes qui s'étaient allongées auprès de lui, qui l'avaient aimé sans l'être. Combien de fois avait-il feint de la compassion pour elles et pour leurs larmes, en souhaitant qu'elles s'en aillent au plus vite ? Quand avait commencé sa métamorphose ? Presque à leur première rencontre. Lorsqu'en se réveillant, il avait pensé qu'il la reverrait dans la journée, il avait vécu dans la joie.

« Merde ! » Il se leva d'un bond et retourna à sa table, plus résolu à travailler. Il entrevit confusément la silhouette de la comtesse Caroline. Il ne parvenait jamais à reconstituer son image car ce n'était pas à elle qu'il pensait mais plutôt à une princesse de conte de fées, à un fantasme commode. Il l'avait choisie délibérément comme un idéal intangible en se disant que, s'il trouvait jamais une femme comme celle-là, il ne la laisserait pas échapper. Tel était le jeu qu'il avait joué, l'illusion qu'il avait entretenue car il avait longtemps cru rester à l'abri de la passion parce qu'aucune ne vaudrait celle-là. Mais voilà que Shelley MacLeod détruisait cette cuirasse et faisait de lui un homme comme tous les autres, affligé de la faiblesse qu'il avait déplorée.

*Demain elle sera nue sur ce lit. Je ferai connaissance avec son corps. Je la caresserai des mains, de la bouche, je la couvrirai.*

La banalité de son désir l'écœura d'autant plus qu'il en saisit la stupidité : il appartenait à la Fraternité qui lui interdisait toute autre préoccupation.

*Shelley, allongée là, qui le regarde... Ses yeux...*

Bien sûr il avait fait l'amour avec d'autres femmes, il y avait pensé même, mais il avait longtemps voyagé sans atteindre le port. S'il avait même eu besoin d'une compagne de temps en temps, il n'avait jamais souhaité que des aventures sans lendemain, en restant toujours maître de lui-même et prêt à rompre du jour au lendemain. Aucune ne l'avait obsédé et il n'en avait regretté aucune. Il craignit de peiner, voire de meurtrir Shelley. Bizarre ! Il n'avait jamais éprouvé de pareils scrupules au sujet des autres. Il avait brutalement exigé qu'elles aiment en lui un fantôme inaccessible.

*Shelley, Shelley ! quel ravissement ! Trop précieuse et peut-être trop fragile.*

L'éruption soudaine de sa propre faiblesse humaine l'exaspéra. Il se voyait séparé de la Fraternité et douta de sa volonté. En admettant par jeu qu'il pourrait un jour être captivé à son tour, il n'y avait quand même jamais cru. Or, il était bel et bien pris : son esprit revenait sans cesse à Shelley et il la désirait. La nuit s'écoulant, une seule idée surnagea : rien ne l'empêcherait d'aller à son rendez-vous.

Ce point admis, il cessa de résister et se réjouit même en anticipant mentalement sur toute la gamme des sensations qu'il se promettait. L'aurore trouva Conor épuisé mais serein. Ayant capitulé, il compta les heures qui les séparaient encore.

Il continua à feuilleter ses plans. Dan ne tarderait pas à venir à Belfast et Conor tenait passionnément à lui proposer une solution. Tout à coup, il fut médusé par une esquisse du tender qu'il avait déjà considérée des centaines de fois. Il ne la voyait plus de la même manière. En un instant merveilleux, la solution de l'énigme lui apparut clairement. Les yeux las, presque larmoyants après cette nuit de veille, il resta le regard fixé sur ce plan, bouche bée, doutant de l'évidence. C'était pourtant si simple. Peut-être avait-il trouvé parce qu'il avait l'esprit embrumé ; il douta de son inspiration, sauta vers l'évier, pompa de l'eau, y plongea la tête, fouilla sa liasse d'esquisses pour en tirer toutes celles qui représentaient le tender.

« Mon Dieu, c'est pourtant vrai ! souffla-t-il. J'ai trouvé ! »


11


Les lunettes démodées de Sweeney Le Long grossissaient ses yeux de manière effarante. Les paupières mi-closes il considérait les plans de Conor qui représentaient pour la plupart la coupe du tender.

— Bon. Eh bien, explique-moi très lentement ce que ça représente, dit-il.

— C'est réellement très simple, répondit Conor en se penchant par-dessus l'épaule de Dan, un crayon à la main. Ce tender contient six tonnes de charbon et douze mille litres d'eau. La réserve de charbon est ici, à l'avant. Le fond est incliné de quarante-cinq degrés pour que le combustible glisse de lui-même.

— Oui, je vois.

— Le réservoir d'eau occupe le reste du tender. Il a la forme d'un U dont les deux branches enserrent le charbon. Il se présente à peu près comme un gros fer à cheval qui encercle le plan incliné du charbon sur trois côtés.

— Je comprends.

— C'est le réservoir d'eau qui offre une cachette. On le remplit par un orifice situé à l'arrière au sommet du tender. Voici mon idée : découper deux portes dans ce réservoir, soigneusement ajustées et assez grandes pour qu'on puisse immerger deux caisses imperméables dans le réservoir, une de chaque côté.

— Alors ces caisses circuleront dans l'eau ?

— C'est ça. Les armes seront dedans. Pour charger il nous suffira d'abaisser le niveau de l'eau, d'ouvrir les trappes et de laisser glisser les caisses dans le fond. Pour les récupérer, on videra complètement le réservoir et un homme descendra dedans afin de soulever les caisses.

Sweeney fit une moue dubitative.

— Deux caisses de fusils occuperont la place de beaucoup d'eau, non ?

— Pour diverses raisons, ça n'a pas d'importance, répondit Conor. Dans les milieux du rail, Duffy O'Hurley a la réputation d'un fonceur, d'un mécanicien à fumée noire. Il consomme moitié plus de combustible qu'un conducteur économe. Il refait constamment le plein. Personne ne compte les morceaux de charbon dévorés par la locomotive personnelle de Sir Frederick. Pareil pour l'eau. Il nous suffit de ne pas être trop gourmands et de nous contenter de caisses assez réduites pour que le manque d'eau ne soit pas trop éclatant.

— Combien de fusils ?

— J'ai calculé en tenant compte des dimensions du Lee-Enfield en usage dans l'armée britannique pendant la guerre des Boers.

— La plupart de nos fusils sont de ce type, dit Dan.

— Etant donné leurs dimensions et leur poids, on pourrait en mettre cinquante par caisse, soit une centaine pour chaque trajet.

Le sifflement de la théière fit dresser la tête de Dan qui retira ses lunettes. De la paume de ses mains il frotta ses yeux torturés par la prison et emplit deux verres qui n'avaient pas été lavés.

— L'intérêt de mon projet, c'est que le train fait cinq aller et retour par an pour l'Angleterre, reprit Conor. Il passe la mer sur un ferry appartenant à une des compagnies de navigation Weed et débarque sur les quais de ses Ship & Iron Works. La douane ne s'intéresse jamais à ce train. Les fusils peuvent rester au chantier ou parcourir l'Irlande jusqu'à ce que la locomotive roule haut le pied.

— Haut le pied ?

— A vide, rien qu'avec le mécanicien et le chauffeur. Le convoi fait d'innombrables trajets de Belfast à Derry,

Dublin, Cork. On peut récupérer les armes n'importe où. Il suffit de s'arrêter quelques minutes en pleine nuit à un endroit où une route de campagne longe la voie. Et l'affaire est faite.

Le vieux Fenian s'était entraîné à ne jamais manifester ses impressions. Cette fois cela lui fut difficile. Sans fusils, rien ne bougerait en Irlande. La Fraternité ne pourrait ni constituer des unités ni les entraîner. Responsable de l'opération, il tenait à avoir plusieurs projets de rechange afin de recourir à une alternative si l'un d'eux échouait. L'idée de Larkin était excellente. Mais combien de temps cette porte resterait-elle ouverte ? Elle ne permettrait de passer que cinq cents fusils par an si tout allait bien... Mais jusqu'alors personne n'avait conçu un autre système.

— Qu'est-ce qu'il te faudra ? demanda Sweeney.

— Deux choses. Premièrement, peux-tu faire transporter les fusils de leur cachette à Liverpool ? C'est là que le train atterrit toujours en Angleterre et de là qu'il repart.

— C'est possible.

— Deuxièmement, il me faut un atelier, de préférence à Liverpool, pour modifier le tender et fabriquer les caisses imperméables.

— J'ai un homme sûr à Liverpool. Donne-moi la liste de ce qu'il faut. L'opération prendra combien de temps ?

— Quelques heures, pas plus. Je découperai les tôles et j'ajusterai les trappes de telle sorte qu'il sera impossible d'y voir quoi que ce soit à l'œil nu.

— Surtout avec des yeux comme les miens, dit Dan, satisfait de constater que Larkin pensait à tout.

Il eut envie de lui en faire le compliment mais se contenta de lui donner une tape sur l'épaule en se levant pour se dégourdir les jambes. Larkin lui plaisait et il s'était réjoui d'avance en pensant à lui rendre visite à Belfast. Cet homme avait toujours quelque chose d'intéressant à lui dire. Jusqu'alors il manifestait les qualités qui font un chef. Mais des années de combat clandestin imposent une discipline qui exclut la cordialité. Tous ceux à qui Dan avait vraiment tenu étaient morts. Désormais il ne voulait plus aimer les gens qui le quitteraient ainsi. Le fil de ses idées revint au projet.

— Tout cela n'est possible qu'avec la complicité du mécanicien et du chauffeur, dit-il. Tu les connais ?

Conor haussa les épaules.

— Pas tellement bien. O'Hurley est totalement maître de la Main Rouge. Il peut l'emmener sur une voie d'essai, à l'atelier de réparations, en faire tout ce qu'il veut.

— Quelle impression te font-ils ?

— O'Hurley a l'air d'un vrai Irlandais. C'est un célibataire et un conducteur de locomotive typique, gaillard, bourru, sympathique. Hanly, le chauffeur, me fait l'effet d'un subalterne. Il est marié à la sœur de O'Hurley. Quand il n'est pas en train de pelleter du charbon, il est raide comme un piquet. Il me semble que si O'Hurley marche, il le suivra. Ils sont tous les deux originaires de Tipperary, travaillent pour Weed depuis une dizaine d'années, boivent comme des trous, mais se présentent toujours à jeun au travail et s'en vantent. Je suis au mieux avec eux.

— Eh bien, restes-en là : une amitié banale, dit Sweeney. Ne les sonde pas, tu risquerais de te découvrir. Si tu apprends quelque chose par hasard, tant mieux, mais garde-toi surtout de lui parler des fusils. S'il réagissait de travers tu serais foutu. Nous sommes en contact avec des gens du château de Dublin et nous nous renseignerons sur ces deux hommes. As-tu encore besoin de toutes ces esquisses ?

— Non. Tout est dans ma tête.

— Alors, brûle-les.

— D'accord.

— Il faut que je consulte quelques amis. Dès que j'aurai des renseignements sur O'Hurley et Hanly, je reprendrai contact avec toi. Tu seras prévenu de la manière habituelle. La prochaine fois je descendrai peut-être ailleurs. Ici j'ai l'impression d'être épié.

Conor ramassa tous ses papiers et mit sa casquette.

— Fais-moi une place dans tes prières, Dan. Je joue mon premier match chez les Chaudronniers samedi soir. Prie pour que je ne me casse pas une jambe, ce qui me laisserait en rade.

— Tu t'en tireras très bien, Larkin.

Ils échangèrent une brève poignée de main. Conor n'était pas encore à la porte que Sweeney, assis à sa table, étudiait une autre affaire. Il leva la tête.

— Conor.

— Oui.

— Tu as fait du bon travail.

— Merci, Dan. Merci beaucoup.

## 12

Quelques heures avant que Shelley quitte son travail, Conor suivit la rue Gresham dans le tramway électrique dont Belfast était très fier. Il en descendit le cœur en fête. Le décor s'y prêtait. Oisifs et gens de petits métiers s'y coudoyaient. Des colporteurs offraient du lait glacé et parfumé ; deux autres, des sandwiches. Un rémouleur faisait jaillir des étincelles de sa meule. Les passants s'arrêtaient un instant devant un orgue de Barbarie et reprenaient leur chemin en passant devant les échoppes de selliers, bourreliers, cordonniers, tailleurs, Conor sinua dans la foule jusqu'à un marchand d'animaux, au delà du marché en plein air de Smithfield. La colombophilie était à la mode à ce moment-là et l'anniversaire de Matthew MacLeod approchait.

— Qu'y-a-t-il pour votre service, monsieur ?

— Je voudrais un couple de très beaux pigeons voyageurs.

Se fiant au manteau cossu et au pantalon de cachemire que portait Conor, le boutiquier vit en lui un client riche. Il lui fit signe de l'index et le conduisit d'un air mystérieux au fond de la boutique où il souleva lentement, avec amour, le tissu recouvrant la cage de deux superbes colombes blanches.

— Des merveilles ! Je n'ai jamais eu un aussi beau couple.

Après avoir âprement marchandé, Conor paya le marchand et donna des instructions pour que les pigeons soient livrés pour l'anniversaire de Matthew. Puis il replongea dans le tohu-bohu de la rue. Il musa devant des éventaires de livres d'occasion. Un roulement de tambour l'attira vers un carrefour.

— La boisson est la ruine de l'âme ! la servante de Satan ! L'alcool détruit la famille chrétienne ! braillait un prédicateur intempérant de la tempérance. (Il brandit une bouteille contenant de l'alcool où flottait un morceau de viande livide.) Voilà ce que l'alcool fera de votre foie !

Conor bifurqua dans la rue Royale, large artère conduisant au nouvel hôtel de ville dont la vue lui faisait toujours horreur. On devait présenter son portail au conseil municipal, juste avant le départ de la tournée. La bibliothèque de la halle au lin qui se trouvait autrefois sur ce site avait été transférée rue Royale. Il y entra, parcourut journaux et périodiques de divers pays du monde, consulta le catalogue des nouveautés et s'inscrivit sur la liste d'attente pour quelques titres.

Il lui restait du temps à tuer, aussi revint-il sur ses pas jusqu'au Grand Hôtel Central, traversa le vestibule et descendit l'escalier de marbre conduisant au salon de coiffure. Un fauteuil était libre. Bravo !

— Barbe et friction. Je n'ai que vingt minutes.

Le coiffeur toisa son client puis se tourna vers le mur couvert de rayons sur lesquels se trouvaient les ustensiles personnels des habitués.

— Je n'ai rien ici, dit Conor cependant que l'apprenti le débarrassait de son manteau, son col, ses manchettes et allait chercher la première serviette chaude.

Le fauteuil bascula. En affûtant son rasoir sur la lanière de cuir, le coiffeur posa à Conor, allongé, les questions habituelles.

— En voyage ? En ville pour longtemps ? Pour affaires ? D'où ? (Puis il se pencha vers la barbe.) Comment désirez-vous être rasé, monsieur ?

— En silence, répondit Conor.


Shelley McLeod s'éveilla dans les bras de Conor. Ce n'était pas la première fois, mais ce matin-là, elle prit une décision définitive. Conor la reconduisit chez elle à l'aurore et poursuivit son chemin vers les Weed Ship et Iron Works. En arrivant chez Mme Blanche, Bedford Street, Shelley était visiblement hors d'elle.

A la fois patronne et confidente, Blanche Hemming s'en aperçut aussitôt, l'entraîna de la salle de couture à son bureau et lui demanda :

— Vous êtes malade, ma petite ?

— Absolument pas !

— Alors, vous vous êtes disputée avec David ?

— Il n'y a jamais de disputes avec David, vous le savez bien et moi je le regrette parfois.

Blanche hocha la tête d'un air entendu.

— Il aurait dû comprendre depuis quelques semaines, se dresser sur ses pattes de derrière et rugir.

— Ce n'est pas son genre, dit Shelley. En tout cas je suis décidée à en finir avec lui, Blanche.

— Etes-vous sûre de Conor Larkin ?

— Sûre ? Comment pourrais-je être sûre ? Ça s'est passé si brusquement ! C'est enivrant, c'est merveilleux, mais... je ne sais pas si ça durera un jour de plus ou un an. J'ai bien réfléchi et je ne peux pas continuer à tromper David tout en le lui laissant entendre. (Elle se regarda dans la glace, mal à l'aise.) J'ai une tête de cauchemar.

— Restez ici un moment et reprenez-vous.

— Lady Dryden vient pour un essayage dans dix minutes.

— Je m'occuperai d'elle, dit Blanche qui passa dans l'atelier de couture.

Shelley considéra l'appareil téléphonique pendant près d'une minute avant de décrocher et de tourner la manivelle de la sonnerie.

— Le 492, s'il vous plaît, dit-elle.

Un instant plus tard une voix annonça :

— Ici, administration de l'Ulster.

— Passez-moi M. David Kimberley, s'il vous plaît...

— Ici Kimberley.

— David ?... Ici Shelley.

Comme toujours lorsqu'elle l'appelait, il jeta un coup d'œil autour de lui pour vérifier si la porte était bien fermée et si personne ne pouvait surprendre leur conversation.

— Qu'est-ce qui se passe ? demanda-t-il tout bas.

— Je voudrais te voir aujourd'hui même, avant que tu partes pour Dublin.

— Ce sera difficile, j'ai beaucoup à faire.

— J'y tiens, c'est important, insista-t-elle.

Il n'en douta pas car elle ne s'imposait presque jamais. Il considéra son agenda, raya les rendez-vous de fin d'après-midi et lui demanda :

— Vers 4 heures, ça va ?

— Ce sera très bien.

Il était 9 heures du matin. Shelley calcula qu'elle resterait sur le gril pendant encore sept heures.

A l'autre bout de la ligne, David Kimberley blêmit. Shelley y avait annulé plusieurs rendez-vous de suite durant les dernières semaines. Selon toute évidence il y avait quelqu'un d'autre dans sa vie. C'était déjà arrivé mais, ce jour-là, le ton de Shelley lui suggéra que l'instant redouté depuis longtemps approchait. Il se mit à broyer du noir.

Depuis sa première rencontre avec Conor Larkin, Shelley n'était plus la même. Elle n'avait jamais connu un homme comme lui. Il n'appartenait ni au Shankill ni au gratin. Il n'entrait même dans aucune catégorie, sauf la sienne dont il était sans doute le spécimen unique. La première fois que Conor l'avait invitée à une séance de lecture de poésie, elle avait craint de s'ennuyer durant deux heures et c'est pourtant à cette occasion que leurs relations s'illuminèrent. Avant d'entrer dans la salle de conférences, il lui avait longuement expliqué l'intérêt qu'il portait à la poésie, les nuances et les difficultés de cet art, son sens profond. Quelques instants plus tard, quand les mots plurent de l'estrade, elle comprit certaines choses dont elle n'avait jamais eu la moindre idée. D'autres soirées — théâtres, concerts, conférences — élargirent somptueusement l'horizon de la jeune femme.

Ensuite ils finissaient la soirée ensemble. Le temps passait sans qu'elle s'en rende compte. Jamais elle n'avait été aussi à l'aise en compagnie d'un homme. Elle désirait intensément s'imprégner des pensées de Conor, mais il arrivait aussi qu'elle éprouve brusquement l'impression d'être ridicule ou qu'elle réprime des impulsions de fou rire. Quand elle le voyait heureux, elle en était ravie. Elle découvrit les moyens de l'amuser et s'en réjouit d'autant plus que, selon toute évidence, cet homme n'avait pas dû rire souvent dans sa vie. Lorsqu'ils étaient ensemble, lorsqu'ils s'ouvraient l'un à l'autre, une présence ou la perspective de rencontrer quelqu'un d'autre prenait une signification nouvelle. Chacun cherchait à s'approcher de l'autre, à travers l'immense obscurité du monde.

Puis vint le dimanche du pique-nique, la soirée à l'auberge et dans le train et les nuits qui s'ensuivirent. Shelley sentait que l'amour avec Conor l'arrachait du monde où elle avait vécu jusqu'alors. Elle n'avait jamais imaginé qu'un homme pût être aussi doux, attentif, tendre et en même temps impérieux. Conor était l'amant le plus fiévreux tout en restant délicieusement maître de lui-même. Il la troublait profondément par ses paroles et ses regards autant que par ses caresses. Parfois elle perdait la tête, tout simplement parce qu'il semblait rêver auprès d'elle. Tous deux s'étaient envolés ensemble dès le premier instant jusqu'au haut espace et n'en descendaient plus.

Shelley MacLeod était une des très rares femmes de Belfast qui échappait au destin de sa classe : au pire, l'usine, la filature ; au mieux, le mariage avec un homme qui gagnait régulièrement sa vie. Certes, il existait quelques institutrices, employées, infirmières, enquêteuses d'hôpital, mais très peu nombreuses.

Dès sa petite enfance, elle n'était pas comme les autres. Etrange enfant aux grands yeux verts et tristes, elle vivait une illusion, presque un fantasme, celui d'une jeune aristocrate qui pour des raisons mystérieuses aurait atterri au Shankill.

En grandissant, elle peina pour se débarrasser de l'accent de Belfast et se comporter comme la dame qu'elle avait rêvé d'être. Ces bizarreries n'étaient peut-être pas dues à sa propre nature ; il se pourrait que Shelley s'en fût servie comme d'une armure contre la réalité d'une existence constamment à la limite de la misère et surtout d'une mère malade, nerveuse, qui enlaidissait tout ce qu'elle touchait. La haine que les prédicateurs fanatiques distillaient comme un poison pénétrait dans toutes les fibres de cette mère, empestait son foyer, rendait la vie pénible à son mari et à ses enfants. Au cours de son adolescence, Shelley s'appuya sur son frère Robin, son seul ami, et s'apitoya sur son père, désarmé devant la folie de son épouse. Le dérangement mental de sa mère provenait de la raison la plus simple à Belfast : elle était issue d'une famille pauvre.

Quand Robin prit la mer, Shelley ne supporta plus son foyer, s'enfuit pour l'Angleterre, mentit au sujet de son âge et parvint à se faire embaucher comme servante dans un manoir de l'Essex. Cet emploi ne lui laissait guère de liberté mais elle reprit le fil de son fantasme en observant l'existence de ceux qu'elle servait. Elle en rêvait dans sa chambrette. Shelley se renferma encore plus en elle-même, lorsqu'elle constata qu'une fille de basse extraction n'était qu'une marchandise à laquelle la société n'accordait guère de dignité. Deux aventures extrêmement désagréables — l'une avec le maître d'hôtel du manoir et l'autre avec un des fils du maître — auraient pu gâcher l'existence d'une jeune personne moins résolue. En s'isolant encore plus du monde, par la suite, elle était décidée à ne pas se laisser dominer par le système de classe.

Lorsque sa mère mourut, Morgan la supplia de revenir à Belfast. Il alla même la chercher, honteux de n'avoir pu mieux veiller sur elle pendant son enfance. Shelley céda. Après une période de deuil convenable, Morgan courtisa Nell MacGuire, célibataire de quarante ans, notable de sa congrégation. Nell jouissait d'une situation enviable comme gouvernante de trois enfants du baron et de la baronne de Ballyfall : Lord et Lady Temple-Wythe.

Lorsque Nell accepta d'épouser Morgan, elle demanda à Lady Temple-Wythe de prendre Shelley à sa place. Bien qu'elle n'eût pas encore vingt ans, la jeune fille réussit parfaitement. La distinction qu'elle avait acquise à grand-peine lui permit de se lier à sa maîtresse. Quand Lord Temple-Wythe mourut d'un coup de sang, Shelley devint la dame de compagnie et la confidente de sa veuve et elle éleva les trois enfants d'une main ferme mais avec affection.

Lady Temple-Wythe se remaria avec un Anglais. En dépit de l'étroite amitié qui la liait à la baronne et aux enfants, Shelley répugna à les suivre en Angleterre, surtout parce qu'elle n'avait pas l'intention de rester gouvernante toute sa vie. Elle avait aidé sa bienfaitrice à franchir une passe difficile et, en même temps, acquis de l'assurance. Il était donc temps de s'engager sur une nouvelle voie. La baronne eut beau la supplier, elle resta à Belfast.

On aurait compté les maisons de haute couture de Belfast sur les doigts d'une seule main et en en pliant deux. Les élégantes de Belfast s'habillaient généralement à Londres durant la saison ou au cours de voyages à Paris. Les couturières chics ne fournissaient donc que les nouvelles riches de la Côte de l'Or. Lady Temple-Wythe avait pourtant dépensé quelques milliers de livres chez Blanche Hemming. Par gratitude, cette dernière embaucha Shelley qui s'adapta aisément à sa nouvelle situation.

Son charme naturel la servait. En outre, elle conservait une trace de snobisme propre aux gens qui boivent du vin de Champagne, traitait donc la clientèle avec une courtoisie de bon ton mais sans s'abaisser. Personne n'aurait cru qu'elle était issue du Shankill. Elle eut enfin l'impression qu'une vie indépendante était à sa portée.

Comme elle s'était liée d'amitié avec la baronne, elle se lia avec Blanche Hemming qui lui enseigna l'art de charmer discrètement les messieurs les plus aptes à ouvrir leur portefeuille. Ceux qui dépensaient le plus en auraient volontiers fait leur maîtresse. Le travail de

Shelley ne manquait pas d'attrait. Elle faisait un voyage par an à Londres avec sa patronne pour acheter tissus et fournitures. Elle avait quelques amis et amies dans les milieux de la mode et menait une vie mondaine tout à fait différente de celle qu'elle aurait connue au Shankill. Son indépendance s'affirmait.

Toutefois elle constata de nouveau ce qu'elle avait déjà appris lorsqu'elle était femme de chambre en Angleterre. Les messieurs du gratin traquaient la nénette avec autant de vigueur et beaucoup plus d'astuce que les voyous de Shankill. Elle avait évincé bien des soupirants dans son quartier, ce qui lui évitait de passer ses samedis soir à se débattre pour échapper à des étreintes indésirables ou bien à s'ennuyer mortellement sur les gradins d'un stade. Il y avait pourtant de braves gars parmi eux, attrayants par leur simplicité même. Mais Shelley refusait de s'engager avec eux parce que toute union avec un homme du Shankill l'aurait confinée dans son quartier. Son père et son frère y trouvaient leur joie de vivre. Elle n'y en voyait aucune possible pour elle.

Le monde de l'élite lui était interdit, sauf en qualité de marchandise. Même son intimité avec Lady Temple-Wythe n'avait jamais comporté la moindre trace d'égalité.

Chez Mme Blanche, elle n'était dame que dans les limbes situées entre les deux extrémités opposées du spectre social et culturel. Même s'ils étaient avec elle aussi polis qu'avec une femme de leur monde, les messieurs qui fréquentaient la maison de couture ne voyaient en elle qu'une fille à laquelle on fait des propositions sans jamais la prendre au sérieux.

Ils lui offraient de longs week-ends au pavillon de chasse, voire au manoir quand leur épouse faisait une fugue sur le Continent. Ils parlaient même d'un petit nid douillet en ville où le long de la côte. Et pourquoi pas une croisière ? Bien des filles de son milieu et de sa condition étaient flattées d'être choisies comme maîtresse. Shelley s'y refusait. Les gars du Shankill exprimaient leur désir plus honnêtement et les messieurs du gratin étaient infiniment fastidieux.

Elle eut quelques aventures pour échapper à l'ennui et à la solitude. Ce fut toujours avec des types convenables, assez attrayants, mais auprès desquels elle ne jouait pas son rôle de maîtresse. Pour conserver son indépendance, elle ne leur demandait rien, n'acceptait même pas leurs cadeaux et fuyait les explications qui peuvent aboutir en querelle. Elle faisait l'amour avec eux parce qu'elle en avait envie et ne cherchait qu'à tirer le plus de plaisir possible de chaque brève intrigue.

Ce n'était pas une solution. Venait toujours un matin blême où le dépit dominait son esprit et elle replongeait encore plus profondément en elle-même et dans sa solitude, en regrettant de ne pas être douée du même cynisme frivole que Blanche Hemming.

Finalement elle constata que sa situation dans la vie était aussi rigoureusement déterminée que par une règle mathématique. Après s'être brûlée à plusieurs reprises, elle se réfugia de plus en plus au seul endroit où elle avait joui d'un certain confort moral : le foyer de son père, avec son frère à proximité.

Puis un jour, M. et Mme Kimberley entrèrent au salon de Mme Blanche. David n'était pas comme les autres. Homme extrêmement bon, il avait visiblement soif de compassion. Shelley s'intéressa à lui parce qu'elle était lasse des aventures sans suite et aussi parce qu'elle-même avait besoin de chaleur. Elle enfreignit la loi qu'elle s'était imposée à elle-même et qui interdisait formellement de se lier à un homme marié. Ils bâtirent ensemble le nid où ils s'abriteraient des cruautés quotidiennes de la vie et échapperaient aux enfers de la solitude.

Shelley ne se fit aucune illusion au sujet de Kimberley. Issu d'une famille de banquier, il était prisonnier de sa caste. Mariés sans amour, sa femme et lui étaient étrangers l'un à l'autre mais vivaient sous le même toit et, depuis dix ans, ménageaient les apparences pour assurer une union à laquelle ils étaient attachés l'un et l'autre.

Fidèle aux traditions de sa famille, David consacrait quelques années au service du gouvernement comme administrateur des affaires de l'Ulster au château de Dublin. Il passait la moitié de son temps à Belfast. Sa femme n'y venait que rarement. Quand elle n'était pas à Dublin, elle était à Londres.

Morgan MacLeod réprouvait le manque de moralité de sa fille, mais ils se querellaient rarement car il comprenait qu'elle était aussi sûre d'elle-même qu'il était sûr de lui. Il ravalait donc ses aspirations à la vertu qu'il avait espéré imposer à toute sa famille et souffrait en pensant que sa fille ne connaîtrait sans doute jamais que la moitié d'une existence de femme. De son côté, Shelley tenait à conserver sa place dans sa famille, surtout en pensant au jour où sa liaison se terminerait inévitablement.

Le mariage de Morgan et de Nell MacGuire consolida la famille dans ce qu'elle avait de meilleur. Aussi pieuse qu'une sainte, Nell s'efforça de faire oublier aux enfants de son mari ce qu'ils avaient souffert au début de leur existence. Morgan, le patriarche, pouvait donc considérer les deux maisons contiguës de Tobergill Road comme les symboles de sa réussite.

Il priait pour que Shelley se sépare de David Kimberley. Shelley estimait que quelques heures de temps en temps avec son amant lui permettaient de ne pas capituler en cherchant la sécurité dans un mariage sinistre.

Pendant cinq ans les deux amants avaient partagé un semblant de bonheur dans l'appartement de Stranmillis Gardens : des soirées d'affection, des nuits de tendresse. Ils y retrouvaient le souvenir de ce qu'ils avaient pu se donner de meilleur l'un à l'autre, compte tenu des circonstances. Ils y avaient surtout trouvé un havre à l'abri des tourments de la vie, mais désormais il paraissait à Shelley obscur et stérile.

Plus pâle que jamais, David Kimberley paraissait désarmé, dans l'attitude du condamné, tête basse, les mains inertes sur les genoux. Il bredouilla un long soliloque d'excuses, de remords, en s'apitoyant sur lui-même, tout en s'accablant de reproches, dans un état de confusion, épique pour lui mais qui aurait paru grotesque à un témoin : il l'avait traitée d'une manière abjecte, il lui avait fait perdre des années de jeunesse en la laissant travailler comme demoiselle de magasin ; il pleurait et déplorait de ne pas avoir eu le courage d'affronter sa famille et sa femme.

Shelley l'écouta avec la même patience que toujours. Puis elle s'assit à ses pieds, posa la tête sur ses genoux, lui baisa les mains. Lorsqu'il eut fini de se lamenter, elle se releva et prit son attitude la plus décidée.

— Rien ne s'est passé entre nous comme tu le dis.

Personne ne m'obligeait à être ta maîtresse. Je ne regrette pas de l'avoir été. Chaque fois que nous nous sommes trouvés ensemble, c'est parce que je le désirais de tout mon cœur.

— Mais oui, larmoya-t-il. Tu as toujours été trop généreuse. Tu n'as jamais rien exigé. Si tu t'étais imposée, je me serais peut-être mieux débrouillé avec ma famille.

— Mais non, David, mais non ! Nous avions tous les deux besoin d'un havre. Nous l'avons eu. Maintenant je veux prendre le large.

Le désespoir accabla David et il chercha quelque chose pour se raccrocher.

— Est-ce que tu m'aimes ?

— Tout ce que j'ai connu et éprouvé de bon en tant que femme, c'était avec toi, ici, dans cette pièce. Nous avons eu notre part de bonheur et c'est terminé. Je n'en ai plus besoin. Dis-moi que j'ai raison de te quitter et que tu le souhaites.

— M'as-tu jamais aimé ?

— Ne pose pas cette question, David.

— Mais si ! Je veux savoir si j'ai vraiment compté pour toi, ou si je n'étais qu'un bouclier contre le monde extérieur.

— Nous n'avons jamais partagé qu'une chambre, un lit et quelques moments. Nous n'avons jamais connu ensemble le soleil, le vent, la pluie. Quand nous étions ensemble, c'était toujours tellement momentané que nous n'avons jamais eu le temps d'être nous-mêmes. L'amour ne peut pas s'épanouir que dans une chambre. Il faut partager tout ensemble : joies, ambition, espérance, échecs, tout ! Voilà le seul chemin qui conduise à l'amour.

Il se leva en tremblant, effrayé par la froide logique de sa maîtresse.

— Qu'est-ce qui s'est passé ?

Elle esquissa un pâle sourire.

— Un soir, je me suis surprise en train de rire, dit-elle. J'ai ri à en pleurer, à en avoir un point de côté. C'était la première fois de ma vie. Le lendemain matin, au réveil, je me sentais bizarre. En arrivant chez Mme Blanche je lui ai dit ce qui m'arrivait et je lui ai demandé ce que ça signifiait. « Mais parbleu, Shelley, vous êtes heureuse, c'est tout ! » Voilà ce qu'elle m'a répondu.

David Kimberley eut encore plus conscience de sa défaite. Seigneur Dieu ! elle disait vrai. Il ne l'avait jamais rendue heureuse. Il lui avait donné du plaisir de temps en temps mais, en réalité, ils s'étaient surtout unis épisodiquement pour échapper tous les deux à leur désenchantement. Ces relations avaient atténué leur désespoir charnel sans jamais leur apporter le bonheur.

— C'est étrange de se sentir heureuse pour la première fois de sa vie, sans savoir de quoi il s'agit, dit Shelley.

— Ce... ce type. Tu es amoureuse de lui ?

— Je tiens à l'être. Peut-être le serons-nous l'un et l'autre, peut-être pas. Mais je sais que je dois essayer. Je ne peux pas le laisser échapper.

— J'attendrai. Tente ta chance. Je serai patient.

— Non, David. Je dois rompre notre liaison avant de m'engager dans une autre. Le partage serait malhonnête pour nous tous.

— Est-ce qu'il est au courant ?

— Oui.

— Je vois. Avez-vous fait l'amour ensemble ? demanda David en chevrotant.

Shelley ne répondit pas.

— Je veux le savoir.

— A quoi bon te torturer toi-même ?

— Avez-vous fait l'amour ensemble ?

— Bon. Eh bien, puisque tu y tiens : j'ai couché avec lui.

Il la gifla. Shelley n'en éprouva que de la pitié. Il tomba à genoux, lui étreignit les jambes et sanglota.

— Excuse-moi. Je ne l'ai pas fait exprès. Je t'en prie, pardonne-moi.

— Mais oui. C'est terrible pour toi, je le comprends.

Des vagues de désespoir déferlèrent successivement. Il n'y avait plus rien à faire. Ni colère, ni supplications, ni promesses ne sauveraient plus ce qui avait été. L'heure était venue. Peut-être cela valait-il mieux d'ailleurs parce que David ne se sentirait plus aussi coupable envers Shelley. Elle avait toujours été tellement loyale avec lui et lui avait tant donné ! Souhaitant se conduire comme un homme, il se releva, laissa tomber les deux bras en un geste d'impuissance puis la regarda droit dans les yeux.

— Je souhaite que ton bonheur dure et grandisse, dit-il d'une voix rauque. Dieu sait que tu le mérites !

— J'espère que tu seras heureux, toi aussi, de ton côté.

Il secoua la tête.

— Hélas ! je n'ai pas le courage de vivre ma vie à mon gré. En tout cas, une des plus belles choses de notre amour, c'est que tu m'as toujours épargné les querelles. Je regrette de t'avoir fait cette scène. Je te remercie de tout mon cœur. C'est sincère. Si jamais tu as besoin de moi, n'hésite pas. Je resterai ton ami.

Elle lui caressa la joue.

— Je suis désolée de te faire du mal et crois bien que je pleurerai en y pensant.

Conor se regarda dans le miroir du coiffeur, approuva son travail, le paya et remonta vers le vestibule de l'hôtel.

Shelley y entra, essoufflée et eut une soudaine bouffée d'angoisse en ne voyant pas immédiatement Conor. Puis chacun aperçut l'autre. Ils se rejoignirent... heureux.


## 13


Conor et Shelley comptèrent les marches à l'unisson en grimpant vers un bosquet de noisetiers, à trois cents mètres au-dessus de l'estuaire. Puis ils suivirent le faîte de la colline, à pas lents pour reprendre leur souffle après l'ascension. Ils trouvèrent un petit coin à l'abri des promeneurs et de leur bruyante marmaille. De cette clairière la vue s'étendait sur toute la ville. Bien que ce fût un dimanche, la fumée et la poussière de la semaine s'y accrochaient encore.

Conor était pensif. Son œil droit poché avait toutes les couleurs de l'arc-en-ciel. Il commençait à peine à le rouvrir depuis le match de la veille. Il s'était donné à fond pour prouver qu'on ne se trompait pas à son sujet et c'est en grande partie grâce à lui que les Chaudronniers avaient remporté leur première victoire de la saison.

Shelley lui passa un doigt sur la paupière, comme si elle espérait le guérir par magie. Le match du samedi avait toujours compté dans la famille MacLeod. Shelley y assistait de temps en temps par devoir envers son frère, mais elle considérait le rugby comme un sport brutal et sale. Elle n'en avait jamais fait grand cas jusqu'à l'instant où elle avait vu Conor allongé sur le terrain, terriblement immobile.

Elle s'était levée d'un bond, s'était enfuie et, à l'abri sous les gradins, elle avait pleuré, terrifiée. Jusqu'alors la tournée dans les Midlands ne lui disait à peu près rien. C'est tout juste si elle compatissait à la solitude de Matthew et de Lucy en l'absence de Robin. A cet instant elle avait compris que Conor s'en irait pour douze longues semaines et peut-être était-ce pour cela qu'elle avait pleuré.

Shelley s'allongea sur le dos. Sa longue chevelure rousse et répandit sur l'herbe verte. Le soleil rendait sa peau si claire qu'elle paraissait translucide. Conor s'appuya sur un coude, lui baisa la joue, le front, le bout du nez et les yeux.

— Vous ai-je jamais dit, madame, combien je suis heureux d'avoir fait connaissance avec vous ?

— Oh, non, jamais ! répondit-elle.

— Eh bien, je vais vous le dire. Pendant toute ma vie j'ai traversé des foules de foules. J'ai vu des visages de femmes, à l'église, et j'ai entendu des prêtres chantonner sans conviction. J'ai vu des hommes tomber à genoux sur le sentier au son de l'angélus en descendant de leurs champs. J'ai vécu dans des villes atroces. A travers des yeux stériles je n'ai jamais vu que des cœurs stériles. Et puis, une fois, j'ai trouvé autre chose dans un regard. Je me suis dit que je serais le pire des imbéciles si je ne comprenais pas ce que je voyais et si je n'agissais par en conséquence.

Les larmes aux yeux, Shelley soupira :

— Et en plus, j'ai rencontré un barde. C'est vrai que vous savez parler, vous les Irlandais.

— Eh oui. Nous savons nous servir habilement des mots mais c'est à peu près tout. D'ailleurs mes discours ne sont que les reflets de tes pensées et je te les renvoie. Avec toi j'avoue des choses que je n'ai plus envie de cacher, et je ne crains plus d'entendre ma propre voix les proférer.

Shelley s'écarta de lui en roulant sur elle-même, s'assit, chassa l'herbe de ses cheveux et de sa robe, referma les bras sur ses jambes, posa une joue sur ses genoux et chantonna tout bas.

— *Les Campanules fanées,* dit Conor.

— Oui. Je chantais ce petit air en sautant à la corde quand j'étais gamine, ou en rêvant, dit-elle. Je rêvais beaucoup.

— Qu'est-ce que ta famille pense de nous deux ? Elle craint sans doute que tu sois tombée de la poêle dans le feu.

— Je ne crois pas. Les miens me voient tellement heureuse. Tant qu'ils s'en rendront compte, tout s'arrangera. Au fond, derrière leur façade de piété il y a beaucoup d'amour chez eux. Et puis, qu'importe, Conor ? Si ça ne leur plaisait pas ça n'y changerait rien.

— Ce n'est peut-être pas tout à fait vrai. Les MacLeod s'aiment, c'est exact, mais avec une férocité dont tu ne te rends pas compte. Vos vies sont très étroitement unies.

Le soleil creva les nuages et sa chaleur se répandit

aussitôt. Shelley s'allongea de nouveau sur l'herbe et gémit de satisfaction.

— Dis-moi des horreurs, Conor. Tu m'affoles quand tu me chuchotes des choses coquines à l'oreille.

Il éclata de rire, se gratta la tête et se pencha vers elle.

— Eh bien, pour une protestante, tu ne baises pas mal.

— Tu parles ! J'ai entendu dire que les filles catholiques ont du verre pilé entre les cuisses.

— Ne te fais pas des illusions à ce sujet, ma belle. Il y a dans les prairies bien des cavales catholiques qui n'ont jamais prêté l'oreille aux radotages des curés. Ce n'est d'ailleurs pas particulièrement à elles que je te comparais. Je pensais plutôt aux femmes que j'ai rencontrées en parcourant le monde.

— Lesquelles, par exemple ?

— Celles de Bali. Ah, oui, celles de Bali.

— Qu'est-ce qu'elles ont donc de tellement excitant ?

— Tout ! Leur sens de l'hospitalité, leurs attitudes, leurs robes et surtout leur absence de robe. Leur peau brune a une qualité de satin qu'on ne trouve nulle part ailleurs. Elles sont élevées pour le service de l'homme et c'est parfait. Dès leur petite enfance elles acquièrent une sensualité, une délicatesse, un goût de caresser d'une subtilité qui échappe totalement aux femelles de l'Occident. Rien que d'y penser, j'en perds la tête. C'est fantastique, absolument fantastique. Et puis, pas timides du tout. Elles ne savent même pas ce que pourrait être la pudeur. Quand on en prend deux à la fois, surtout des sœurs...

Shelley sauta sur Conor, le renversa sur le dos et le chatouilla avec une adresse féroce.

— Assez ! supplia-t-il. Tu es trop forte pour moi.

Elle soupira et fit voler sa longue chevelure en secouant la tête :

— Sais-tu ce qu'il y a de merveilleux entre nous ?

— Je n'en ai pas la moindre idée.

— C'est le début, quand tu me serres contre toi, que tu me fais rouler sur moi-même, que tu me couches à plat ventre et que tu joues sur tout mon corps. Tes caresses sont si délicates que ça me rend folle. Tu ménages si bien la transition entre la douceur et la fermeté pour revenir à la douceur et tu trouves à la perfection tous les points sensibles.

— J'obéis au message que tu m'adresses, c'est tout. C'est toi qui m'indiques ce que je dois faire.

— Vraiment ? demanda-t-elle, passionnément intéressée.

— Tout à fait exact.

— Quel miracle ! Admire-moi, mon bonhomme. Je suis déchaînée. En marchant dans la rue je me dis parfois que je ne me prive de rien. Et, quand des mâles me regardent avec concupiscence, je pense : « Mon pauvre gars, tu perdrais la tête si tu savais de quoi je suis capable. » Je rougis peut-être en l'avouant mais sais-tu que je passe toute la journée en pensant à ce que je ferai avec toi la nuit. J'adore tout ce que nous faisons.

— Tu es dégoûtante !

— Je le sais et c'est magnifique. Je crois que tout ce qui est bon aujourd'hui deviendra encore meilleur à chaque fois que nous le ferons.

— Pas pendant quelques jours, en tous les cas.

— Ma vie était sinistre avant que je te connaisse. Et le plus piteux c'est que je me prenais pour une maîtresse exceptionnelle. Comment ai-je pu vivre ainsi ? Quel gâchis ! Tu n'imagineras jamais ce qu'on peut éprouver quand on t'aime. Ça aussi, c'est dommage. Quand toute ta puissance se déverse en moi, je ressens quelque chose que tu ne peux pas comprendre.

Il s'allongea près d'elle et ils restèrent un moment immobiles, joue contre joue.

— J'ai menti, murmura-t-il. Tu vaux beaucoup mieux que toutes les filles de Bali.

— Où as-tu appris à faire l'amour ?

Il se retourna pour la regarder au fond des yeux.

— Faire l'amour est une chose, mais le faire avec Shelley en est une autre, tout à fait différente. Ça, je l'ai appris avec toi.

Ils s'assirent côte à côte, main dans la main et, à cet instant même, l'esprit de Conor s'égara. Son obsession lui revenait, comme toujours. Elle ne le quittait guère d'ailleurs et pesait sur lui, même quand il faisait l'amour, jouait au rugby ou travaillait à la forge. Tôt ou tard, il serait obligé de révéler à Shelley ce qu'il avait cherché durant des années sur mer, de lui raconter sa longue quête de la Fraternité. Mais, à cet instant, il ne tenait qu'à elle et il aurait voulu chasser tout le reste, le balayer. L'instant était trop exquis pour qu'il arrête le manège bien qu'il pensât à Dan Sweeney, au tender et aux fusils.

— Hé là-bas ! dit-elle.

— Comment ?

— Tu m'as quittée.

— Je pensais à la tournée, à mon proche départ.

Shelley se leva brusquement et alla jusqu'au bord du faîte d'où la colline dévalait, abrupte, vers la ville enveloppée dans la fumée. Elle pivota sur elle-même en le sentant approcher. Son regard et sa voix durcirent. Ce ne furent plus tout à fait ceux de Shelley.

— Sais-tu ce qui s'est passé ici même, sur cette colline ? demanda-t-elle.

— On raconte que les pairs du roi celte MacArt...

— Non, il ne s'agit pas de ça. C'est peut-être exactement ici, où nous sommes, que Theobald Woolfe Tone rassembla ses Irlandais unis avant de partir pour l'Amérique, en 1795, et jura de revenir pour libérer son pays.

— Pourquoi me dis-tu ça ? demanda Conor bouleversé.

— L'histoire d'Irlande n'appartient pas qu'à toi seul.

— Pourquoi me dis-tu ça, Shelley ?

— Je ne suis pas plus sotte que toi. Crois-tu que j'ignore à quoi tu penses quand tu me quittes tout en restant auprès de moi ? Je devine confusément dans quoi tu es engagé. Je ne veux pas que ça nous sépare, pas plus que je ne permettrais à ma famille de se dresser entre nous.

— Rien ne nous séparera, dit-il. (Il l'étreignit.) Ne crains rien. (Ils descendirent au long du sentier.) Ainsi, nous en sommes arrivés là, toi et moi, reprit-il.

— Nous y étions déjà le soir où nous avons fait connaissance. Il a seulement fallu un certain temps pour nous en rendre compte. Tu m'as donné la poésie, la musique et Conor. Je suis prête, mon ami. Et moi aussi je veux tout te donner.

Il s'arrêta et lui passa doucement sa main énorme sur les cheveux. Le regard farouche de sa maîtresse lui révéla tout ce qu'elle pensait. Jusqu'alors il ne lui avait jamais vu pareil regard.

— Nous aurons une semaine de vacances après la tournée, dit-il. Passons-la en Angleterre ou en Ecosse, dans un endroit solitaire, sauvage, où nous serons seuls et où nous allumerons un feu de camp le soir.

— J'y serai, répondit-elle.

Il la prit sous les aisselles, la souleva de terre et leurs yeux arrivèrent à la même hauteur. Il la serra dans ses bras et lui baisa les lèvres.

— Je t'aime, dit-il. Je t'adore.

## 14

Comme Sweeney l'avait dit, ils se retrouvèrent dans un autre repaire. La pièce était à peu près la même que celle de Shandon Lane et aussi celle de Dublin. Celle-ci se trouvait au cœur du secteur catholique de Ballymurphy où le vieux Fenian était encore plus à l'abri.

— Nous ne savons pas encore grand-chose au sujet d'O'Hurley et de Hanly, dit Sweeney en vacillant sur ses longues jambes d'échassier. Il y a toujours eu une forte activité républicaine dans leur pays natal, ainsi qu'entre Tipperary et Limerick, mais nous ne trouvons rien qui révèle un contact entre ces deux hommes et nos militants. On se souvient d'eux comme de professionnels passionnés de la locomotive et ils n'ont plus donné signe de vie depuis que Sir Frederick Weed les a amenés ici, dans le Nord. Toi, as-tu quelques renseignements sur eux ?

— Pratiquement rien.

— En règle générale, des catholiques comme ces deux-là, qui sont à l'aise, se tiennent rigoureusement à l'écart de toute compromission avec les républicains. Ils sont même, pour la plupart, dévoués à la Couronne.

Conor indiqua d'un hochement de tête qu'il était d'accord. Comme Sweeney l'avait dit, ceux qui ont le ventre plein ne descendent pas dans la rue, et plus leur ventre est bourré, moins ils en ont envie.

Sweeney alluma une cigarette. Il manquait rarement de s'excuser d'une telle faiblesse mais avançait un prétexte : un révolutionnaire ne saurait guère s'en passer.

— Nous pouvons miser sur une hypothèse, reprit Sweeney. O'Hurley pète plus haut qu'il n'en a le système. Il dépense trop et son compte est souvent débiteur à sa banque : défaut typiquement irlandais. On peut acheter un homme comme ça.

— C'est bien hasardeux, dit Conor.

— Plus ou moins, répondit Sweeney en haussant les épaules. Tout est hasardeux dans des affaires de ce genre. Ton projet plaît à tout le monde. C'est ça l'essentiel. Dans certains cas, un homme qu'on tient par l'argent vaut mieux qu'un militant incertain. A partir du moment où on le coince, il se découvre un patriotisme auquel il n'avait jamais songé.

— Qui accrochera la clochette au cou du chat ? demanda Conor.

— Ne t'en mêle surtout pas. Quelque part, pendant la tournée, quelqu'un prendra contact avec O'Hurley. Quand jouez-vous à Bradford ?

Conor ferma les yeux pour récapituler mentalement le programme des dix-neuf matches prévus.

— Bradford ?... tout près de la fin. C'est un des deux ou trois derniers matches.

— Bien. Quand tu seras là-bas, tu sauras si O'Hurley est dans le coup.

— Pourquoi à Bradford ?

— Est-ce que le nom de Brendan Barrett te dit quelque chose ?

314

— Brendan Sean Barrett ?

— C'est bien ça, dit Dan.

Brendan Sean Barrett était un héros mineur du mouvement Fenian, un poète aussi, connu par tous les Irlandais élevés dans une famille républicaine. Comme Sweeney, Barrett avait fait personnellement l'expérience des prisons britanniques. Ancien instituteur il avait fui l'Irlande après l'échec de l'insurrection ; il était resté des années en Amérique, dans le clan assoupi des Gaëls. Par ses écrits et ses conférences, il s'était efforcé de ne pas laisser périr le feu de l'idéal républicain. Il devait surtout sa célébrité à la grève de la faim qu'il avait été le premier à tenter en prison. Les militants appelaient « défi silencieux » ce martyre dont ils se servaient comme d'une arme. Après vingt-quatre jours de jeûne, Barrett avait obtenu ce qu'il exigeait. Plusieurs complaintes rappelaient cet exploit.

— Brendan est notre homme en Angleterre, dit Sweeney. C'est par son intermédiaire que le Clan nous envoie de l'argent d'Amérique. Il veille aussi sur nos dépôts d'armes clandestins.

Fou d'enthousiasme, Conor s'efforça de dissimuler son émotion, tout comme l'aurait fait Sweeney lui-même, et se contenta donc de hocher la tête d'un air entendu.

— Tu prendras contact avec lui et il te dira si O'Hurley marche avec nous. Dans l'affirmative, il te donnera des instructions sur l'endroit où tu pourras modifier le tender. Tu iras au salon funéraire Callaghan, rue du Sanglier, dans le quartier de Wapping, à Bradford même. Callaghan te ménagera une entrevue avec Brendan dont la tête est mise à prix, alors, sois extrêmement prudent. Je m'en remets à toi. Si tu as l'impression d'être surveillé, attends jusqu'après la fin de la tournée et retourne seul à Bradford.

— Compris.

— Ce n'est pas tout. Brendan te remettra une grosse somme d'argent. Trois mille livres. Ne les perds pas.

— Je ferai de mon mieux.

— Bien. Après la tournée, tu auras une semaine de vacances. Profites-en pour nouer d'autres contacts, à Londres et à Manchester.

Cette fois, Conor ne put cacher son émotion. Il se raidit et blêmit.

— Ecoute, Dan. Mon travail, l'inspection des chantiers Weed, mes tournées dans les secteurs catholiques pendant la nuit, le rugby... tout ça me prend à peu près vingt heures par jour. Après dix-neuf matches en douze semaines de tournée, je serai à bout et j'ai fait des projets de vacances.

— Modifie-les, répondit Sweeney.

Conor aspira profondément et serra les dents.

— Non, dit-il au bout d'un moment.

Face à face devant une table bancale, les deux hommes se regardèrent au fond des yeux.

— Une femme ? demanda Sweeney.

— Peut-être.

— Laisse-la tomber.

— Non.

La chaise de Dan grinça. Il se leva, plongea les mains dans ses poches, tourna le dos à Conor et médita longuement. Il se retourna lorsqu'il eut remis de l'ordre dans ses idées.

— Projet abandonné. Tu es exclu de la Fraternité. Va-t'en !

316

— Je ne veux pas ! s'écria Conor que son ton effraya lui-même.

— J'ai dit que tu es exclu et tu as de la chance que ce soit maintenant. L'affaire n'est pas encore assez engagée et je ne te prends pas pour un mouchard. Tu ne révéleras rien du peu que tu sais. Mais si je me débarrassais de toi plus tard, tu devines comment je m'y prendrais ?

— Je m'en doute, répondit sèchement Conor.

Sweeney se rassit, souffla longuement une haleine malodorante, cogna de son poing énorme sur la table et indiqua la porte d'un hochement de tête.

— Tu ne pourrais pas annuler ta décision, Dan ? Je verrai mon amie et j'annulerai nos projets de vacances.

— D'accord pour cette fois. Ton âme appartient peut-être à la Sainte Vierge, mais ton cul, à la Fraternité. Compris ?

— Oui, répondit Conor bouleversé.

— Cette fille, qui c'est ? demanda Sweeney.

Conor fléchit pour la première fois de sa vie.

— La sœur d'un camarade d'équipe.

— Catholique ?

— Non.

— Alors, tu ferais bien de rompre.

— Ecoute, Dan. Pour les vacances, c'est d'accord. Mais aucune loi ne m'empêche d'avoir une femme.

— En ce qui concerne ton existence, Larkin, le code, c'est moi. Tu n'es pas le premier mariole qui se croit capable de courir deux lièvres à la fois : l'action clandestine et la nana. C'étaient tous des veaux. Tous, jusqu'au dernier. Si tu aimes vraiment cette fille, pense à la vie que tu lui feras mener. Une vie d'enfer, Larkin ! L'enfer à chaque tic-tac de l'horloge. Est-ce qu'il reviendra cette fois, ou bien est-ce que sa cervelle se répandra sur la chaussée ?

Conor se leva, alla en titubant jusqu'au mur et s'y adossa.

— J'ai trente et un ans, dit-il durement. J'ai attendu longtemps, Dan, mais je suis amoureux. Que tu ne l'aies jamais été ne te permet pas de me condamner ni de m'arracher cet amour. Merde ! tu n'as pas de cœur !

Sweeney perdit son assurance et pâlit.

— Tu as raison... j'avais seize ans quand on m'a mis à l'ombre.

— Excuse-moi, dit Conor. Je n'aurais pas dû dire ça... je suis désolé.

— Je ne permets pas qu'on ait pitié de moi, dit le vieillard en se redressant. Si tu veux tout savoir, Larkin, j'ai aimé, moi aussi, mais il y a si longtemps que je ne me rappelle plus de quoi elle avait l'air et son nom ne signifie plus rien pour moi... Aileen... Aileen O'Dunne. (Les épaules de Dan s'affaissèrent.) Tu crois peut-être que je ne te connais pas, mon gars, grogna-t-il. Sache qu'on m'a baptisé Daniel en l'honneur de O'Connell, que moi aussi j'ai écrit des vers devant la cabane d'alpage de mon père, que j'ai pleuré sur la tombe de Parnell, que j'ai pris la mer, que je suis revenu en Irlande et que je m'en voulais d'y revenir !

Conor couvrit son visage de ses deux mains. Quand il les abaissa, il frémit en se voyant lui-même affreusement vieilli dans le miroir que lui offrait le visage de Long Dan.

— Prend tes vacances avec cette fille, dit Sweeney.

— Ce n'est peut-être pas tellement prudent, Dan. Je ne reviendrai peut-être jamais.

Sweeney grogna, sûr de la sagesse qu'il devait à l'expérience.

— Mais si, tu reviendras ! Les connards comme nous reviennent toujours. Va te payer une partie de baisouillage. Quand ton heure viendra, le souvenir de cette femme éclairera peut-être ta cellule de prison, mieux que ma mémoire n'éclairait la mienne.

Conor tendit la main, se ressaisit et s'en alla tristement vers la porte.

Redevenu lui-même, Sweeney reprit :

— A l'avenir, tu ne désobéiras plus. Notre petite armée n'est qu'une mélasse inconsistante, mais ne te trompe pas au sujet de notre discipline. Je n'hésiterai pas plus à te faire éclater la rotule d'un coup de pistolet que tu n'hésiteras quand tu auras à le faire à un autre. Je prierai pour le succès de ta mission... et pour toi aussi. Maintenant, fous-moi le camp.

## 15

Le comte et la comtesse de Foyle, le vicomte de Coleraine, Sir Frederick Weed, son état-major, plusieurs domestiques débarquèrent d'une file de voitures en quai numéro trois des Weed Ship and Iron Works où ils devaient embarquer dans le bateau qui les emporterait vers Liverpool.

Derek Crawford, Doxie O'Brien et les Chaudronniers se tenaient plus ou moins au garde-à-vous devant quelques centaines d'ouvriers rassemblés à l'heure du déjeuner derrière les fanfares de quatre loges orangistes. En face de l'équipe et de ses maîtres, des conseillers municipaux et d'autres dignitaires s'étaient alignés pour leur souhaiter bon voyage.

Sir Frederick prit la parole pour promettre des victoires éclatantes. Le capitaine Robin MacLeod jura de relever l'honneur de l'Ulster. Les dignitaires vociférèrent des félicitations, les fanfares se déchaînèrent, le public brailla des hourras, et l'équipe embarqua.

Sur le pont du vapeur on s'encouragea à grandes tapes dans le dos en espérant que la tournée ferait oublier un début de saison désastreux. La présence d'un titan comme Conor Larkin, plus le racolage de deux «messieurs» suscitaient des espoirs. Ces «Messieurs» étaient des amateurs de grande classe qui avaient fait merveille dans l'équipe de leur université et dans des clubs de standing national. Sir Frederick les avait séduits avec une bonne somme et des exhortations «pour le bien de l'Ulster».

Appuyés au bastingage, Robin et Conor regardaient la cohue restée sur le quai et dont l'excitation atteignit son point culminant quand l'express Main Rouge arriva. La foule l'acclama. Duffy O'Hurley et Calhoun Hanly acceptèrent son hommage avec un aplomb shakespearien. Puis le mécanicien amena lentement le convoi à bord du ferry. Le regard de Conor était rivé sur le tender.

*Qui sonderait Duffy? Où et quand? Comment réagirait-il? Et son beau-frère?... Je le saurai à Bradford. Du calme, mon garçon, du calme. Trois mois de patience.*

— Shelley nous en a parlé à Lucy et à moi, hier soir, dit Robin.

— De quoi? demanda Conor.

— De vous deux. Elle te rejoindra après la tournée. Nous en sommes heureux pour vous et je tiens à ce que tu le saches. Mais dis donc, il n'y a pas de quoi faire une tête pareille !

— Excuse-moi. Votre approbation me fait plaisir. Mais nos vacances sont encore loin.

— Ne t'en fais pas, ça viendra vite.

Quand la Main Rouge fut à bord, une autre locomotive fit la navette pour y amener les wagons personnels de Sir Frederick. Il y en avait quatre en tout : un pour les maîtres, un pour l'équipe, un pour le personnel et un pour les invités. La secrétaire particulière de Lady Caroline — Allemande au visage de bise hivernale — veilla à la répartition des malles entre les compartiments. Les fanfares jouèrent *Ce n'est qu'un au revoir*. Jeremy Hubble se glissa entre Robin et Conor. Le vapeur s'écarta du quai.

— Monsieur Larkin ?

Conor se retourna. Un domestique lui remit une enveloppe contenant un billet écrit à la main.


*Cher monsieur Larkin,*

*Votre compagnie me serait agréable après dîner. Si le temps convient, je vous retrouverai sur le pont. Dans le cas contraire, venez, s'il vous plaît, dans notre compartiment.*

*Caroline Hubble.*


La tournée des Chaudronniers n'intéressait guère Roger Hubble. Il l'accompagnait cette année-là pour complaire à son beau-père et à sa femme mais avait bien d'autres choses à faire. Devenu le membre le plus puissant du parti de l'Union à l'ouest de l'Ulster, il ne manquait pas une séance de la Chambre des Lords et l'association Hubble-Weed absorbait le reste de son temps. Il avait participé pendant trois ans à l'étude des mesures propres au développement de l'Ulster, en qualité de conseiller au château de Dublin, ce qui représentait une charge de plus mais lui donnait aussi de l'influence sur l'avenir de la province.

Si Caroline ne lui avait pas imposé des distractions, il se serait entièrement laissé absorber par les affaires et la politique. Cette année-là elle avait presque recouru au chantage pour qu'il s'accorde le temps d'assister à la saison de Londres.

Roger était penché sur ses dossiers devant une petite table de son compartiment lorsque Caroline arriva en robe de chambre. Elle lui caressa les cheveux. Il grisonnait élégamment, ce qui la ravissait. Elle se pencha sur lui en s'arrangeant pour que ses seins soient en contact avec la nuque de son mari et pour qu'il sente son parfum. Le message était assez clair ; Roger retira ses lunettes, un peu agacé parce que le moment était mal choisi. Mais lorsque Caroline réclamait son attention, elle l'obtenait infailliblement. Il posa sa plume et se tourna vers elle.

Caroline remplit un verre de xérès et lui gratta la nuque jusqu'à ce qu'il grogne de plaisir.

— Tu verras que tu t'amuseras à Londres et je tiens à ce que tu assistes au moins à quelques matches de rugby.

— Ce ne sera pas facile. Pendant trois mois Freddie ne fera rien d'utile. Sais-tu ce qu'il a imaginé, ce lascar ? Il a embauché un photographe à plein temps et un type qui passera toute la journée à rédiger des communiqués pour la presse. Pendant ces tournées, il est comme un enfant.

— Mais il est trop âgé pour changer. Ne t'en soucie pas.

— Le pire c'est que tu m'as l'air d'aimer autant que lui cette imbécillité de rugby.

— Eh bien, voilà, mon cher, quand Freddie apprit que son premier enfant était une fille, il s'est enfui dans la montagne et a pleuré pendant un mois. Je me suis appliquée, dès ma petite enfance, à le consoler de cette déception en partageant ses goûts. Au début je faisais semblant. A force d'habitude, je suis devenue sincère.

Roger retira le veston de son smoking, déboutonna son plastron, se pencha sur une cuvette, s'aspergea la figure d'eau en poussant des « ah » sonores. Puis se pomponna devant le miroir.

— Je ne doute pas de ta sincérité car je te vois t'emballer chaque année.

— Je suis mordue pour l'affreux petit trois-quarts droite, dit-elle. Son haleine est asphyxiante, il est couvert de boutons, ses dents sont jaunes et ses cheveux presque feutrés. Mais je t'avoue que ses petites fesses serrées dans sa culotte de soie me mettent dans tous mes états. Je ne le perdrai pas de vue pendant des semaines.

— Tu me fais peur, Caroline.

Elle s'assit, les jambes croisées au bord de la couchette.

— Ce qui m'excite vraiment, c'est de les voir à la fin du jeu couverts de sueur, saigneux, puants.

— Mon Dieu, ma pauvre femme, tu deviens de pire en pire en vieillissant !

— Je sais ce qu'ils chuchotent entre eux, Roger. Ils me trouvent encore belle.

Roger répondit en lui caressant la cuisse et en se penchant pour lui mordiller le dos. Une fois de plus

Caroline avait réussi. Ce début de victoire lui suffit, elle le repoussa tendrement et il se remit à sa toilette. Lorsqu'il boutonna son plastron, elle joua à l'en empêcher pour lui baiser la poitrine.

— Mon chéri, dit-elle enfin.

Roger comprit que tous ces préliminaires étaient destinés à lui faire avaler une pilule. Il s'assit auprès d'elle, intrigué.

— Il s'agit de Jeremy.

— Qu'est-ce qu'il a encore, ce monstre ?

— Freddie et lui seront absolument bouleversés s'il ne participe pas à la tournée. Il en rêve depuis deux ans.

Roger se rembrunit.

— Ne fais pas le rabat-joie ! supplia-t-elle (Elle se tut aussitôt en voyant qu'il restait impassible et la regardait d'un air mauvais qu'elle connaissait trop bien.) Eh bien, quoi ? Zut ! dis quelque chose.

— J'en ai jusque-là de vos conspirations à tous les trois ! dit-il en portant la main à la hauteur de ses yeux. Dieu merci un de nos fils préfère une autre sorte d'instruction.

— Et moi je suis enchantée, absolument ravie de voir que Jeremy Hubble deviendra un gros joueur de rugby, velu et malodorant, au lieu d'un plumitif guindé.

Roger fit une moue de dégoût et retourna devant la glace pour achever de s'habiller.

— Par la faute d'une mère indigne notre fils aîné ira à cet abominable collège de Dublin au lieu de faire ses études dans une université convenant à sa naissance. Mais ça devient tragique parce qu'il aura du mal à être admis même à Trinity tellement tu le distrais de ses études. Quand il se mettra sérieusement au travail, si ça lui arrive, je ne verrai aucun mal à ce qu'il joue au rugby dans l'équipe de son école si on peut l'appeler ainsi. Mais je ne lui permettrai pas de passer la moitié de sa vie d'adulte à verser son sang pour les Chaudronniers de Belfast-est.

La violence de cette réaction réduisit Caroline au silence. Il s'en rendit compte, lui passa doucement une main sur la joue et prit un air grave.

— Le cas de Jeremy est vraiment inquiétant. Je ne veux pas le comparer à Christopher, ne crains rien. Je ne te rappellerai pas combien je tiens à ce que mes fils s'occupent de nos affaires pour être à même de me succéder. Ce qui m'importe, c'est le caractère de Jeremy, sa nonchalance, ses attitudes de jeune gommeux à qui tout est dû et qui considère le monde entier comme une huître à gober. L'avenir lui imposera des responsabilités formidables et il doit être prêt à y faire face.

— Il est gentil, il est charmant, il a le diable au corps, dit Caroline. Je connais un homme qui en veut encore à son défunt père de lui avoir imposé prématurément les responsabilités dont tu parles.

Roger laissa tomber sa brosse à cheveux sur le tapis.

— Ce n'est pas du tout la même chose. Je ne suis pas Arthur et Jeremy n'est pas moi. Mon père a agi comme il l'a fait pour pouvoir s'adonner à ses plaisirs. Tu ne peux tout de même pas me le reprocher, à moi.

— Je ne t'ai rien dit de malveillant. J'ai seulement voulu te rappeler que notre fils a dix-neuf ans et qu'il lui reste encore toute une existence pour servir Dieu, la patrie, l'Ulster et les entreprises Hubble. Accorde-lui un répit. Si nous le brimons à ce moment de son existence, ça nous coûtera peut-être cher. Nous aurions un fils aîné à l'esprit confus et peut-être hostile. S'il jetait sa gourme pendant quelques années, rien ne serait définitivement perdu.

Roger leva les deux mains en signe de capitulation.

— Oui, madame, je suis tout à fait d'accord, madame. Prenez ma commande, s'il vous plaît pour dix, non, disons douze locomotives Main Rouge... Je n'ai jamais vu un représentant de commerce aussi persuasif que toi.

— Donne-lui la permission de suivre la tournée.

— Non. Dis-le-lui toi-même. Je vous fais ce cadeau, à Freddie et à toi. Mais Freddie en sera totalement responsable.

La cloche de la victoire eut un son fêlé. Caroline décroisa les jambes et se leva.

— Te rappelles-tu un certain Conor Larkin ?

— Oui, très bien.

— Il fait partie des Chaudronniers maintenant.

— Je le sais.

— Jeremy en raffole. Larkin est un homme bon et raisonnable. S'il prend Jeremy sous son aile, notre fils ne perdra pas tout à fait son temps. Larkin peut élargir son horizon.

— Qu'est-ce à dire ? Ce forgeron conviendrait mieux que ton père quand il s'agit de l'éducation de notre fils ?

— Je dis que dans un cas aussi épineux que celui de Jeremy, quelqu'un d'étranger à la famille peut avoir une excellente influence sur lui. Au point où il en est, il a plutôt besoin d'un grand frère.

Alors, c'était là le but de la conspiration, pensa Roger qui passa dans le compartiment-salon contigu et Caroline le laissa réfléchir en paix.

Lorsque Roger avait vu pour la première fois les plans du portail que son beau-père offrait au nouvel hôtel de ville de Belfast et avait appris le nom de leur auteur, le retour de ce Larkin dans leur existence l'avait effrayé. C'était un ami de Kevin O'Garvey qui avait obtenu la remise en état de sa forge et avait ensuite manqué de parole.

Roger était mal à l'aise depuis l'incendie de la fabrique de chemises. Tout ce qui le lui rappelait éveillait ses soupçons. Pendant plus d'un an certains journalistes avaient continué à fouiner à Londonderry en quête d'arguments pour discréditer les conclusions de la commission d'enquête. Ils avaient publié des articles embarrassants sur l'état de cette fabrique avant l'incendie. Tout cela aurait pu avoir des suites fâcheuses si Frank Carney n'avait pas continué à soutenir mordicus qu'il avait entendu de ses propres oreilles les aveux de l'incendiaire.

Roger avait fait part de ses craintes à Freddie au sujet de Larkin et avait alors découvert que Jeremy et Caroline étaient intervenus en sa faveur. Pendant deux mois, les sbires du général Swan tinrent Larkin à l'œil. Ils ne décelèrent rien de suspect. Livres, concerts, fréquentation des bistrots et puis une femme : la sœur du capitaine de l'équipe. Larkin fut blanchi.

Bon, ça va. Et maintenant ? Roger se dit que, s'il repoussait trop énergiquement la requête de Caroline, un contrecoup serait possible. D'abord, elle soupçonnerait son mari de jalousie, chose inconcevable dans leur ménage. D'autre part, une attaque contre Larkin pourrait réveiller les souvenirs de ce dernier au sujet de l'incendie et de O'Garvey. Mieux valait donc céder en ne manifestant aucun ressentiment envers le ferronnier.

Et Jeremy ?

Combien de fois, au cours de son existence, Roger

avait souhaité communiquer plus intimement avec son faible bon à rien de père ! N'était-ce pas sa solitude qui l'avait précipité à la conquête de l'Ulster occidental ? Et Caroline... elle lui avait ouvert les portes de toutes les chambres ravissantes de la vie dont il n'aurait eu aucune idée sans elle. Caroline, sa meilleure amie, sa confidente, son grand frère, sa maîtresse autant que sa femme. Elle avait combattu farouchement le système anglais d'éducation, selon lequel les parents se libéraient de leurs responsabilités en exilant leurs fils, en les enfermant dans des écoles sans chaleur, puis en les remettant à l'armée et à l'administration. C'est ce que son père lui avait fait. Cela plaisait à Christopher. Eh bien, tant mieux ! Mais Jeremy se révoltait.

Roger revint sur le seuil du salon et demanda à sa femme :

— Tu y tiens beaucoup, n'est-ce pas ?

— Je suis convaincue qu'il n'y a pas mieux à faire.

— Larkin est d'accord pour se charger de Jeremy ?

— Il n'est pas encore au courant.

— Il vaut mieux que tu lui en parles toi-même, dit Roger.

— Tu as sans doute raison. D'accord.

Cette nuit-là, la mer fut exceptionnellement calme et la traversée permit à une camaraderie artificielle de s'établir. Tout le monde banqueta en commun : les membres du club, empotés dans leur tenue de cérémonie ; les gentlemen-amateurs embauchés récemment, ainsi que les seigneurs et maîtres. Tous firent de leur mieux pour feindre de dîner sur un pied d'égalité. En réalité ce bouleversement de l'ordre établi mettait presque tout le monde mal à l'aise.

Roger Hubble, qui observait toujours tout attentivement, remarqua quelques exceptions : son beau-père qui avait souvent mangé à la même table que des casseurs de tête ; sa femme, aguerrie par des séances de beuveries dans des mansardes d'artistes montmartrois ; son fils Jeremy que le contact des grosses brutes enchantait... enfin il y avait aussi Conor Larkin qui semblait inaccessible aux questions de classe. Roger constata que cet homme devait probablement rester lui-même en toute circonstance et dans tous les milieux.

Quant à Lord Roger lui-même, il se sentait aussi gauche que les joueurs de rugby, comme si on l'avait surpris en train de commettre le péché originel.

L'atmosphère se détendit quand on passa dans le compartiment-bar. Roger s'éclipsa presque aussitôt pour aller travailler dans son compartiment personnel. Sir Frederick et les gentilshommes-amateurs discutèrent de projets stratégiques avec Derek Crawford et Robin MacLeod. Jeremy jouait du coude, passant d'un groupe à l'autre, verre en main. Duffy O'Hurley se départit de son rôle de capitaine honoraire du club en entraînant plusieurs membres de l'assistance à chanter en chœur, cependant que son beau-frère Calhoun Hanly posait une pile de pièces de monnaie et une paire de dés sur une table à l'écart. Doxie O'Brien joua du piano dans la mesure où ses doigts brisés le lui permettaient. On ne chanta que des chansons anodines, ni orangistes ni républicaines.

Caroline profita du beau temps pour s'allonger sur une chaise longue du pont, une couverture sur les genoux. Elle écouta les voix plus ou moins harmonieuses et se laissa bercer par les mouvements lents du vapeur.

Conor apparut sur le pont, regarda autour de lui, avisa Caroline, s'assit au bord de la chaise voisine.

— La grille de la Salle Longue est-elle encore debout ?

— Elle tiendra quelques siècles si une insurrection ne la détruit pas, répondit Caroline. J'ai appris que vous vous êtes absenté pendant longtemps. Où êtes-vous allé ? Qu'avez-vous fait ?

— Pas grand-chose. J'ai parcouru le monde en poète. Tout ce que j'ai appris, c'est qu'en fin de compte on n'est pas tellement mal en Irlande.

— L'Irlande a bien de la chance, dit Caroline. Est-ce qu'une dame en aurait autant ?

— Il ne m'appartient pas de me prononcer à ce sujet, répondit Conor en souriant.

— Il y en a donc une et je m'en réjouis pour vous.

— J'ai longtemps hésité, dit-il. (Puis il changea le sujet de la conversation.) Vous m'avez écrit que vous désiriez me voir. Il s'agit de Jeremy ?

— C'est exact.

— Je m'en doutais.

La lune perça les nuages projetant une lumière admirable sur le pont. Tous deux se levèrent en même temps et allèrent s'appuyer au bastingage.

— Vous m'avez rendu grand service quand j'ai cherché à me faire admettre chez les Chaudronniers, ensuite, c'est grâce à vous que Sir Frederick m'a passé une commande en mettant une forge à ma disposition dans ses chantiers. Pourquoi tant de faveurs ?

— En témoignage d'amitié. Nous nous connaissons depuis longtemps. D'ailleurs vous auriez obtenu tout cela sans mon aide.

— Je vois Jeremy à l'entraînement tous les jours, dit Conor. Nous nous sommes toujours bien entendus. J'entrevois ce qui se passe.

— Tout comme mon père et moi-même dans notre jeunesse, ce garçon ne se plie pas facilement aux règles établies. Il n'a que dix-neuf ans et je ne suis pas pressée de l'enrégimenter.

— Il faut être une bonne maman pour se rendre compte de choses comme celle-là. Personnellement, tout ce que j'ai connu de beau remonte à mon enfance. Nos premières années nous donnent le souper qui nous nourrit jusqu'à la fin de nos jours. Il y a aussi l'amour, évidemment. C'est le dessert. Encore faut-il avoir la chance de tomber amoureux. Sinon, on ne peut que revenir sans cesse aux lointains souvenirs de l'enfance. Jeremy a donc dix-neuf ans. Les quelques prochaines années joueront un rôle capital dans la formation de son caractère.

— Ce gamin raffole de vous. Vous le savez ?

— Les petits gars de son âge s'entichent toujours des grosses brutes jusqu'à ce qu'ils les trouvent un matin allongées ivres mortes dans le ruisseau.

— Consentez-vous à le prendre sous votre aile pendant la tournée ?

— Me permettez-vous d'être franc ?

— Evidemment.

— Ne croyez pas que nous courions la gueuse et que nous buvions jusqu'à 6 heures du matin. Mais votre fils s'accrochera à l'équipe et mènera la même existence que nous. Ce n'est pas très grave. Personnellement je suis assez sage et je lui éviterai de faire de trop grosses bêtises. Toutefois, nous ne sommes pas issus du même milieu. Je serais un bien vilain monsieur si je pilotais un vicomte dans les quartiers irlandais de quelques villes assez affreuses.

— Ce seraient peut-être des expériences utiles pour un garçon destiné à devenir comte de Foyle.

— Vous êtes une dame fort sage. Mais Jeremy pourrait y récolter quelques puces républicaines.

— J'accepte ce risque, s'il peut récolter d'autres choses auprès de Conor Larkin.

Il éclata de rire.

— On parle toujours de la flatterie irlandaise. Est-ce que vous ne me flattez pas, madame ?

— Vous occuperez-vous de lui ?

— Tout le monde vous cède toujours.

— Non, pas toujours, monsieur Larkin, dit-elle en le regardant droit dans les yeux d'une manière suggestive.

Il ne répondit rien et se cramponna au bastingage par crainte de se laisser emporter à la prendre dans ses bras. Caroline resta figée sur place, ne prit ni la peine d'expliquer ce qu'elle avait dit ni de s'écarter de lui.

— Vous avez navigué durant des années, m'avez-vous dit ? Vous est-il arrivé de penser à moi ?

— Quand on est tout seul, surtout la nuit, pendant longtemps, on finit toujours, tôt ou tard, par penser à tout et à tout le monde.

— Vous ne répondez pas à ma question.

— Eh bien, oui. J'ai pensé à vous.

— Et qu'avez-vous pensé ?

Conor sourit.

— Permettez-moi de rester bienséant.

— Eh bien, sachez que le fait de passer des nuits sur le pont d'un navire ne confère pas le droit exclusif de rêver. Moi aussi j'ai pensé à vous quelquefois.

— Diable !...

— Mais je ne tiens pas, moi non plus, à vous dire ce que j'ai pensé. Je suis trop fantasque, même pour un Conor Larkin.

— Ma foi,... bafouilla-t-il, il est temps que j'aille boire un dernier verre.

— Un instant, Conor ! dit-elle fermement. Permettez-moi de vous dire que vous êtes un des hommes les plus charmants que j'aie rencontrés de ma vie. Ça n'aboutira à rien. Pourtant, je ne me reproche pas de partager les sentiments de Jeremy envers vous. Bonne nuit.

— Dame Caroline !

— Oui ?

— Je prendrai bien soin de votre fils.

— J'en suis certaine, répondit Caroline qui s'en alla.

Il considéra la mer pendant un moment et se dégoûta de lui-même. Il abusait cette femme et ce gamin à la perfection. C'est lui qui avait suggéré à Jeremy d'insister pour participer à la tournée, en prévoyant que cela lui permettrait de rendre service à ses parents et de resserrer leurs relations. Auparavant il s'était servi de Caroline pour pénétrer sur les chantiers de son père en entrant dans l'équipe. Et maintenant on lui offrait une couverture idéale : la garde d'un jeune aristocrate britannique. Dans de telles conditions, qui soupçonnerait ses activités clandestines ? D'autre part, Dan Sweeney s'étonnerait de ses scrupules et le mépriserait parce qu'il éprouvait des sentiments d'affection envers ces gens-là. Conor descendit machinalement à l'entrepont où la Main Rouge était amarrée sur ses rails. Il s'approcha du tender.

— Hé là-bas.

Conor sursauta et se retourna. Duffy O'Hurley, qui

boitait toujours quand il avait un coup dans le nez, s'approcha de lui.

— Qu'est-ce qu'on fait par ici, Conor ?

— Je me promène pour m'éclaircir les idées après tout ce tintamarre.

— Je comprends ça. On perd toujours la tête au début de la première tournée... Regarde cette grosse chérie. C'est la plus belle de toutes les Main Rouge. Ça te paraîtra sentimental, Conor, mais je descends toujours souhaiter bonne nuit à ma machine avant de me coucher.

En s'en allant, O'Hurley lui donna cordialement une vigoureuse tape dans le dos. C'était une de ses manies. Conor avait vu deux fois les fausses dents de Calhoun Hanly lui jaillir de la bouche sous l'effet d'un tel choc. Il se contenta de pousser un petit gémissement.

Comment réagirait le mécanicien quand l'émissaire de la Fraternité prendrait contact avec lui ? Dans combien de temps Conor verrait-il Brendan Sean Barrett, à Bradford ?

## 16

Liam au bout du monde, Conor en Angleterre, seul des trois frères Larkin, Dary vint à Ballyutogue pour l'enterrement de leur mère.

La cérémonie terminée, il retourna au séminaire.

Brigide resta immobile devant la maison familiale pendant longtemps. Son attente se terminait. Désormais le cottage lui appartenait, de même que la terre et tous les biens de la famille. Brigide ouvrit lentement la porte, presque intimidée, comme si elle entrait chez elle pour la première fois. Rien n'avait changé et tout lui parut nouveau. Elle parcourut du regard la salle commune. Le siège le plus proche du feu lui appartiendrait désormais. Elle fourbirait ses casseroles qui brilleraient plus que jamais. Tout était à elle, tout ce qui était sous ses yeux. Elle se promit de parcourir les champs de la famille dès le lendemain pour prendre possession de son patrimoine.

Elle passa de pièce en pièce, caressa les meubles, les objets, chassa un grain de poussière ici, rajusta un édredon là, en se disant comment elle nettoierait tout ça pour que son cottage soit le mieux tenu du village.

Elle arriva devant la chambre de ses parents et resta un moment sur le seuil avant d'aller jusqu'au lit sur lequel ses frères et elles étaient nés. Le lit de Tomas et de Finola. Elle s'assit au chevet comme elle l'avait fait si souvent quand elle les soignait. Puis elle s'allongea sur le lit, jouit de sa souplesse et ferma les yeux qui s'emplirent de larmes.

De retour dans la salle commune, elle tisonna le feu, y posa une nouvelle briquette de tourbe et prépara le repas, toutes tâches qui incombent à la maîtresse de maison. Elle mit la table pour Rinty Doyle et elle-même. D'abord elle choisit la place qui avait été celle de Finola, puis elle changea d'idée et mit son assiette au bout de la table où Tomas avait présidé aux repas.

— Rinty ! cria-t-elle vers la porte de l'étable.

Pas de réponse. Elle entrebâilla cette porte et y glissa la tête.

— Rinty ! Où es-tu ?

Il n'était nulle part. Outrée, elle jeta un châle sur ses

épaules et s'en alla d'un pas décidé jusqu'au carrefour où elle entra en trombe au bistrot de McCluskey.

Les quelques clients alignés devant le bar retirèrent leur casquette avec ensemble, par politesse et aussi par respect pour sa sainte mère. Le vieux McCluskey se pencha par-dessus son comptoir en plissant les paupières parce qu'il devenait presque aveugle avec l'âge et n'entendait guère mieux.

Le petit Rinty, tout rabougri, était assis seul devant une chope de bière, à une table située dans le coin le plus éloigné de la salle.

— Ah te voilà ! s'écria Brigide. Qui t'a donné la permission de venir te beurrer ici ?

— Beurrer ? Mais je suis aussi tempérant que le père Cluny. Je bois une goutte en souvenir de votre sainte mère. Que la Vierge Marie protège son âme !

— Que le Seigneur l'ait en sa sainte garde ! chantonna Billy O'Kane.

— Que Dieu bénisse toute la compagnie, ajouta Rinty en levant sa chope.

— Tu rentres tout droit à la maison à l'instant même ou tu te coucheras sans dîner.

Vexé, Rinty se tourna vers le bar pour quêter l'appui des clients. Tous détournèrent la tête, penauds. Il fit claquer sa langue, vida sa chope et s'en alla vers la porte à pas lents.

— Vous avez entendu ça ? dit McCluskey. C'est pas une femme. Elle a des défenses de sanglier en guise de dents.

— Dire qu'il y a des hommes qui se marient avec des mégères comme ça !

— Mais à voir comme elle le traite, on croirait qu'ils sont mariés tous les deux.

De retour chez elle, Brigide claque la porte, se dressa de toute sa hauteur et fixa un regard féroce sur le malheureux Rinty.

— J'admets qu'un homme boive une chope de temps en temps, mais je ne vais pas m'échiner devant l'âtre pour préparer des repas que tu mangeras deux heures plus tard. A partir de maintenant, quand tu auras envie d'aller chez McCluskey ou chez les veuves, tu me demanderas la permission. Compris ?

— Oui, gémit-il.

— Et maintenant, le chapelet.

Rinty se gratta la tête et fit appel à tout son courage.

— Pourrais-je avoir un entretien avec vous ?

— Parle !

— Voilà ce que je voudrais dire : nous sommes deux ici, et chacun de nous est un individu. Supposons qu'un de ces individus, moi-même, trouve un réconfort dans une chope, le soir, pourquoi ne pourrait-il en jouir pendant que l'autre individu récite son chapelet ? De cette manière chaque individu pourrait satisfaire ses besoins urgents.

— Que Dieu ait pitié de toi, Rinty Doyle !

— Je suis un homme, j'ai des droits.

— Tu t'es écarté de Dieu parce que ma mère était tellement malade qu'elle a toléré la présence d'un païen sous son toit.

— J'ai des droits, vous savez, j'ai des droits.

— Tant que tu vivras dans cette maison tu réciteras ton chapelet et tu iras à la messe. Je pensais te permettre de coucher dans le grenier à foin, mais tu resteras à l'étable tant que tu n'auras pas donné à Notre-Seigneur Jésus-Christ ce qui lui revient. Et maintenant à genoux, Rinty Doyle !

Rinty leva les yeux vers le plafond en espérant un secours céleste qui ne vint pas. Il laissa tomber les deux bras et s'agenouilla auprès de Brigide.

Tous deux continuèrent à vivre comme si Brigide était la baronne d'un grand domaine. Les prières se succédaient les unes aux autres sans commencement ni fin. Aucune masure du village d'en haut n'était aussi en ordre, fourbie, nettoyée férocement. Le moindre grain de poussière en était banni comme un intrus. Chaque objet occupait sa place et chaque ustensile brillait. Brigide réprouvait sans pitié sabots crottés, miettes de tabac, cendres et autres déchets masculins. Le coupable était immédiatement châtié.

Par malheur, Brigide se soignait moins bien qu'elle ne veillait sur son foyer et ses champs. Elle grossit. Le peu de grâce qu'elle avait possédé disparut complètement avant qu'elle eût atteint trente ans. Il est vrai que la beauté n'avait jamais compté autant que la terre à Ballyutogue et que la propriété Larkin restait la meilleure du village. Les célibataires de quarante ans et même plus reniflaient dans sa direction, mais elle les tenait à distance. Elle aurait volontiers brandi sa fourche s'ils avaient insisté. Les Frères poivrots ne tardèrent pas à lui faire une réputation.

Les mois se succédant, Brigide Larkin étonna le voisinage par son habileté à gérer ses affaires. Elle épuisa tellement le malheureux Rinty qu'il faillit y laisser sa peau. Alors elle fit venir un autre cousin éloigné pour le seconder. Elle organisa les travaux de la veillée, les vendit à meilleur prix et démontra ainsi qu'elle avait hérité de la puissance et de l'astuce des Larkin.

Liam et Conor envoyèrent de quoi payer la tombe de

Finola. Le plus jeune continuait à prospérer en Nouvel-le-Zélande. Il fit les frais d'une toiture d'ardoise pour la maison. Liam fut aussi le premier enfant de Ballyutogue qui offrit à l'église un vitrail en souvenir de ses défunts.

Après avoir imposé une dernière séance de prières à ses serfs, Brigide récapitulait mentalement tout ce qui restait à faire sur sa baronnie avant de se retirer dans sa chambre. Alors elle ouvrait le tiroir de la commode-se-crétaire et en tirait la lettre au papier jauni que Conor lui avait écrite longtemps auparavant pour lui annoncer que Myles McCraken ne retournerait jamais à Ballyuto-gue. Elle ne savait en lire que quelques mots mais elle la connaissait par cœur. A force d'être plié et déplié le feuillet s'était craquelé.

*En raison de diverses circonstances, Myles prend femme à Derry.*

« Diverses circonstances... qu'est-ce que ça signifie ? » avait-elle demandé au père Cluny quand il lui avait lu cette lettre pour la première fois.

Le prêtre lui avait répondu qu'il n'en savait rien mais que cela importait peu puisque Myles était marié et qu'elle ne devrait plus le revoir.

Son cœur saigna pour Myles lorsqu'elle apprit l'incendie de la manufacture. Au bout de quelque temps, elle alla voir le père Cluny et lui demanda d'écrire à Conor. Peut-être pourrait-elle rendre visite à Myles lorsqu'une année se serait écoulée. Mais Conor avait quitté Derry et personne ne savait où il était. Le prêtre se rendit à Derry. Il en revint avec une triste nouvelle : Myles était enfermé dans un asile d'aliénés.

Le retour à cette lettre faisait partie de l'existence de Brigide, comme la récitation du rosaire. Elle la remit dans le tiroir, abaissa la mèche de la lanterne et se glissa dans le lit qu'elle avait convoité toute sa vie.

« Quel sot tu as été, Myles ! Si tu avais seulement attendu huit ans de plus, tu serais allongé auprès de moi à cet instant. »

Ses paupières papillotèrent de fatigue : gérer la ferme et tant prier !

En raison de diverses circonstances, Myles prend femme à Derry...

## 17

La tournée !

Une visite royale n'aurait pas provoqué autant de tension ni suscité un air de fête aussi intense que la fièvre du rugby. Les Chaudronniers de Belfast comptaient parmi les rares équipes de quelque importance qui parcouraient le collier des villes industrielles fumeuses du Lancastre et du Yorkshire. Il y avait aussi une raison mystique à cet enthousiasme. Ce club était composé de vagabonds irlandais.

BIENVENUE AUX CHAUDRONNIERS ! clamait un calicot sur la façade de la mairie. Les notabilités et les fanfares accueillaient l'équipe à la gare. Les bookmakers s'affairaient. Les minables journaux locaux faisaient leurs choux gras. L'événement couvrait la une. Quelque entrefilet faisait obscurément allusion à des paris scandaleux ou à des débauches tardives. Les bistrots ouvraient presque en permanence et les dames de petite vertu y grouillaient.

Sir Frederick ne tarissait pas. Il annonçait fièrement que sa dernière Main Rouge, conduite par Duffy O'Hurley, dépassait le cent dix miles à l'heure. Duffy, Calhoun et lui choyaient les files de gamins des écoles qui attendaient des heures pour parcourir les fabuleux wagons du convoi. Sir Frederick prononçait des discours devant des groupements civiques et des clubs privés, sur la puissance industrielle de l'Ulster, le rugby, ses bonnes œuvres, la politique unioniste. Il ne lésinait ni sur le champagne ni sur le caviar lorsqu'il traitait ses clients du moment et même ceux à qui il espérait vendre une Main Rouge dans dix ou quinze ans.

Pendant les jours et les semaines qui suivirent, Conor déplora que Mick McGrath n'eût jamais goûté à la tournée car il n'aurait pas passé sa vie à le regretter. Ce périple n'était qu'une grande illusion.

Hormis les principales agglomérations — Bradford, Leeds, Hull et les faubourgs de Liverpool — l'équipe ne passait que par des villes de cinquante à cent mille habitants où régnaient la même crasse, la même monotonie, la même fumée rotée par les mêmes cheminées qu'à Belfast. Les filets de bœuf comac dont rêvait Mick n'étaient que des semelles trop salées, trop cuites. En fait d'appartement dans des hôtels de luxe, les joueurs couchaient dans des chambres minables aux murs imprégnés de suie, à côté des gares. Entre les matches les joueurs étaient en proie à l'ennui, au mal du pays.

Les jours de match !

Ils entraient sur le terrain en trottant dans leur maillot vert, orange et blanc, portant une Main Rouge de l'Ulster sur la poitrine. Une ovation tonitruante s'élevait des gradins. Les stades de Batley, Halifax, Swinton et des autres villes n'avaient que quelques rares touffes d'herbe sur leurs pelouses et leurs gradins de bois délabrés ne pouvaient accueillir que dix à trente mille fanatiques soûls comme des cochons, tellement agités qu'ils paraissaient en état de lévitation. Les bookmakers ne savaient où donner de la tête. De l'extérieur des gamins braillaient : « Hé, monsieur ! hissez-moi par-dessus la balustrade, s'il vous plaît, hissez-moi ! »

*God save the King*

Aussitôt après commençait l'étripage sur le terrain comme sur les gradins.

A peu près tout était permis dans ces matches entre professionnels. Les joueurs fonçaient, les corps se heurtaient, les membres s'emmêlaient. Un homme restait allongé par terre, immobile, puis il se tordait sur lui-même en reprenant conscience lentement ; alors il ressentait la douleur de sa blessure et se démenait encore plus. Le ballon s'envole et retombe en parabole dans le pack. Deux murs se fondent l'un dans l'autre : la mêlée. Un demi tord le cou d'un avant, le décapite à moitié, mais l'autre se redresse, titube. Coudes et poings entrent en jeu. Celui qui tient le ballon fonce, esquive un talonneur qui grimace de dépit.

Derek Crawford souffre les affres de l'agonie. Doxie O'Brien galope d'un bout à l'autre de la ligne de touche. Il braille des encouragements aux Chaudronniers, injurie l'arbitre, se retourne contre la foule et l'insulte.

Aux vestiaires, sous les gradins, dans la crasse, on fait l'inventaire des dégâts. Des bancs de bois fendus et branlants plient sous le poids des joueurs. La sueur de plusieurs générations monte à la gorge. A la douche il ne

342

coule que de l'eau froide. Les serviettes grandes comme des timbres-poste sont humides et sales. Doxie O'Brien fait le compte des dents perdues, des plaies qu'il faudra suturer, des nez cassés, des côtes fêlées, des genoux luxés et s'effraie devant les joueurs trop livides.

« Belle partie les gars ! » s'écrie Sir Frederick en entrant dans cette morgue.

Chaque équipier touche une guinée, deux guinées et en plus, dix ou douze shillings lorsqu'ils se partagent ce que Sir Frederick a gagné en pariant sur eux. En voilà un bon propriétaire d'équipe ! Il n'y en a pas d'autre comme lui.

Et puis, ah oui !... La camaraderie après la bataille, après avoir fait de leur mieux pour se réduire à l'état d'épaves humaines les adversaires tombaient dans les bras les uns des autres et s'engageaient dans une longue nuit de beuveries. Ils demandaient à l'alcool de retarder les manifestations de la douleur. Et puis, ah oui ! les nanas ! Quitter les camarades avec une jolie pépée avant que l'épuisement s'impose, aussi implacable que la rigidité cadavérique, et interdise la dernière performance de la journée.

Avec le Forgeron qui apprenait son métier en première ligne et les deux gentlemen qui exhibaient leur standing national, les Chaudronniers de Belfast-est reconquirent leur réputation légendaire au Lancastre en écrasant Leigh, Oldham, Salford et Runcorn en une quinzaine. En avant pour Wigan et un match capital !

Bien que ce fût une des plus petites agglomérations dont l'équipe était affiliée à la Ligue de rugby du Nord, Wigan n'en était pas moins une de ses plus anciennes forteresses. Lorsque les Cerise-et-blanc entrèrent en collision avec les Vert-orange-et-blanc, la partie resta nulle pendant quatre-vingts minutes malgré des ruées à briser les os. Durant de brefs instants la fièvre tombait. Puis quelque joueur encore en forme relançait le mouvement. Etant donné que les gars de Wigan jouaient après une journée de travail normale, on aurait donné l'avantage aux Chaudronniers qui auraient pu être en meilleure condition physique. Mais ces derniers s'entraînaient pendant de longues heures chaque jour, faisaient la noce pendant une bonne partie de la nuit et entonnaient des quantités exceptionnelles de guinness. Le handicap était donc annulé. En fin de compte, seul le Forgeron fut assez vigoureux pour marquer un essai grâce à son étonnante puissance de plongeon.

Le drapeau de l'Ulster flotta haut sur le Lancastre. Le Yorkshire retint son souffle et frémit.

Argyle Dixon, gorille en rupture de cage, partagea les responsabilités de « police » avec le Forgeron pour écarter la brutalité du cœur des adversaires. Frapper inutilement un Chaudronnier dans le dos déclenchait, en effet, des représailles instantanées. Le bruit courut dans toute la Ligue qu'Argyle Dixon avait trouvé son égal pour imposer la raison. Arrivés à Hull les Chaudronniers avaient remporté six matches. Derek Crawford respirait et Sir Frederick était en extase.

Les Hubble se séparèrent après les premiers matches. S'étant acquitté de ses devoirs envers sa famille, Lord Roger retourna à ses affaires. Quelque temps après Caroline fonça sur Londres. Alors que Roger y restait, sa femme prit régulièrement le train vers le nord pour assister aux rencontres du samedi.

Cependant Jeremy s'efforçait de chausser les brodequins de Larkin. Conor le traitait en aiglon mais veillait à ne pas le laisser s'égarer hors de l'aire. Il partageait la chambre de Robin MacLeod mais ne perdait pas de vue le vicomte Coleraine, lui autorisant quelques beuveries mais le tenant strictement à l'écart des distractions nocturnes les plus scabreuses. Cet arrangement permettait à Jeremy de faire le faraud devant les comptoirs des bistrots, de pérorer grossièrement avec les costauds mais d'éviter les ennuis. Les discussions sur les femmes, la boisson et le rugby lui donnaient une illusion tapageuse de virilité dont il était très fier.

Conor travailla le jeune homme en artiste. Il lui instilla subtilement son propre amour de la chose écrite et des réflexions enivrantes. Jeremy révérait tant son mentor qu'il se dit : si cet homme raffole vraiment de choses telles que les livres, ces trucs-là doivent avoir du bon. Les loisirs ne leur manquaient pas. Ils s'entretinrent longuement en buvant. Conor l'intéressa au théâtre, aux concerts, lui brossa un tableau passionnant des beautés et des joies de Dublin. Si bien que le jeune homme envisagea avec plus d'enthousiasme son entrée à Trinity College. Lady Caroline constata la métamorphose qui se produisait chez son fils et s'en émerveilla. Pour Jeremy Hubble cette tournée équivalait à un été dans une cabane d'alpage.

Les Chaudronniers remportèrent une victoire retentissante sur Huddersfield puis sur Brighouse, l'ancienne équipe de Derek, que ce succès réjouit particulièrement.


L'été n'était pas encore fini que déjà les matins se firent frisquets et humides. En sortant de chez soi, chacun voyait sa propre haleine percer la brume. Le train privé passa dans une nuée au-dessus de la crasseuse Ayre et entra discrètement en gare de Leeds avant le lever du jour. Les Chaudronniers, ensommeillés, les épaules fléchies, traversèrent la place en file indienne pour atteindre leur hôtel. Les yeux humides dans le crachin Conor se sentait gourd de la tête aux pieds mais le froid n'y était pour rien. Depuis dix semaines il s'acharnait à chasser Bradford de son esprit. Chaque fois que cette perspective lui revenait en mémoire, il comptait les semaines : huit, sept... quatre... quatre semaines ne font qu'un mois. Puis il n'y eut plus que quinze jours.

A Leeds, le délai était encore plus court. Prochain arrêt : Bradford !

Brendan Sean Barrett y serait. Barrett lui dirait ce qui s'était passé avec Duffy O'Hurley. Conor avait plaisanté d'innombrables fois dans les pubs avec le mécanicien de la Main Rouge pendant la tournée, et, chaque fois, il avait celé sa perplexité. En montant dans le convoi et en le quittant il n'avait jamais pu s'empêcher de jeter un coup d'œil vers le tender.

Quelque chose d'étrange se passait chez Larkin. Son projet de contrebande d'armes le passionnait moins. Sans se l'avouer à lui-même, il en arrivait à souhaiter secrètement un contretemps. Peut-être Hurley avait-il repoussé la proposition de celui qui avait pris contact avec lui... Peut-être Barrett avait-il été obligé de fuir Bradford et Conor ne pourrait prendre contact avec lui... Peut-être Barrett l'enverrait-il promener... Alors, tout serait réglé.

Réglé ? Qu'est-ce que Conor désirait régler ?

Pendant tant d'années il avait rêvé d'engager le combat des patriotes, de libérer son pays. Il en avait encore rêvé pendant des nuits de tourment, sur des bateaux perdus au milieu des océans. Tant d'espérance devait se réaliser à Bradford. En serrant la main de Brendan Sean Barrett, il engagerait sa vie, déclencherait les préliminaires de l'insurrection. Pourquoi n'y tenait-il plus autant ?

Leeds... et puis, Bradford.

Mais ce n'était plus l'Irlande, sa mère patrie, qui gonflait le cœur de Conor. Il pensait beaucoup plus à Shelley MacLeod.

## 18

Il pleuvait. Conor entra dans la chambre d'hôtel, se débarrassa de ses vêtements trempés, entrouvrit la porte de la chambre voisine et la trouva vide.

— Où est Jeremy ? demanda-t-il.

— Avec son grand-père, répondit Robin sans quitter des yeux le dernier roman de James Grant : *Les Amants de Letty Hyde*.

— Il ne m'en avait rien dit.

— Tu surveilles ce gosse comme si c'était un débile mental.

Conor se laissa tomber dans un fauteuil au rembourrage déformé par l'âge. Il posa une jambe sur un accoudoir et feuilleta le livre de ses préoccupations. Robin ferma le roman qu'il lisait et dit :

— Il faudra que tu tiennes à l'œil Alfie Newton.

— Oui, oui, je sais.

— Un monstre sanguinaire, le seul homme de la Ligue qu'Argyle ne puisse maîtriser. Il faudrait être un as en jiu-jitsu pour en venir à bout.

— Argyle m'a fait une conférence à son sujet, Doxie m'a fait la leçon, Derek m'en a parlé. Tout le monde m'abrutit avec ce type depuis une semaine.

Conor se leva et alla se regarder dans la glace au-dessus de la table de toilette. Il passa le bout du doigt sur une cicatrice récente de sa joue.

— Pourvu qu'Alfie Newton ne voie pas ça, dit Robin.

Conor grogna et jeta un coup d'œil vers la fenêtre comme s'il espérait qu'un miracle aurait fait cesser la pluie. Même cette pluie paraissait noire. Elle couvrait la chaussée comme une nappe d'huile, luisait sur les toits d'ardoise et les façades de brique rouge. Ratatinés, les passants avaient l'air de miséreux. Conor retourna au fauteuil. A cet instant il perçut une gêne chez son compagnon. Il l'observa plus attentivement. Il lui sembla que Robin avait quelque chose à se reprocher.

L'aveu jaillit à cet instant.

— Je veux te demander un service pour ce soir, bredouilla Robin.

— Tu peux compter sur moi.

— Je voudrais la chambre pour moi tout seul. Elle est mariée.

— A quelle heure ?

— Vers 8 heures et demie. (Robin referma son livre.) Tu me prends pour un salaud, n'est-ce pas ?

— Non.

Robin se leva et marcha dans la petite chambre comme un lion en cage.

— Ecoute, mon vieux, j'adore Lucy et je ne suis pas cavaleur, mais au bout de dix semaines...

— Tais-toi donc ! Nous ne sommes pas dans un confessionnal.

— Il faut pourtant que je t'explique. Tu appartiens

348

presque à la famille et je ne veux pas que tu te fasses des idées à mon sujet.

— Tu n'as rien à m'expliquer, dit Conor

— Pourtant, moi, je suis marié et je me conduis mal alors que toi, tu restes fidèle à Shelley. Tu es réglo avec elle, même après deux mois et demi de séparation. Je me vois moche.

— Ne te dénigre pas toi-même. Je sais que tu aimes ta femme et ton gosse mais nous sommes tous différents les uns des autres et nos besoins sont plus ou moins intenses.

— Tu es un brave type, Conor. Quand j'ai appris qu'on crècherait ensemble, je me suis demandé comment ça se passerait. Tu es célibataire et catholique. Autrefois, j'étais toujours en tandem avec des hommes mariés. Entre nous on se comprend et chacun couvre les fredaines de l'autre. Tu vois ce que je veux dire. Enfin, ça s'est bien passé avec toi. Tu es chic.

— Ne t'agite pas comme ça, Robin. Ce n'est pas une affaire.

Robin s'arrêta devant la fenêtre et regarda dans la rue.

— Putain de pluie !

— Oui.

— Les copains ont les nerfs en pelote. Dix semaines de vadrouille et cette pluie ! Il y aura des bagarres avant la fin de la semaine. Je le sens. Mais, bon Dieu ! ce que tu es calme, toi !

— Peut-être, dit Conor. « Mon pauvre Robin, pensa-t-il, tu ne te doutes pas de ce qui se passe en moi. »

— Tu penses à Shelley ?

— Oui, et c'est agréable.

— Je vois, dit Robin. Moi je pense surtout à Lucy et à

Matt, mais aussi à elle. Tu es un heureux lapin, mon vieux. C'est quelqu'un, Shelley ! (Robin s'allongea sur la couchette qui grinça. Les mains jointes sous la nuque, il s'abandonna à ses souvenirs.) Comment imaginer qu'une petite laideronne aussi marrante ait pu devenir une aussi belle femme ? (Il alluma une cigarette et envoya un rond de fumée au plafond.) Sais-tu que moi aussi j'ai fait une fugue et passé bien du temps sur mer ?

— Shelley me l'a dit.

— C'était la mouise désespérée. Quand on est pauvre à Belfast, mon pote, on est vraiment pauvre.

— Bien sûr. Nous n'avons pas le monopole de la misère. Mais à la campagne elle est moins laide. Je m'en suis rendu compte à Derry. Jusqu'alors j'avais vécu sur la petite ferme de la famille, dans un village où les voisins s'entraident depuis des siècles. On pouvait toujours semer, planter et, si la récolte ne venait pas, il y avait toujours la ressource de la chasse. A Derry, la pauvreté m'a ligoté complètement. Moi aussi j'ai désespéré.

— C'est ça, dit Robin. On ne peut pas bouffer les pavés des rues. (La faible lumière qui tombait de la fenêtre joua sur les traits de son visage viril. Son regard en disait encore plus long que ses paroles.) Oui, mais quand on n'a pas de champs à cultiver, on en rêve, dit-il.

— Des champs de campanules fanées...

— Shelley t'a dit ça aussi ? Elle chantait cette rengaine pendant des heures. Quand nous avons grandi et que nous avions dans les neuf ou dix ans, nous partions ensemble à l'aventure. Nous grimpions dans un tramway bondé à un carrefour et nous disions au receveur que nos parents avaient déjà payé pour nous. Au terminus, à Malone, nous grimpions derrière une voiture à cheval pour nous éloigner vers la campagne. Comme elle est verte autour de Belfast ! On en criait de joie tous les deux. Nous allions de préférence au pont de Shaw : une passerelle au-dessus du Lagan, dans le décor le plus vert qu'on puisse rêver, tout plat, avec l'horizon à l'infini. C'était votre repaire à Shelley et à moi. Nos initiales sont encore gravées sur la rambarde du poncelet.

Robin se redressa brusquement et s'assit au bord de sa couchette.

— Je radote ! dit-il.

— J'aime entendre parler de Shelley, dit Conor.

Robin sourit.

— On laissait nos habits sur ce petit pont et on plongeait en sous-vêtements par-dessus la rambarde. C'était notre repaire à Shelley et à moi. Nos initiales sont pas polluée. Presque toujours une péniche passait par là. Le patron me donnait souvent un denier pour que je conduise l'âne par la bride sur le chemin de halage, et Shelley tenait le gouvernail, ce qui permettait au bonhomme de faire la sieste pendant une demi-heure. Il y avait toujours quelque chose à manger sur ces péniches et, si on regardait les vivres d'un œil assez éloquent, on en avait une petite part.

« Certains jours il nous est arrivé de gagner comme ça quatre ou cinq deniers. Mais ça nous emmenait loin et le retour était long. Aussitôt arrivés au Shankill nous filions droit sur le marchand de fruits au bout de notre rue. Quand il voyait nos pièces de bronze il nous permettait de prendre tout ce que nous voulions dans son baril de fruits talés. Parfois nous en emportions quinze ou même vingt que nous allions bouffer dans un petit coin sans rien dire à personne et ça nous donnait souvent la colique. C'est bizarre, mais nos souvenirs les plus nets portent toujours sur des affaires de mangeaille.

Le visage de Robin s'assombrit brusquement.

— Un jour, Shelley a failli se noyer en plongeant du haut du pont. Grâce à Dieu, je suis parvenu à la ramener à la berge. Je la vois encore, allongée, inerte, ses cheveux mouillés sur la figure. Quand on l'a ranimée, elle était glacée. Il a fallu la porter à l'hôpital. Tu connais mon père : le bon costaud, mais quand il est en colère personne n'oserait l'affronter, même une fourche à la main. Le médecin de l'hôpital ramena Shelley à la maison. Papa comprit aussitôt, me prit par la nuque et me donna une telle raclée que je croyais ne pas y survivre. Est-ce que Shelley t'a dit pourquoi j'ai pris la mer ?

— Oui.

— Et toi, Conor, pourquoi es-tu parti ?

Larkin ne répondit pas.

— Belfast était beaucoup moins prospère dans ce temps-là, poursuivit Robin. Nous n'étions que des gens du Shankill. Une famille d'ouvriers des chantiers navals. Morgan travaillait aux chantiers Weed depuis le jour où ils ont ouvert et son père avant lui avait fait le même métier, chez des petits patrons. Tant que la paye tombait, la vie était tolérable, sauf le dimanche. Le temple, les sermons, les cantiques me donnaient la nausée. Mais quand le travail manquait, c'était affreux. Je revois les yeux des hommes affolés de chagrin à l'idée d'entrer chez eux les mains vides. Ils perdaient la tête et s'en prenaient aux voisins. Le boulot ! Nous y tenons tellement que ça devient une obsession, comme si nous avions la pointe d'un poignard sur la gorge. Ça explique presque entièrement l'hostilité entre nous et les catholiques.

Robin MacLeod se rappelait sa mère sous les traits d'une femme austère dont la religion était aussi profondément gravée dans son âme que les rides sur son visage. Elle ne riait jamais et priait d'une voix grinçante.

— Elle avait un visage de nuit d'hiver et le cœur encore plus sinistre. Si on ne l'entendait pas tempêter, c'est que le jour n'était pas levé. Quand papa chômait, elle s'en prenait à Shelley et à moi en prétendant que Dieu punissait la famille pour nos péchés de gamins.

» Morgan était trop fier pour nous permettre, à ma sœur et à moi, de travailler en usine. Maman y tenait. Leurs querelles à ce sujet en arrivèrent à tel point que je me suis embarqué sur un bateau et que Shelley s'est enfuie en Angleterre.

» Le Seigneur en sa bonté abrégea les tourments terrestres de ma mère qui pria et chanta alléluia jusqu'à son dernier souffle. Plus tard, Morgan épousa la bonne Nell, la meilleure femme qui ait jamais vécu au Shankill. Il nous supplia de revenir au bercail en disant que, sans famille, on n'est plus rien. Bien des gens de Belfast partagent sans doute cette idée. Peut-être vaut-il mieux, en effet, nous entasser dans nos clapiers que de nous répandre de par le monde et de mourir au loin.

Liam parti, moi aussi, Dary parti, notre semence se disperse, notre lignée faiblit, pensa Conor.

La porte s'ouvrit brusquement. Plein d'enthousiasme, Jeremy entra en trombe. L'eau coulait de ses vêtements sur le plancher de la chambre. Il était un peu plus de 7 heures.

— Change-toi et nous irons casser la croûte, lui dit Conor.

— Le repas ne sera pas servi avant une heure, répliqua Jeremy.

— Ce soir j'ai envie de manger quelque chose de convenable et ensuite... eh bien, mon cher, sache qu'on joue au théâtre de Leeds *Le Siège de Ladysmith.* Pas moins !

— Bravo ! Vous venez, Robin ?

— Non. Il faut que j'étudie avec Doxie et Derek notre match contre les Râblés de Leeds.

Jeremy les regarda l'un après l'autre.

— Je me demande pourquoi vous me parlez toujours comme si j'étais un gosse, dit-il dépité.


La victoire sur les Râblés de Leeds fut un merveilleux cocktail de nectar et de boue. Trente-six mille spectateurs trempés jusqu'aux os y assistèrent. La partie commençait à peine que l'épouvantable Alfie Newton — un véritable rhinocéros humain — avisa du coin de l'œil la cicatrice sur la joue de Conor. Argyle Dixon, qui le surveillait de près, s'en aperçut et émit un signal convenu. Conor pivota sur lui-même, s'inclina et donna de la tête en plein sur le front d'Alfie.

Alfie parvint à se relever sans dépasser le temps de mise sur la touche mais ne se remit pas entièrement. Argyle et Conor se relayèrent pour le marquer et le laissèrent à peine respirer. Alfie abandonna avant la mi-temps pour la première fois en dix ans de rugby. Dès lors les Chaudronniers furent maîtres du terrain. Finalement ils l'emportèrent par vingt-quatre à trois. Ce fut le point culminant de la tournée.

Après le match, voilà Conor assis au vestiaire. Il presse une serviette humide contre son front qui a éliminé Alfie Newton. Ce n'est pas la douleur qui lui donne la nausée, mais la conscience du temps écoulé,

Bradford et Brendan Sean Barett sont à l'horizon, tout proches.

L'un après l'autre, ses camarades d'équipe lui donnent une tape amicale sur l'épaule et s'en vont fêter leur victoire. Bientôt il ne reste plus que Jeremy et Robin.

— Allez-vous-en, leur dit Conor. Je vous rattraperai.

Ils s'en vont, eux aussi. L'après-midi touche à sa fin. Il règne dans le vestiaire une grisaille écœurante. Conor reste assis, les joues entre les mains, la serviette sur le front, le regard vague. L'homme de peine ramasse les serviettes et se relève péniblement, aussi perclus que s'il avait participé au match. Il grogne et sacre à voix basse en passant une serpillière sur le sol de ciment.

Enfin, Conor se penche sur une cuvette et s'asperge d'eau froide. L'homme de peine continue à se plaindre : il a encore fallu qu'il inonde le sol, celui-là. On n'en a jamais fini de ce boulot. Puis il remarque le front de Conor.

— Eh bien, mon pote, en voilà une belle bosse ! Tu ne serais pas le Forgeron, non ?

— Oui, c'est moi le Forgeron, répond Conor à voix basse.


Conor rejoignit les fêtards à Old India House. Il fut aussitôt happé par la cohue de ses admirateurs. Il but. On chantait, des chansons de Leeds, des chansons de Belfast, de minables rengaines de music-hall, des chants de mineurs et des ballades sentimentales irlandaises.

Puis comme toujours, les catholiques s'éclipsèrent vers les petits quartiers irlandais, dans les secteurs les plus misérables de la ville. Les pubs de Chapel Town et de Quarry Hill restaient ouverts pour accueillir leurs héros.

Jeremy Hubble regimba tout le long du chemin jusqu'à l'hôtel où Conor le conduisit avant d'aller chez Tooley recevoir les félicitations de ses compatriotes. Le passage du célèbre Forgeron resterait un sujet de conversation pendant longtemps et son souvenir romprait la monotonie de leur existence sordide.

Duffy O'Hurley, Doxie O'Brien et Calhoun Hanly tenaient leur cour dans un coin du bistrot. D'une gaieté tapageuse d'habitude, Duffy paraissait étrangement méditatif ce soir-là. Conor croisa son regard dans le tohu-bohu. Duffy hocha lentement la tête et leva sa chope comme s'il saluait.

## 19

**Bradford**

Robin tendit la main dans l'obscurité, trouva la lampe et l'alluma. Conor boutonnait son manteau, devant la porte. Robin s'appuya sur un coude, secoua la tête pour démêler les écheveaux du sommeil et jeta un coup d'œil à sa montre.

— J'ai besoin de prendre l'air, dit Conor.

— Mais dis donc, il est 11 heures passées et nous avons un match du tonnerre demain.

— Je le sais, mais je n'en ai pas pour longtemps.

Tout à fait réveillé, Robin rejeta ses couvertures et s'assit au bord du lit.

— Dis-moi, Conor, qu'est-ce qui te mine ? Tu fais une gueule d'enterrement depuis trois jours.

— Couche-toi et dors.

— C'est la lettre que tu as reçue de Shelley aujourd'hui ?

— Absolument pas, rétorqua Conor.

— Ça ne va vraiment pas, alors ?

— Excuse-moi. Je ne suis pas tout à fait dans mon assiette.

— Bon. Eh bien, ne rentre pas trop tard. Les gars de Bradford sont aussi durs que les autres, mon vieux.

Un dernier fiacre était arrêté à proximité de l'hôtel. Le cheval et le cocher somnolaient. Conor frappa le coude de l'homme. Le canasson s'ébroua.

— Où voulez-vous aller, monsieur ?

— Au Wapping.

— Quelle adresse ?

— Au premier pub que nous trouverons en bas de Boulton Road.

Quand la voiture s'éloigna Robin était penché à la fenêtre du troisième étage. Il laissa les rideaux retomber et dodelina du chef, l'air intrigué. Mais, que diable ! ça ne le regardait pas. Apparemment l'ami Conor ne faisait pas de charres à Shelley. Ces diables de catholiques romains avaient la manie de rechercher leurs semblables, partout où ils passaient. Robin se recoucha, abaissa la mèche de la lampe et ramena les couvertures sur lui.

Conor paya le cocher devant la cathédrale où Boulton Road débouche sur Cheapside et continua à pied au cœur de la ville irlandaise. Dans ce quartier pullulaient les réfugiés venant de nulle part, n'allant nulle part : femmes de charge, hommes de peine, blanchisseuses, colporteurs, miséreux, cardeurs de laine, manœuvres, pauvres diables. Wapping empestait.

Un sergent de ville marchait lentement sur le trottoir. Conor l'aborda.

— Excusez-moi, monsieur. Où se trouve la rue du Sanglier ?

— Au cinquième carrefour sur la droite.

— Merci.

Conor poursuivit sa route. Bientôt il y fut tout seul avec les lampadaires. Arrivé au carrefour, il reprit son souffle devant une rue étroite et hésita, jeta un coup d'œil derrière lui pour la dixième fois. Quelques rares noctambules traversaient le carrefour voisin. A part ça, le quartier était désert. Conor s'engagea dans la rue et marcha d'un pas décidé. Il s'arrêta en face du salon funéraire Callaghan. Des femmes en châle noir et des ouvriers coiffés de casquettes grouillaient derrière les vitres aux rideaux de crêpe.

Conor traversa la chaussée et entra.

Des gens priaient, à genoux, autour de la dépouille mortelle de feu Vincent O'Conney, du comté Cork, que Dieu accueille son âme ! Vincent O'Conney, tué dans un effondrement de galerie de mine à trente-deux ans, laissait une veuve et neuf enfants en ce bas monde.

La flamme des cierges jouait étrangement sur les visages durs des gens en prière. Un vieux prêtre usé par les ans distribuait sans conviction ses condoléances. On pleurait un peu, on gémissait aussi, mais on était très las.

— Vous étiez un ami du défunt ?

— Je le connaissais à peine, répondit Conor qui parcourut la salle du regard en cherchant à repérer qui pouvait bien être Callaghan.

Puis il s'agenouilla et se joignit au chœur du rosaire. Il continuait à scruter les visages. Les prières terminées, une porte s'ouvrit dans le fond de la salle et un homme apparut. Son veston d'alpaga et son pantalon à rayures étaient élimés, conformément à la mode du quartier.

Presque tout le monde s'en alla, laissant la veuve veiller seule. Quand la salle fut presque déserte, Conor se leva, essuya la sueur de son visage et se dirigea vers l'homme au veston d'alpaga.

— Monsieur Callaghan ? demanda-t-il.

L'autre hocha la tête et dit :

— Vous n'êtes pas de Bradford ?

— Je... heu... je connaissais le défunt il y a assez longtemps. Je passais par Bradford et j'ai appris sa mort dans un pub. Ça m'a donné un choc.

— Vous me paraissez très affecté, monsieur ? Voulez-vous venir à côté pour vous reposer.

La bouche sèche, Conor eut pour la première fois de sa vie l'impression qu'il allait s'évanouir. Pris de vertige, il oscilla... Callaghan lui saisit l'avant-bras et le conduisit vers le fond de la salle.

Conor s'arrêta, fit demi-tour et s'enfuit.

## 20

Bien des Galllois jouaient dans diverses équipes de la Ligue du Nord mais n'avaient pas de clubs professionnels à eux. A la fin de la saison, Sir Frederick organisa deux matches amicaux entre les Chaudronniers et une sélection galloise. La publicité présenta ces rencontres comme des matches entre l'Irlande et le pays de Galles. Ils eurent lieu à Swansea et à Cardiff, devant des foules délirantes. Pris individuellement, les Gallois surclassaient leurs adversaires mais les Chaudronniers constituaient une unité cohérente depuis des années, aussi gagnèrent-ils haut la main deux matches furieusement animés.

Fort de cette saison qui se terminait en triomphe, Sir Frederick se lança dans les projets de tournées professionnelles en Australie, Nouvelle-Zélande et France. Usant des qualités de persuasion qui faisaient sa force en affaires, il incita les Gallois à constituer leurs propres équipes qui s'affilieraient à la Ligue de rugby du Nord.

Satisfait, Sir Frederick organisa au seuil de la semaine de vacances un banquet final auquel il convia les Gallois, à l'hostellerie Lord Pembroke, dans un endroit dénommé les Mubles, à mi-chemin entre Thistleboon et Oystermouth, sur la baie de Swansea. Conor quitta les réjouissances de bonne heure car il désirait prendre le premier train du matin pour Liverpool, afin d'accueillir Shelley à sa descente du bateau. Il remettait Lord Jeremy en de bonnes mains, celles de Robin MacLeod.

A 5 heures du matin, il fut réveillé par des coups violents frappés à la porte de sa chambre, alla ouvrir en titubant de sommeil. Lorsqu'il vit son compagnon, il écarquilla les paupières. Robin MacLeod était en piteux état. Conor l'attira vivement dans la chambre et referma la porte derrière lui.

— Une légère altercation, bafouilla Robin péniblement car il avait la bouche tuméfiée et son haleine empestait l'alccol.

Conor l'aida à gagner la table de toilette, lui épongea le visage et examina l'étendue des dégâts.

360

— Qu'est-ce qui s'est passé ?

— Eh bien... donne-moi le temps... Tu as dû quitter l'hostellerie Lord Pembroke sur le coup de minuit ou à peu près. C'est pas ça ?

— Mais si.

— Attends un instant, que j'essaie d'y voir clair. Le programme comportait un petit supplément, dans une des meilleures maisons, évidemment... à Thistleboon, si je me rappelle bien. Alors, nous nous y sommes trouvés avec quelques dames galloises. Il y avait Argyle, le grand Brett, O'Rouke, Clarke et moi... Euh... ça marchait bien. Tout se passait d'une manière très convenable, disons même mondaine...

— Je vois ça d'ici.

— En tout cas voilà Brett qui s'accroche avec une nana sensas, aux nénés comme ça ! Alors, tu comprends... euh... eh bien, oui, alors... Nous savons tous comment se conduit Brett quand il a un coup dans le nez. Au bout d'un moment on s'est dit qu'il pourrait la partager avec nous. Et ces diables de Gallois ont des caractères impossibles. Tout d'un coup, voilà une bouffée de nationalisme crasseux qui se manifeste sourdement dans une réunion par ailleurs fort distinguée. Bien sûr, le grand Brett est un répugnant salopard quelquefois, mais nous sommes bien obligés de le défendre. L'honneur de l'Irlande est en jeu...

Robin s'effondra dans le fauteuil. Conor en profita pour nettoyer une plaie profonde.

— Alors, il y a eu bagarre ? dit-il.

— On a tout cassé, tout saccagé. Un ravage monumental. Les corps et les meubles voltigeaient d'un mur à l'autre, les filles braillaient. J'ai rarement passé une aussi bonne soirée. Enfin... j'ai eu la chance de m'éclipser juste avant l'arrivée des flics et je me suis ramené ici sans me faire repérer. Je crains que les autres soient légèrement détenus.

— Ça regarde Sir Frederick.

Robin poussa un profond soupir et baissa la tête.

— Je ne t'ai pas tout dit.

— Eh bien, dis-le !

— Ma foi... laisse-moi le temps de voir si je peux t'expliquer ça... Tu vois... Eh bien, voilà. Il y avait quelqu'un d'autre avec nous...

Conor ouvrit aussitôt la porte de communication avec la chambre voisine. Jeremy n'y était pas.

— Salopard !

— Allons, allons, Conor. Ecoute, mon pote.

— Tu es un salaud !

— Permets-moi de te dire, avec toute la ferveur d'un cœur sincère, que nous sommes fiers de ce gamin. Il a assommé un Gallois d'un seul coup de poing. Avant il se conduisait fort bien. Entremêlé avec une grosse blonde il avait l'air aussi heureux qu'un cochon dans le purin.

— Tu mériterais que je te crève.

— Allons, Conor. Nous sommes copains, presque des frères de sang. Un peu de modération, mon cher, un peu de modération.

— Où est-il ?

— Si tu voulais bien me lâcher le coude et te calmer...

VICOMTE COLERAINE EPINGLE DANS UNE RIXE DE BORDEL. Caroline lut ce titre en tremblant de rage, jeta le journal sur le tapis et en prit un second dans la pile qui se trouvait sur la table du thé. LA NUIT DE SA SEIGNEURIE EN VILLE. L'HERITIER DU COMTE DE FOYLE PERD PLUSIEURS DENTS DANS UNE BAGARRE AU SUJET

DE DAMES. Et un autre : LORD JEREMY JOUE DU POING POUR SES COPAINS.

Affalé dans un énorme fauteuil à l'extrémité du salon de leur appartement à l'hôtel, Sir Frederick, l'air exceptionnellement docile, cherchait à se rendre le moins visible possible, mais en vain car Caroline brandit un journal dans sa direction.

— Regarde-moi ces ordures ! Toutes les minables feuilles à scandale des îles Britanniques en sont pleines.

— Oui, c'est dégoûtant, murmura Weed. Ils sont terribles ces journalistes.

— Freddie ! Je te parle de la conduite répugnante de ton petit-fils ! glapit Caroline.

— Bah ! Une tempête dans une tasse de thé, répondit-il sans conviction.

Elle se tourna vers Jeremy, debout sur le tapis cramoisie.

— Tu vas me dire une fois de plus exactement ce qui s'est passé et je tiens à la vérité. Ton père est probablement arrivé en ville et viendra ici directement. La vérité, Jeremy. La vérité !

Son fils entrouvrit la bouche. L'absence de deux dents, les lèvres fendues et l'œil poché firent grimacer sa mère qui avait déjà constaté morsures, bleus et griffures sur le dos et la nuque.

— La vérité ! s'écria-t-elle encore.

Il s'éclaircit la gorge.

— Eh bien, mère, nous dînions tous ensemble au Lord Pembroke. Une fête bien honnête, bonne camaraderie et tout, quand le bruit courut de bouche à oreille que... ma foi... on avait prévu de la compagnie.

— Tu veux dire des putains ? dit Dame Caroline.

— Oui, il est permis de dire ça. Les convives se

363

séparaient. Conor, M. Larkin, me dit : « Viens, trognon. »

— Il t'appelle trognon ?

— Un surnom affectueux, mère. Oui, M. Larkin m'a dit affectueusement : « Trognon, il est temps de se tailler. »

— Continue, dit Caroline.

— Eh bien, je lui ai dit que je le rejoindrais sur-le-champ... avec un autre membre de l'équipe...

— Qui ?

— Ne me demande pas de moucharder.

— J'ai demandé qui !

— Le capitaine, M. MacLeod.

— Ainsi Robin MacLeod t'a emmené à cette orgie, c'est bien ça ?

— Non, pas tout à fait. J'ai appris où la nouba aurait lieu. Je suis retourné à notre hôtel, j'ai entrebâillé la porte de communication avec la chambre de Conor. Je lui ai souhaité bonne nuit. Je me suis esbigné et j'ai rejoint les copains.

— Et par la suite on t'a emporté dans une voiture de police, comme un vulgaire malfaiteur, à 4 heures du matin... sans pantalon... couvert de sang de la tête aux pieds. Tu aurais au moins pu t'en aller avant que se déchaîne cette bagarre répugnante.

— Enfin, mère ! on ne lâche pas les copains dans un cas pareil.

Caroline pivota sur elle-même, foudroya du regard son père qui se tenait coi dans son fauteuil.

— Il ment pour disculper Conor Larkin !

— Mère, je ne mens pas. Conor n'aurait pas admis une chose pareille.

— Il m'est revenu que Conor Larkin t'a permis

de fricoter avec une prostituée à Hull et même de l'emmener avec toi à Halifax. C'est vrai, oui ou non ?

— Eh bien, pas tout à fait vrai. Disons, plus ou moins, intervint Sir Frederick.

— Conor Larkin lui a-t-il permis de fréquenter une putain pendant plusieurs semaines ?

— C'est vrai, répondit son père plus énergiquement. Larkin est venu me voir et m'a dit que Jeremy s'était entiché d'une fille comme un gamin et qu'il prenait ça au sérieux. Nous avons conféré à ce sujet et décidé de laisser courir. Si nous l'avions obligé à rompre, nous aurions eu toutes sortes d'ennuis avec ce garçon.

— Grand-père a raison, dit Jeremy. Je me croyais amoureux. Conor... M. Larkin, m'a permis ainsi de réaliser combien j'étais sot.

— Eh bien !... Une belle tournée en vérité ! dit Caroline. Et ce Larkin t'a-t-il permis de traverser l'Angleterre en faisant escale dans tous les pubs ?

— Mère, je ne saurais admettre que Conor en soit responsable. J'ai bu deux pintes par soirée, pas plus. Si je lui ai échappé presque tous les soirs, ce n'est pas sa faute.

— Qu'on aille chercher M. Larkin !

Aussitôt arrivé dans la pièce, Conor alla droit à Jeremy dont il examina les blessures. Le jeune homme baissa les yeux.

— Tss, tss, tss... C'est honteux, Jeremy, souffla Conor.

— C'est comme ça que vous veillez sur un mineur dont vous êtes responsable ? demanda Dame Caroline d'une voix frémissante de colère.

Conor haussa les épaules.

— Un instant, Caroline, dit Sir Frederick. Larkin n'est en rien mêlé à cet incident, c'est évident.

— Ah, je vois. Tous les costauds sont ligués contre moi.

— Puisque tu tiens à savoir la vérité, poursuivit Weed, c'est moi qui ai organisé le programme... euh... des festivités.

— Freddie ! Tu es méprisable. Quant à vous, monsieur Larkin, vous avez des comptes à me rendre.

— Ne comptez pas sur ma franchise, madame. Comme vous le savez, nous sommes tous des menteurs pathologiques. J'espère que vous voudrez bien m'excuser.

— Non ! cria-t-elle. Je ne vous excuse pas.

Elle fit un pas vers Conor la main levée pour le gifler, mais il lui saisit le poignet et le serra juste assez pour lui faire comprendre de ne pas aller plus loin.

— Si vous recommencez, je vous donnerai la fessée devant votre fils et votre père, dit-il.

— Bravo, Larkin ! s'écria Sir Frederick.

Conor lâcha le poignet de la dame stupéfaite. Le masque de rage tomba et elle fut prise de fou rire.

— Vous êtes superbe, Larkin !

Elle rit encore. Sir Frederick jaillit de son fauteuil en riant lui aussi. Jeremy se dandina gauchement en faisant porter le poids de son corps tantôt sur un pied, tantôt sur l'autre. Il exhiba un sourire auquel il manquait deux dents et rit à son tour. Conor en fit autant. Caroline étreignit son fils et pleura.

— Tout va bien, dit Jeremy. Tu serais enchantée, mère, si tu voyais dans quel état j'ai mis celui qui m'a fait ça. Conor m'a appris à cogner.

A cet instant Roger Hubble apparut sur le seuil de la

pièce. Les rires s'éteignirent un à un. Il entra, et referma la porte en réprimant son dégoût. Puis il les regarda à tour de rôle, d'un air réprobateur. Enfin, aussi impassible qu'à l'arrivée, il fit demi-tour pour s'en aller.

— Père ! s'exclama Jeremy qui traversa vivement la pièce et s'adossa à la porte. Père, murmura-t-il. Père...

Roger le gifla et sortit.

— Jeremy ! s'écria Caroline.

— Il n'aurait pas dû faire ça, décréta catégoriquement Sir Frederick.

Le jeune homme bondit vers Conor Larkin qui l'étreignit et le réconforta.

— C'est rien, trognon, c'est rien.


## 21


La vie s'était retirée de Blackpool, laissant Conor et Shelley presque entièrement seuls sur la longue promenade entre le sable et la mer. Le cri aigu des mouettes et le martèlement sourd des vagues donnaient à leur isolement quelque chose de troublant. Toutes les incertitudes qui s'étaient accumulées en eux durant leur séparation s'évanouirent à l'instant où ils se retrouvèrent.

Ce qui avait commencé à Belfast prit son essor sur des ailes éthérées dans la grisaille sinistre. Ils n'étaient ni vivants ni morts, mais suspendus dans l'espace infini où le temps n'existe pas. Ils comprirent aussitôt que ce voyage pouvait durer à jamais, qu'ils pouvaient en jouir ensemble, sans jamais revenir sur leurs pas car ce qui s'ouvrait devant eux était une chaîne ininterrompue d'actes d'amour, toujours renouvelés, chaque fois entièrement différents. Peut-être leurs corps refaisaient-ils sans cesse la même chose, mais leur esprit y trouvait chaque fois de nouvelles interprétations.

Ils arrivaient devant une caverne dont l'entrée était barrée par un énorme rocher qui céda. Ils entrèrent ensemble car on ne peut y pénétrer que par couples. Des éternités s'offraient à eux car ils atteignaient la grâce unique de régénération constante et complète. Quelque chose flottait à n'en plus finir. Ils avaient découvert le nirvana ; cette constatation les effrayait et les émerveillait à la fois.

Pour Conor Larkin, aimer Shelley MacLeod l'obligeait à faire un bilan. Auparavant il s'était élevé, à force de volonté, jusqu'au seuil d'un état qui éliminait ce genre d'amour ; pourtant, au dernier instant il avait reculé. Il s'était enfui du salon funéraire Callaghan parce qu'il voulait revoir Shelley avant de s'engager définitivement. Il se demandait, en effet, si ce qu'il éprouvait était vrai ou s'il s'agissait de quelque illusion poétique.

Dès leur première rencontre, Shelley lui avait à son insu suggéré des doutes sur le cours qu'il donnait à son existence. Il en était venu à se demander auprès d'elle si en réalité il n'aspirait pas tout simplement à l'amour d'une femme. Peut-être ne s'en était-il pas rendu compte avant de connaître celle qui lui était destinée. La chaleur de Shelley lui donnait enfin la paix dans sa virilité et cette paix était infinie. Oui, elle apportait la quiétude. Ses doutes le bouleversaient. Il savait désormais qu'il ne pourrait plus franchir la porte de l'arrière-salle avant d'avoir revu Shelley.

Chaque nuit et dans la journée aussi, ils retournaient dans la caverne pour s'envoler et atteignaient rapidement dix trillions de galaxies qu'ils exploraient comme des réseaux miraculeux. Lorsqu'ils croyaient avoir atteint le nirvana définitif, ils trouvaient encore autre chose de plus passionnant... et ainsi de suite.

Au tic-tac des horloges de Blackpool, Brendan Sean Barrett, Dan Sweeney, la Fraternité, les tenders et les fusils s'estompaient.

Dans l'hôtel presque désert il ne restait plus que quelques attardés. Un dernier orage éclata, fit enfler les vagues furieusement et des éclairs de chaleur déchirèrent brutalement le ciel. Conor et Shelley sortirent sur le perron pour l'admirer, enthousiasmés par les feux spectaculaires du ciel qui se reflétaient sur la crête écumante des vagues en folie.

La décision s'imposa aussi vivement et d'une manière aussi lumineuse. Il saisit Shelley par l'épaule.

— Je veux t'emmener au loin, dit-il. Viens-tu ?

— Mes bagages sont toujours prêts depuis le début de ma vie, répondit-elle. (Conor regarda sa silhouette qui se découpait sur le ciel d'orage.) Je sais ce que tu médites depuis douze semaines, reprit-elle. Ça te paraît peut-être parfaitement clair, Conor, mais en es-tu sûr ? Absolument certain ?

— Avec toi, Shelley, je peux réussir.


Ils dormirent peu cette nuit-là car ils avaient quelque chose de plus exorbitant encore à découvrir ensemble. Quand ils succombèrent au besoin de repos, l'heure était venue de toucher, de réitérer, de s'accrocher plus intensément à leur décision de partir. Le matin l'orage était apaisé ; les deux amoureux, aussi épuisés et calmes que la mer.

Conor bredouillait doucement, en extase :

— ... Plus j'y réfléchis, plus je choisis l'Australie. Nous pourrons y faire tout ce que nous voudrons tant que j'aurai ça, dit-il en élevant ses deux mains.

— Où tu voudras, ronronna-t-elle.

Il lui couvrit le dos de baisers et la caressa d'une manière qui ne manquait jamais de l'émouvoir, même lorsqu'elle était tout à fait à bout.

— Je suis heureux, dit-il. Nous réglerons l'affaire du mariage avant d'embarquer et nous arriverons en Australie en qualité de monsieur et madame.

Shelley pleura de joie. Il prit un mouchoir sur la table de nuit pour qu'elle s'essuie les yeux et se mouche. Il s'assit, adossé à la tête du lit. Elle se retourna et se serra étroitement contre lui pour le regarder méditer.

— Nous embarquerons le plus tôt possible. Ici, en Angleterre. Je file à Londres pour m'occuper du passage et des paperasses. Tu fais un saut à Belfast pour emballer nos affaires et régler mes comptes.

— Tu ne viendras pas, toi ?

— Je ne veux pas retourner en Irlande, murmura-t-il. Rien ne m'y appelle vraiment...

Elle lui posa les doigts sur les lèvres.

— Ne dis plus rien, Conor, sauf que tu m'aimes.

— T'aimer ? Tu es toquée ? Tes seins sont trop petits, tu chantes faux, tu marches comme si tu avais les pieds plats, tu n'es pas capable de boire une goutte et le pire, c'est que tu pries debout !

Ils passèrent la journée à marcher sur la passerelle de planches au bord de la mer, se rassurant réciproquement sans cesse en se tenant par la main, par la taille. Au repas du soir leurs yeux préludaient à la nouvelle aventure amoureuse de la nuit.

Conor alluma le feu dans la cheminée et elle s'installa

dans un profond fauteuil de cuir. Ils récapitulèrent leurs projets. Puis il s'assit devant le secrétaire pour écrire à Robin, à Seamus O'Neill, à Jeremy. Un coup frappé à la porte l'interrompit.

— Excusez-moi de vous déranger, monsieur, dit le propriétaire de l'hôtel. Un monsieur désire vous voir. Il vous attend en bas.

— Moi ?

— Il m'a demandé Conor Larkin.

Conor haussa les épaules en pensant que c'était sans doute un rugbyman qui, ayant entendu parler de lui, désirait le voir. Il suggéra cette hypothèse à Shelley qui le regardait d'un air intrigué.

— Qui veux-tu que ce soit d'autre ? Je ne connais personne ici. (Il enfila son veston, l'embrassa et lui dit :) Je n'en aurai que pour quelques minutes, mon amour.

M. Thornton, l'aubergiste, lui indiqua du doigt la longue véranda, face à la mer, au delà du salon.

— Il vous attend là-bas, monsieur Larkin.

Conor sortit. La fraîcheur du soir le surprit. Il regarda autour de lui. La lune presque pleine argentait une mer paisible. La silhouette d'un homme, de petite taille, se découpait sur le jeu des vagues à l'entrée de la véranda, le dos tourné à Conor qui s'approcha.

— Vous avez demandé à me voir ?

L'inconnu se retourna. Conor en fut médusé ! A première vue il croyait reconnaître... Non, c'était impossible ! Il fit un pas de plus, pensant que les reflets de la lune modifiaient les traits de cet homme. Vieux, voûté, mais si ressemblant... Conor secoua la tête, interloqué... Se pourrait-il ?

— Kevin O'Garvey ? demanda-t-il.

— Oui, c'est moi, répondit Kevin d'une voix à laquelle on ne pouvait se tromper.

— Je délire, je perds la tête.

— Non, c'est bien moi. Je comprends. Ce doit être un choc terrible pour toi. Excuse-moi de ne pas t'avoir prévenu.

— Un instant, dit Conor. C'est pas vrai, je n'y crois pas.

— J'ai changé, c'est vrai, mais regarde-moi bien et calme-toi. Je t'expliquerai.

Conor resta pétrifié. Il chercha à récapituler rapidement la suite des événements qui avaient accompagné la disparition de Kevin, mais son esprit s'égara d'autant plus qu'il était désemparé à cette époque.

— Doux Jésus ! dit-il. Je n'y comprends plus rien.

— Ça te fait l'effet d'un coup de poing dans la gueule, oui, je comprends. Asseyons-nous et parlons un moment.

Conor hocha la tête. Ils entrèrent dans la véranda. Conor se laissa tomber dès l'entrée sur un siège à bascule. Kevin en attira un pour s'asseoir en face de lui.

— Où commencer ? Eh bien, voyons. Pour des raisons que tu apprendras dans quelques minutes, je n'ai repris contact avec personne à Derry, depuis ma disparition, sauf avec le père Pat et j'ai exigé de lui un serment de discrétion. Le père Pat m'a écrit plus tard, quand l'évêque l'éloigna du Bogside, pour m'indiquer qu'il t'avait dit me soupçonner d'avoir sans doute consenti à une combine quelconque avec les Hubble afin qu'il n'y ait pas d'enquête à la fabrique de chemises.

Conor hocha à peine la tête en cherchant encore à y voir clair.

— Cette hypothèse doit déjà t'avoir choqué.

Conor acquiesça de nouveau d'un signe de tête.

— Essaie de comprendre ce que j'ai éprouvé quand j'ai appris l'incendie. J'étais aussi responsable de cette centaine de morts que si j'avais incendié la fabrique de mes propres mains. Cette horreur m'a accablé. En outre, toute mon existence aboutissait à un échec. Bien sûr j'ai envisagé la possibilité de retourner à Derry et de faire face, mais je n'ai pas pu. L'énergie m'a manqué, Conor. Et ce n'est pas tout ; j'étais en état de choc, profondément déprimé. Tu me comprends ?

— J'étais dans le même état, répondit Conor. Finalement c'est le chagrin qui m'a fait fuir Derry. Je ne peux même pas imaginer l'effet que cet incendie a fait sur toi.

— J'ai fui, dit Kevin.

Conor jaillit de sa chaise à bascule qui se balança vide.

— Je n'en crois pas mes oreilles. Tout ça, c'est un fantasme insensé. Si je ne rêve pas, comment as-tu pu savoir que je me trouve ici ? Personne ne sait que je suis à Blackpool, surtout pas le fantôme de Kevin O'Garvey.

— Brendan Sean Barrett me l'a dit.

— Je ne l'ai jamais vu. Il n'a aucun moyen de le savoir.

— Mais mon pauvre ami, les membres de la Fraternité ne sont pas des imbéciles. Dès que tu as posé le pied en Angleterre, ils t'ont tenu à l'œil. Ils t'ont surveillé dans toutes les villes par lesquelles ta tournée est passée. Callaghan était à la gare de Bradford quand tu es descendu du train... Tu as l'air de douter encore. Bon. Es-tu, oui ou non, allé au salon funéraire Callaghan, rue du Sanglier, il y a quinze jours, et n'as-tu pas quitté cet établissement sans prendre contact ?

Conor le regarda, l'air égaré. Si c'était un fantôme, il

était bien informé. Il étudia de nouveau le visage ridé, usé presque jusqu'à l'émaciation par le remords. A n'en pas douter, il était bien en face de Kevin O'Garvey.

— Alors, c'est vrai ? dit-il.

— Mais oui, c'est vrai ! répondit Kevin.

— Comment as-tu appris ma présence à Blackpool ?

— Tu parais avoir oublié que j'appartiens à la Fraternité depuis le temps des Fenians. Même quand ils étaient en sommeil, je n'ai jamais perdu le contact avec eux. Dès que je fus élu au parlement j'ai contribué à remettre les choses en état à Londres.

— Continue, murmura Conor.

— Quand tu es arrivé en Angleterre avec ton équipe, Brendan Sean Barrett reçut une lettre de Dan Sweeney. Il lui conseillait de te surveiller. (Kevin montra du pouce l'hôtel proprement dit.) Il s'agit d'une femme, je crois. Nous t'avons suivi pas à pas, quand tu as pris tes billets de chemin de fer et réservé une chambre à cet hôtel en quittant Swansea.

— Je vois, dit Conor, tout à fait effondré. Ainsi, la Fraternité me soupçonne.

— Tu as dit toi-même à Sweeney que ta liaison avec cette femme était une affaire sérieuse. Il a pris des précautions méticuleuses.

— Il a bien fait, dit Conor. Alors, tu t'es caché en Angleterre pendant toutes ces années ?

— Non, pas tout à fait. Après l'incendie de Witherspoon & McNab, j'ai décidé de fuir ; les gars m'ont trouvé un pays sûr : un endroit où un avocat peut exercer son métier et gagner sa vie sans que personne lui pose de questions.

— Où es-tu allé ?

— Au Paraguay. Il m'a fallu trois ans pour revenir à

un semblant d'état normal. Je n'ai jamais perdu le contact avec la Fraternité évidemment. J'ai travaillé pour les Frères en utilisant le Paraguay comme port d'attache. Leurs passeports me permettaient d'entrer aux Etats-Unis et d'en sortir, tout comme en Angleterre.

— Pendant tout ce temps-là tu n'as fait savoir à aucun d'entre nous que tu étais vivant ?

— Rien qu'au père Pat. C'est un prêtre et il pouvait me renseigner au sujet de mes amis et de l'Irlande. Apprendre la vérité aux autres ne leur aurait donné que du chagrin.

— Et ta femme, mon ami ?

— J'ai beaucoup pleuré à ce sujet, crois-moi. Mais Teresa savait en m'épousant que j'étais un Fenian. Elle a toujours compris que certaines choses m'importaient plus que notre union. Tu vois, Conor, on se souvient de moi comme d'un membre de la Ligue agraire, d'un avocat qui a combattu pour les siens. On me respectait, on m'aimait même, peut-être. Révéler la vérité n'aurait servi à rien, sinon à détruire l'idée qu'on se faisait de moi.

Conor cessa ses allées et venues et se reprit.

— Pourquoi es-tu venu ici ?

— Je suis venu en Angleterre pour apporter de l'argent de la part du Clan en Amérique. Trois mille livres. Je les ai données à Brendan Sean Barrett pour qu'il te les remette. Quand les gars constatèrent que tu te conduisais d'une manière bizarre après t'être échappé de chez Callaghan, nous avons conféré. Je les ai convaincus que tu ne me cacherais rien parce que nous sommes de très vieux amis.

— Eh bien, oui. Je ne te cacherai rien. Dis à Barrett que pour moi c'est terminé. Tu me connais suffisamment pour te porter garant de mon intégrité. Tu as aussi assez confiance en moi, j'espère, pour me croire lorsque je te dis que je n'ai pas révélé quoi que ce soit, à qui que ce soit, au sujet de la Fraternité.

— Attention, Conor ! Personne ne te prend pour un mouchard malgré ton comportement. Nous savons tous qu'il s'agit d'une femme.

— Alors, très bien, Kevin. C'est une rupture correcte. Nous ne nous devons rien, ni d'un côté ni de l'autre.

— Sûrement. Alors, c'est vraiment terminé ? La femme ?

— Oui, cette femme.

— Tu l'aimes tant que ça ?

— Oui.

Kevin hocha tristement la tête.

— Avec Teresa, ce n'était pas la même chose. Elle était des nôtres. Une catholique. Elle savait que j'étais un Fenian et que je ne cesserais jamais de l'être. Alors, tu vois, la Fraternité n'aurait jamais pu se dresser entre nous.

— Ce n'est pas elle qui prend cette décision, mais moi, dit Conor. Elle ferait tout ce que je lui demanderais. Il se trouve que désormais je préfère quelque chose à l'agonie de l'Irlande.

— C'est ton droit. Les Frères te regretteront. Tous les vieux de la vieille avaient bonne opinion de toi.

— J'aime ma femme, dit catégoriquement Conor. Je l'aime d'un amour que tu ne peux pas comprendre.

— C'est probablement vrai.

— Mais que diable, Kevin ! Regarde ce que l'amour de l'Irlande a fait de toi !

— Oui. C'est vrai. A mon âge on a le temps de beaucoup réfléchir à son existence. En réalité, j'ai commis deux graves erreurs. D'abord j'ai osé pactiser avec le diable incarné par Maxwell Swan. Ensuite, j'ai pris la fuite. J'aurais dû retourner à Derry et répondre de ce que j'avais fait, au risque de passer la fin de mes jours en prison et de perdre l'amour de mon peuple. Cette fuite m'a fait vivre dans les limbes, Conor, et un être humain n'y vit pas en réalité. On y est des morts vivants. C'est pire que la mort et on ne souhaite que mourir.

— Moi je ne m'en vais pas dans les limbes, rétorqua Conor.

Kevin immobilisa sa chaise à bascule et se leva, l'air las.

— Bien sûr, dit-il. Tu as tout prévu.

Conor lui saisit le bras.

— Tu me prends pour une saloperie de traître, n'est-ce pas ?

— Comment pourrais-je penser une chose pareille ? Je t'ai tenu dans mes bras quand tu étais un nourrisson. J'ai suivi ta vie pas à pas. Le fils de Tomas un traître ? Jamais ! Tu ne peux pas nous trahir. C'est hors de tes possibilités. Mais tu peux te trahir toi-même et, pis encore, trahir cette femme. C'est en Australie que tu vas ?

— Comment peux-tu le savoir ?

Kevin haussa les épaules.

— Tu y as vécu pendant trois ans. On ne peut pas aller plus loin de l'Irlande. J'espère que c'est assez loin. J'espère que tu n'entendras plus jamais le nom de l'Irlande comme ça m'est arrivé si souvent. Souvenirs, odeurs, visages entrevus, mots que l'on entend... tout ça peut détruire un homme au bout d'un certain temps. J'espère surtout que tu n'entendras pas parler de l'insurrection quand elle éclatera. Ça te tuerait sûrement. Mais... j'ai dit à Brendan Sean Barrett que notre entrevue ne servirait à rien. Je lui ai dit : « Conor Larkin est un homme, sûr de lui, qui sait ce qu'il fait. » Ne t'inquiète pas. Nous ferons passer ces fusils, d'une manière ou d'une autre. Eh bien, j'ai assez abusé de ton temps. Que Dieu te protège, Conor.

Conor enfonça ses mains dans ses poches et hocha seulement la tête, indiquant ainsi qu'il refusait les effusions d'un adieu mais souhaitait seulement convaincre Kevin de le laisser en paix. Kevin répondit par un hochement de tête et sortit de la longue véranda. Au lieu de se diriger vers le vestibule, il descendit les marches conduisant à la plage. Ses pieds traînèrent sur le sable, comme s'il l'aspirait. Il continua à avancer vers l'eau.

— Arrête ! cria Conor. Arrête ! Ce n'est pas la bonne direction.

Apparemment Kevin ne l'entendit pas et Conor se demanda s'il n'était pas aussi aveugle que sourd. Le vieillard atteignit l'endroit où les vagues déferlent sur le sable et il entra dans l'eau.

— Attends ! Attends-moi ! cria Conor qui lui courut après, dévala les marches du perron.

Tout à coup, le sable humide céda sous ses pas et le retint. Il se débattit en vain pour se libérer, épouvanté de voir Kevin avancer dans l'eau.

— Attends-moi ! Attends-moi !

Kevin continua à s'éloigner du même pas. L'eau atteignit sa taille, sa poitrine, son cou. Une vague lui éclaboussa la figure et déferla au-dessus de sa tête. Il ne reparut pas...

— Attends ! Attends !

— Réveille-toi, Conor, réveille-toi !

Conor souleva la tête de l'oreiller, le cou raide comme celui d'une statue. La lumière du jour entrait à flots dans la chambre avec les rideaux auxquels une légère brise tiède imprimait une ondulation de vagues. Ses poings étaient crispés sur le drap froissé. Il perçut enfin l'angoisse du corps serré contre le sien. Shelley lui caressait la nuque.

— Conor, souffla-t-elle.

La tête retomba sur l'oreiller et il resta immobile, haletant, en attendant que son cœur reprenne un rythme normal. Puis il se leva péniblement, osant à peine jeter un coup d'œil vers le visage de Shelley, effarée.

Il y avait deux lettres sur le secrétaire. La troisième était inachevée. Sans doute Shelley s'était-elle approchée de lui pendant qu'il écrivait ; ils avaient fait l'amour et s'étaient endormis.

Sans rien dire il s'habilla rapidement, mangea à peine, s'excusa et partit se promener seul sur les planches.

Libéré des lames les plus aiguës de son cauchemar il revint au bout d'un peu plus d'une heure. En entrant dans le vestibule de l'hôtel, il sursauta. Les valises de Shelley étaient posées sur le plancher, devant le comptoir de la réception. Il fonça vers l'escalier, le gravit quatre à quatre et ouvrit la porte de la chambre. Elle était assise, raide, au bord du lit, en robe de voyage.

— Qu'est-ce qui se passe ?

— Un train part pour Liverpool dans à peu près une heure, dit-elle. Il arrive à temps pour que je prenne le vapeur de Belfast.

— Mais tu ne devais partir que demain. Bien sûr, si tu veux rentrer plus tôt, nous nous en irons plus vite.

Le silence de Shelley était éloquent. Alors seulement il remarqua qu'elle avait les paupières rouges. La frayeur l'empêcha de parler pendant un moment. Puis il s'efforça de prendre un ton désinvolte.

— Ne prends pas ça trop au sérieux. Ce n'était qu'un mauvais rêve.

— Le premier. Tu en feras d'autres, répondit-elle.

— Ecoute-moi, ma chérie. Il y a quelques minutes, sur la plage, j'ai réfléchi et je sais mieux que jamais ce qui compte dans la vie : deux personnes et le reste n'est rien. L'homme n'a jamais rien gagné s'il n'a pas l'amour d'une femme. Pour échapper à la puanteur et aux tourments du monde, il faut être capables de bâtir un abri à deux pour s'y protéger réciproquement.

— Nous ne pouvons pas passer notre vie dans un abri, dit-elle doucement. L'isolement stérilise.

— Shelley...

— Laisse-moi parler. Chaque homme doit suivre son destin, et la femme aussi. Ce qui doit être fait doit être fait, quelque souffrance que cela implique. A cette condition seulement on mérite le privilège de l'abri où chacun console l'autre pendant les heures pénibles. C'est comme ça, mon amour... Quand l'heure sonnera de nouveau, tu devras y aller et faire face malgré toute la puanteur et les tourments.

— Non ! dit Conor. Je ne te ferai pas une chose pareille. En fin de compte je lutterais contre ta famille, je serais l'ennemi de ton père et de ton frère. Si je te remmène en Irlande tu te dessécheras.

— Et si nous fuyons, c'est toi qui te dessécheras.

— Shelley, ce que nous possédons est tout neuf parce que nous ne l'avons jamais espéré. Nous éloigner maintenant, briser avec le passé peut être effrayant, certes, mais grâce à notre amour nous serons assez puissants pour tout surmonter.

Shelley MacLeod resta d'un calme souverain. Sa sérénité dans cet ouragan la rendait encore plus belle.

— Sache que je suis capable de tout affronter sauf le rêve brisé d'un Irlandais. Il nous suivrait partout où nous chercherions à nous cacher. Ce que nous avons découvert de si beau tournera à l'aigre et toi aussi. Ça nous opposera violemment l'un à l'autre. Combien de temps pourrions-nous l'écarter, Conor ? Jusqu'à quand pourrions-nous feindre ? Un an, deux, trois peut-être. Tôt ou tard le regret nous accablerait et nous aurions gâché notre aptitude à le combattre. Qu'adviendrait-il de nous alors ?

— Shelley, je ne veux plus retourner à Belfast. Je ne veux plus consacrer ma vie à cette folie. C'est une malédiction. Viens avec moi, Shelley.

— Pour te regarder mourir, mon homme ! Tomber en morceaux comme ton père ? Il faudrait t'aimer bien peu.

— Je t'en supplie, Shelley !

Elle se libéra de son étreinte, recula d'un pas.

— Qui est Kevin O'Garvey ? s'écria-t-elle.

Conor lui tendait les bras, les laissa tomber et s'immobilisa.

— Qui est Brendan Sean Barrett ? Mon pauvre Conor, pendant quelques jours enchanteurs je me suis forcée à croire que c'était possible. Mais en dépit de la ferveur de nos amours, je sentais un bouillonnement en toi. Je t'aime tellement Conor... presque assez pour m'enfuir avec toi...

Comme son gigantesque père avant lui, Conor se sentit impuissant devant les forces obscures qui l'amenaient à cet instant. Sous le choc, il griffa l'air devant lui... incapable de hurler son chagrin... trop abattu pour pleurer.

— Je retourne à Belfast, dit-elle amèrement. Et toi aussi. Tu feras ce que tu dois faire. Et puis, si les choses tournent très mal, si tu es esseulé, si tu as peur, j'irai vers toi. Je te rejoindrai toujours. Si j'étais mariée avec un autre je quitterais le lit de mon mari pour aller vers toi.

Conor tituba vers la fenêtre. Sa main se crispa sur le rebord. Il tremblait de la tête aux pieds. Il l'entendit marcher... puis... la porte se ferma. Conor se retourna lentement. Shelley était partie.